Yr
Hudlath
a'r
Haearn

'Os ydych chi eisiau i'ch plant fod yn ddeallus, darllenwch straeon tylwyth teg iddyn nhw. Os ydych eisiau iddyn nhw fod yn fwy deallus, darllenwch fwy o straeon tylwyth teg iddyn nhw.'

ALBERT EINSTEIN

Cyhoeddwyd gyntaf ym Mhrydain yn 2017
gan Hodder and Soughton, Carmelite House,
50 Victoria Embankment, Lludain, EC4Y 0DZ

Cyhoeddwyd gyntaf yn Gymraeg gan Rily Publications Ltd,
Blwch Post 257, Caerffili, CF83 9FL

Addaswyd gan Ifan Morgan Jones.

ISBN: 978-1-84967-077-7

Argraffwyd a rhwymwyd ym Mhrydain.
Cynlluniwyd gan Jennifer Stephenson.

www.rily.co.uk

Cyflwynir y llyfr hwn i'm mab, Xanny, sy'n arwr a'i enw'n dechrau gyda'r llythyren 'X' (a ddim).

stori a lluniau gan

CRESSIDA COWELL

addaswyd gan Ifan Morgan Jones

Mae gan y stori hon ddau arwr.

Mae'r bachgen, Llŷr, yn perthyn i Lwyth y Dewiniaid, ond does ganddo ddim Hud, ac fe fyddai'n gwneud UNRHYW BETH i ddod o hyd iddo.

Mae'r ferch, Dôn, yn perthyn i
Lwyth y Rhyfelwyr,

ond mae hi'n berchen
ar Wrthrych Hudolus, ac fe fyddai'n
gwneud unrhyw beth i'w guddio.

Môr Lwybr i Afallon
môr lwybrau
ÔL TRAED Y CAWR
G
Dn
D
Gn
Clogwyni Tragwyddoldeb
TRE'R CEWRI
Y GWRACHWLAD
Y Gors-ffordd
TIR Y SMWTLIGION
(Y LLACA)
Caer Bwbach
Cadwch draw o'r Bwbachiaid
COEDWIG WYLLT Y DE
Coedwigoedd Cwsg
Y Gors-ffordd

TIRIOGAETHAU'R RHYFELWYR

Y Ffordd i Brifddinas y Rhyfelwyr

Mynyddoedd yr Ysbrydion

YMERODRAETH Y RHYFELWYR

Y Gors-ffordd

Caer Haearn y Rhyfelwyr

Taith Dôn

Wal yr Ysbrydion

TEYRNAS TARIANRHOD

NIAID

Y DRYSNI

Taith Llŷr

Llannerch Sinistr

Gwersyll y Dewiniaid

TEYRNAS SEITHWG

Afon Carpiog

CAER HAEARN
Brenhines Tarianrhod
Mae gan y gaer saith ffos
ac mae coedwigoedd diddiwedd
o'i chwmpas, lle mae Ysbrydion,
Cewri, a phethau llawer
gwaeth yn byw ...

Mynediad i ddaeargelloedd Tarianrhod
Tŷ Dôn

Unwaith roedd yna Hud...

Prolog

Amser maith yn ôl, cyn i Ynysoedd Prydain wybod mai Ynysoedd Prydain oedden nhw eto, roedd yr Hud hwn yn byw mewn coedwigoedd tywyll. Efallai dy fod yn meddwl dy fod ti'n gwybod sut y mae coedwig dywyll yn edrych.

Wel, gallaf ddweud wrthyt ti'n syth bìn nad wyt ti, yn bendant. Roedd y rhain yn goedwigoedd tywyllach nag y byddet ti'n credu sy'n bosib, yn dywyllach na bol buwch, yn dywyllach na pherfeddion ganol nos, yn dywyllach na'r gofod ei hun, ac mor wyllt ac mor ddryslyd â chalon Gwrach. Dyma'r hyn a elwir bellach yn goedwigoedd gwyllt, sy'n ymestyn mor bell ag y mae'n bosib ei ddychmygu i bob cyfeiriad, a dydyn nhw ddim yn stopio nes eu bod nhw'n cyrraedd y môr.

Roedd yna lawer o fathau o bobl yn byw yng nghanol y coed gwyllt.

Y Dewiniaid, a oedd yn meddu ar Hud.

A'r Rhyfelwyr, oedd heb Hud o gwbl.

Roedd y Dewiniaid wedi byw yng nghanol y coed gwyllt gyhyd ag y gallai unrhyw un gofio, ac roedden nhw'n bwriadu byw yno am byth, ynghyd â'r holl bethau Hud eraill.

Hyd nes y daeth y Rhyfelwyr. Ymosododd y Rhyfelwyr o bob cwr o'r moroedd, ac er nad oedd ganddyn nhw Hud, roedd ganddyn nhw arf newydd o'r enw HAEARN, a *haearn oedd yr unig beth na allai Hud ei drechu.* Roedd gan y Rhyfelwyr gleddyfau *haearn*, a tharianau *haearn*, ac arfau *haearn*, ac roedd hyd yn oed Hud y Gwrachod ofnadwy yn werth dim byd yn erbyn y metel ofnadwy hwn.

Yn gyntaf fe ymladdodd y Rhyfelwyr yn erbyn y Gwrachod, a'u gyrru nhw i ebargofiant mewn brwydr hir a dychrynllyd. Doedd neb yn hiraethu am y Gwrachod, oherwydd roedd Gwrachod yn defnyddio Hud erchyll, y math gwaethaf o Hud, y math o Hud a oedd yn rhwygo adenydd i ffwrdd ac yn lladd er mwyn yr hwyl o ladd. Gallai ddod â'r byd, a phawb ynddo, i ben.

Ond fe aeth y Rhyfelwyr gam ymhellach. Roedden nhw'n meddwl oherwydd bod rhai mathau o Hud yn ddrwg, fod pob math o Hud yn y byd i gyd yn grwn yn ddrwg.

Felly penderfynodd y Rhyfelwyr gael gwared ar y Dewiniaid hefyd, a'r angenfilod a'r bleidd-ddynion, a'r ellyllon da a'r ellyllon cas a oedd yn gwibio fel sêr bach drwy'r tywyllwch, yn bwrw swyngyfareddion gwirion ar ei gilydd, a'r cewri a symudai'n araf a gofalus trwy'r tyfiant, a'r rheini'n fwy na mamothiaid ac mor heddychlon â babanod.

Roedd y Rhyfelwyr wedi tyngu llw na fydden nhw'n gorffwys nes dinistrio POB DIFERYN O HUD hyd at y darn olaf un yn y goedwig dywyll honno – y goedwig roedden nhw'n ei chwalu mor gyflym â phosib â'u bwyelli haearn, er mwyn adeiladu eu caerau a'u caeau a'u byd di-hid a di-Hud newydd.

Rwyt ti bellach wedi mentro i

YMERODRAETH HAEARN Y RHYFELWYR

DOES DIM HAWL DEFNYDDIO HUD

YN Y FANGRE HON

DIM ELLYLLON, DIM CEWRI,
DIM YSBADDENNOD,
DIM CATHOD PALUG, DIM BLEIDD-DDYNION,
DIM COBLYNNOD LLYSNAFEDDOG
(NAC UNRHYW GREADURIAID HUDOL ERAILL),
DIM HEDFAN,
DIM GWRTHRYCHAU HUDOL,
DIM SWYNGYFAREDDION NA MELLTITHION.
DIM HUD O GWBL.

Ac os oes unrhyw Ddewiniaid yn camu ar y tiroedd yma, yn anffodus, bydd eu pennau'n cael eu torri i ffwrdd.

DAN ORCHYMYN EI MAWRHYDI

Brenhines Tarianrhod

BRENHINES TARIANRHOD, BRENHINES HAEARN Y RHYFELWYR.

Dyma hanes bachgen ifanc o Ddewin a merch ifanc o Ryfelwr sydd wedi cael eu dysgu ers iddyn nhw gael eu geni i gasáu ei gilydd â chas perffaith.

Mae'r stori'n dechrau gyda darganfyddiad

PLUEN DDU ANFERTH.

Ydy'r Dewiniaid a'r Rhyfelwyr wedi bod mor brysur yn ymladd â'i gilydd fel nad ydyn nhw wedi sylwi ar yr hen ddrygioni yn dychwelyd? A all y bluen fod yn bluen Gwrach?

Ai
pluen
Gwrach
go iawn
yw hon??

Gwrach-bluen!

Rwy'n gymeriad yn y
stori hon ... sy'n gweld
popeth, yn gwybod popeth.
Ond wna i ddim dweud
wrthot ti pwy ydw i.
Dere i ni weld
a alli di ddyfalu.
Mae'r stori'n cychwyn fan hyn.
(Paid â mynd ar goll –
mae'r goedwig hon yn beryglus.)

RHAN
Un
Anufudd-dod

1. Trap i Ddal Gwrach

Roedd hi'n noson gynnes ym mis Tachwedd, noson rhy gynnes i'r Gwrachod, yn ôl yr hanes. Roedd y Gwrachod i fod wedi hen ddiflannu o'r tir, wrth gwrs, ond roedd Llŷr wedi clywed am y ffordd yr oedden nhw'n drewi, a gallai ddychmygu'r arogl nawr, yn nhawelwch y goedwig dywyll – drewdod gwan ond pendant, fel gwallt yn llosgi wedi'i gymysgu â llygod marw a chic fach o wenwyn y wiber. Unwaith iddo gyrraedd eich ffroenau, fyddech chi fyth yn ei anghofio.

Roedd Llŷr yn fachgen ifanc gwyllt, a oedd yn perthyn i lwyth y Dewiniaid. Roedd yn marchogaeth ar gefn cath eira fawr mewn rhan o'r goedwig a oedd mor dywyll, a llawn tagfeydd o ddrain a phrysgwydd, nes ei bod yn cael ei hadnabod fel y Drysni.

Ddylai Llŷr ddim bod yno, oherwydd bod y Drysni yn diriogaeth y Rhyfelwyr, a phe bai'r Rhyfelwyr yn ei ddal ... wel, byddai Llŷr yn cael ei ladd ar unwaith. Torri ei ben i ffwrdd! Dyna oedd defod arferol y Rhyfelwyr.

Ond doedd Llŷr ddim yn poeni'r un daten. Roedd yn grwtyn blêr, llon, gyda chudyn anferth o wallt yn saethu i fyny o'i dalcen fel petai wedi dod i gysylltiad â chorwynt fertigol anweledig.

Brenhingath oedd y gath eira roedd yn ei marchogaeth, creadur bonheddig fel lyncs enfawr – rhy anrhydeddus o lawer i'w feistr haerllug. Roedd gan y Frenhingath bawennau disglair – rhai afreal, bron, â

Crawchog, cigfran ddoeth Llŷr

ffwr trwchus fel powdr eira, a lliw llwyd arian mor gyfoethog nes ei fod bron yn las. Rhedai'r gath eira'n gyflym ond yn ysgafndroed trwy'r goedwig, ac roedd ei chlustiau'n troi o'r naill ochr i'r llall wrth iddi redeg, gan ei bod yn ofnus, er ei bod yn rhy falch i ddangos hynny.

Ar yr union fore hwnnw, roedd tad Llŷr, Seithwg y Swynwr, Brenin y Dewiniaid, wedi atgoffa pawb ei fod wedi gwahardd unrhyw Ddewin rhag mentro rhoi blaen bys troed yn y Drysni.

Ond Llŷr oedd y bachgen mwyaf anufudd yn nheyrnas y Dewiniaid ers pedair cenhedlaeth a mwy, a'r unig effaith roedd unrhyw waharddiad yn ei chael oedd annog y cythraul ynddo.

Yn ystod yr wythnos diwethaf:

Roedd Llŷr wedi clymu barfau dau o'r Dewiniaid hynaf a mwyaf parchus at ei gilydd pan oedden nhw'n cysgu adeg gwledd. Roedd wedi tywallt dogn o gariad i mewn i gafn bwydo'r moch, gan achosi i'r moch ddatblygu atynfa Hudolus, nwydwyllt at gas athro Llŷr, gan ei ddilyn o gwmpas y lle i ble bynnag yr âi, a gwneud synau gwichian brwdfrydig a chusanau swnllyd.

Roedd wedi llosgi'r coed gorllewinol yng ngwersyll y Dewiniaid (ar ddamwain).

Damweiniol ar y cyfan oedd y pethau hyn; roedd Llŷr wedi cynhyrfu yng ngwres yr eiliad.

Ac eto, doedd yr un o'r pethau anufudd yma gynddrwg â'r hyn roedd Llŷr yn ei wneud yr eiliad hon.

Dyma gath eira ofnus yn syllu o gwmpas y llannerch ddiogel

Roedd yna gigfran fawr ddu yn hedfan uwch ei ben. 'Mae hwn yn syniad gwael iawn, Llŷr,' meddai'r gigfran.

Crawchog oedd enw'r gigfran, ac fe ddylai fod yn aderyn golygus iawn. Ond yn anffodus, ei waith oedd cadw Llŷr rhag mynd i drafferth, ac roedd y pryder a achoswyd iddo gan y dasg amhosibl hon yn golygu ei fod yn colli'i blu'n gyson.

'Dydy hi ddim yn deg arwain dy anifeiliaid a'th ellyllon a'th gyd-Ddewiniaid ifanc i'r fath berygl ...'

Gan mai fe oedd mab Brenin Seithwg y Swynwr, ac am ei fod yn fachgen carismataidd iawn, roedd gan Llŷr lawer o ddilynwyr. Cnud o bum blaidd, tair cath eira, arth, wyth ysbryd, cawr enfawr o'r enw Dolur, a thorf fechan o Ddewiniaid ifanc eraill, pob un yn dilyn ôl traed Llŷr fel pe baen nhw wedi cael eu swyno, yn crynu ac yn ofnus, ac yn esgus peidio â bod.

'O, rwyt ti'n poeni gormod, Crawchog,' meddai Llŷr, gan ddod â Brenhingath i stop, a neidio oddi ar ei chefn. 'Edrycha ar y llannerch hyfryd, fechan hon ... ti'n gweld ... mae'n BERFFAITH saff ac yn union yr un fath â gweddill y goedwig.'

Edrychodd Llŷr o'i amgylch yn fodlon, fel pe baen nhw wedi cael hoe mewn cwm gwastad gyda choetir hyfryd, yn fwrlwm o gwningod a cheirw bach yn prancio, yn hytrach

Afallach

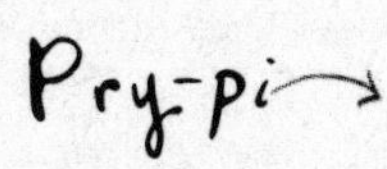

na llecyn bach oer, lle roedd brigau'r ywen mor llym â chyllyll, a'r uchelwydd yn diferu fel dagrau meirwddewiniaid.

Tynnodd y Dewiniaid eraill eu cleddyfau, ac roedd cefn y cathod eira'n crymu gan ofn, nes eu bod yn edrych fel peli ffwr. Roedd y bleiddiaid wedi ffurfio'n gylch anhrefnus, gan geisio creu mur amddiffynnol o amgylch y lleill.

Dim ond y tri ellyll bach oedd yn rhannu brwdfrydedd Llŷr, ond roedd hynny oherwydd eu bod yn rhy ifanc i wybod yn well. Rhag ofn nad wyt ti wedi gweld ysbryd erioed, well i mi ddisgrifio'r rhain i ti.

Roedd yna bum ellyll mawr, pob un yn weddol debyg i fod dynol wedi cael ei groesi â phryfyn ffyrnig, cain. Pan fyddan nhw wedi'u cythruddo, neu wedi diflasu (a oedd yn aml), fe fyddan nhw'n fflachio fel sêr, a mwg porffor yn dod allan o'u clustiau. Maen nhw'n ddigon tryloyw i weld eu calonnau yn curo.

Yna roedd tri o rai llai – y rhai ifancaf – a oedd yn cael eu hadnabod fel 'y tylwyth twp' am nad oedden nhw'n oedolion eto. Ffefryn Llŷr oedd un bach awyddus, ychydig yn ddwl, o'r enw Pry-pi.

'O, mae'n hyfryd! Mae'n hyfryd!' gwichiodd Pry-pi. 'Dyma'r lle mwyaf rhyfanferth hyfygoel dwi wedi'i weld erioed. Beth yw'r blodyn swyneddol yma? Gadewch i mi ddyfalu! Blodyn ymenyn? Llygad y dydd? Mynawyd y bugail? Blodfresych?!'

Hedfanodd i ganol canghennau uchaf coeden arbennig o dywyll a sinistr, ac eistedd wrth ymyl un o'r blodau swmpus, a oedd a phigau anferth ar ben ei ddail. Mewn gwirionedd, blodyn bwyta ellyllon oedd hwnnw. Cleciodd y blodyn ar gau fel trap llygoden, gan gipio Pry-pi, druan, y tu mewn. Glaniodd Crawchog ar ysgwydd Llŷr gydag ochenaid drom.

'Dydw i ddim yn hoffi dweud, "wedes i,"' meddai Crawchog, 'ond ry'n ni wedi bod yn y man perffaith ddiogel hwn yn y Drysni am funud a hanner ac mae blodyn llwglyd eisoes wedi bwyta un o'ch dilynwyr.'

'Nonsens,' atebodd Llŷr. 'Dwi ddim wedi'i golli e. Dyna holl bwynt bod yn arweinydd. Pryd bynnag bydd fy nilynwyr yn mynd i drafferth, dwi'n eu hachub nhw, oherwydd dyna beth yw gwaith arweinydd.'

Dringodd Llŷr y goeden, ddau gant o droeddfeddi i fyny i'r awyr, ac wrth siglo'n simsan ar ddwy gangen wichlyd, tynnodd ei gyllell a rhwygo'r blodyn bwyta ellyllon, gan ryddhau Pry-pi bach jest mewn pryd.

'Fi iawn!' gwichiodd Pry-pi. 'Fi IAWN! Fi ddim teimlo coes chwith ond fi iawn!'

'Paid â phoeni, Pry-pi! Dim ond effaith sudd cysgu'r blodyn yw hwnna – daw'r teimlad 'nôl mewn awr neu ddwy!'

Bloeddiodd Llŷr wrth iddo ddod i lawr o'r goeden: 'Chi'n gweld? Dwi'n arweinydd gwych! Arhoswch chi gyda fi a byddwch chi'n ddigon saff!'

Edrychodd y Dewiniaid bach yn feddylgar. Yr eiliad

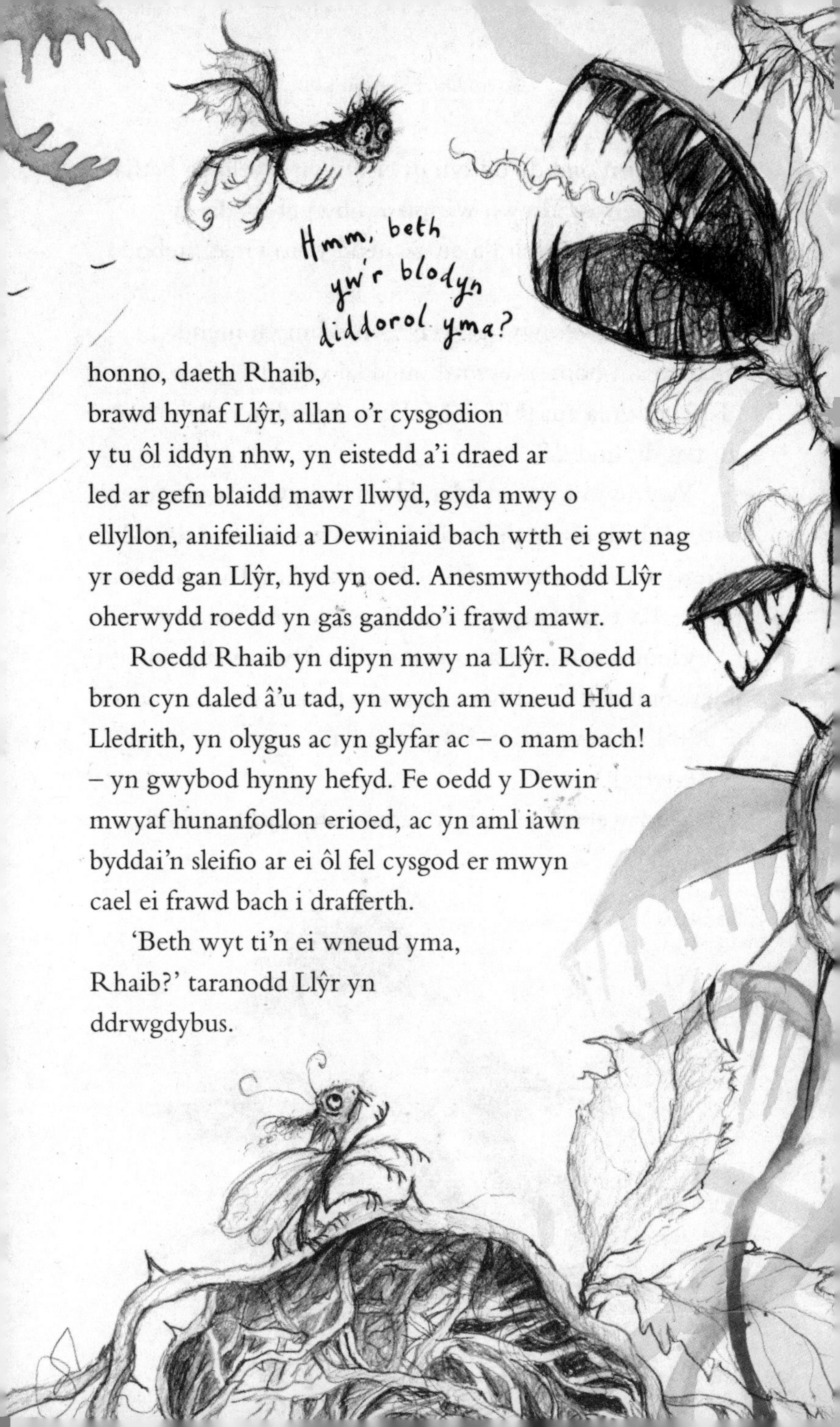

honno, daeth Rhaib,
brawd hynaf Llŷr, allan o'r cysgodion
y tu ôl iddyn nhw, yn eistedd a'i draed ar
led ar gefn blaidd mawr llwyd, gyda mwy o
ellyllon, anifeiliaid a Dewiniaid bach wrth ei gwt nag
yr oedd gan Llŷr, hyd yn oed. Anesmwythodd Llŷr
oherwydd roedd yn gas ganddo'i frawd mawr.

Roedd Rhaib yn dipyn mwy na Llŷr. Roedd
bron cyn daled â'u tad, yn wych am wneud Hud a
Lledrith, yn olygus ac yn glyfar ac – o mam bach!
– yn gwybod hynny hefyd. Fe oedd y Dewin
mwyaf hunanfodlon erioed, ac yn aml iawn
byddai'n sleifio ar ei ôl fel cysgod er mwyn
cael ei frawd bach i drafferth.

'Beth wyt ti'n ei wneud yma,
Rhaib?' taranodd Llŷr yn
ddrwgdybus.

'O, dim ond dy ddilyn di er mwyn gweld pa bethau hollol anghredadwy o wirion a dibwynt fyddai fy mrawd bychan bach i'n eu gwneud y tro yma,' atebodd Rhaib yn smala.

'Dyw arweinwyr gwych fel fi ddim yn mynd am dro am ddim rheswm!' meddai Llŷr dan ei wynt. 'Ry'n ni yma am RESWM. Dyw e'n ddim o dy fusnes di, ond ...'

Ystyriodd Llŷr a ddylai ddweud rhyw gelwydd coeth wrth Rhaib am beth roedd e'n ei wneud – ond doedd e ddim yn gallu gwrthsefyll y temtasiwn i ddangos ei hun.

'... Ry'n ni'n mynd i ddal Gwrach,' broliodd yn falch.

Ooooo diar, o diar o diar o diar. Dyma'r tro cyntaf i Llŷr sôn wrth ei ddilynwyr am fwriad eu cyrch, a doedd e ddim yn newyddion i'w groesawu.

Gwrach!

Ymdawelodd yr arth, y cathod eira a'r bleiddiaid,

gan ddechrau crynu. Gwnaeth hyd yn oed Afallach, yr ysbryd mwyaf gwyllt ac eofn, dasgu i'r awyr a diflannu am ychydig.

'Dwi'n sicr bod yna Wrachod yn y rhan yma o'r Drysni,' sibrydodd Llŷr yn gyffro i gyd, fel pe bai Gwrach yn rhyw fath o anrheg fendigedig roedd yn ei rhoi i bawb. Cafwyd saib hir ac yna dechreuodd Rhaib a'i ddilynwyr chwerthin – chwerthin, chwerthin, a chwerthin nes bod eu boliau'n brifo.

'O dere nawr, Llŷr,' meddai Rhaib o'r diwedd, unwaith iddo ddal ei wynt. 'Rwyt ti hyd yn oed yn gwybod bod Gwrachod wedi diflannu ers canrifoedd.'

'O, ydw,' cytunodd Llŷr, 'ond beth os oes rhai ohonyn nhw wedi goroesi, a'u bod nhw wedi bod yn cuddio ar hyd yr holl amser yma? Edrych! 'Co beth wnes i ddarganfod fan hyn, ddoe!' Allan o'i fag cefn, tynnodd bluen ddu enfawr, anhygoel. Roedd hi'n anferth, fel pluen brân, ond yn llawer, llawer mwy. Roedd y du meddal ar y gynffon yn pylu'n wyrdd tywyll, disglair, lliw pen hwyaden wyllt.

'Pluen Gwrach yw hi ...' sibrydodd Llŷr.

Gwenodd Rhaib yn ddoeth. 'Jest pluen rhyw aderyn mawr yw honna,' pwffiodd. 'Rhyw hen frân – mae 'na rai pethau hynod ryfedd yn byw yn y Drysni.'

Gwgodd Llŷr a gosod y bluen ar ei felt. 'Dwi erioed wedi gweld aderyn mor fawr â hwn,' meddai gan bwdu.

'Nonsens llwyr,' gwenodd Rhaib. 'Dim ond ffŵl twp fel ti fyddai ddim yn gwybod hynny. Cafodd y Gwrachod eu distrywio am byth.'

Hedfanodd Crawchog i lawr a glanio ar ben Llŷr. 'Mae "am byth" yn amser hir,' meddai'r gigfran.

'A-ha, wyt ti'n gweld?' meddai Llŷr yn fuddugoliaethus. 'Mae Crawchog yn gallu gweld i'r dyfodol a'r gorffennol, a dyw e *ddim* yn credu bod y Gwrachod wedi mynd am byth!'

'Y cyfan dwi'n ei wybod yw, os nad oedd y Gwrachod wedi diflannu am ryw reswm, fyddech chi ddim eisiau cwrdd ag un mewn man tywyll,' meddai Crawchog, dan grynu. 'Pam ddiawch wyt ti eisiau cwrdd â Gwrach, Llŷr?'

'Dwi'n mynd i ddal y Wrach,' meddai Llŷr, 'a thynnu'r Hud a'i ddefnyddio fy hun.'

Roedd yna dawelwch llethol, brawychus.

O'r diwedd, siaradodd Rhaib. '*Dyna*, frawd bach, yw'r cynllun gwaethaf dwi erioed wedi'i glywed yn holl hanes cynlluniau gwael.'

'Hy! Cenfigennus wyt ti am nad TI feddyliodd amdano fe,' meddai Llŷr.

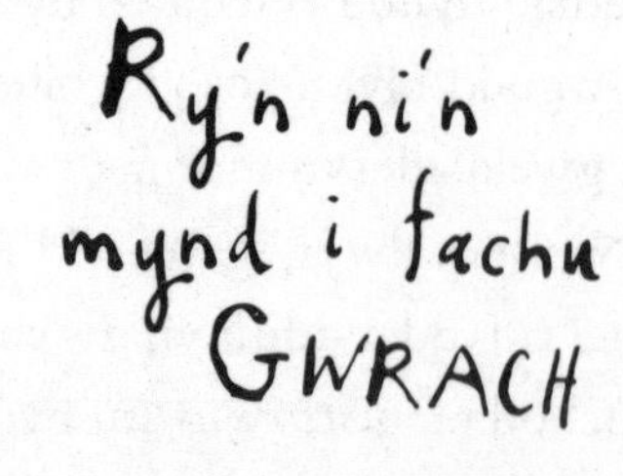

'Mae gen i ambell gwestiwn,' meddai Rhaib. 'Sut wyt ti'n mynd i fachu Gwrach yn y lle cyntaf?'

'Dyna ddiben hon,' eglurodd Llŷr, gan dynnu rhwyd allan o'i fag a'i dal hi i fyny.

O diar, o diar, o diar ...

Does dim yn bod ar ei *frwdfrydedd*, o leiaf.

'Gall un ohonom esgus ein bod wedi brifo ychydig bach, ac yna bydd y gwaed yn denu'r Wrach ...'

'O, grêt,' gwenodd Rhaib. 'Nawr rwyt ti'n mynd i frifo un o dy ddilynwyr bach trist di, mewn coedwig sy'n llawn dop o fleidd-ddynion gorffwyll ac Ysbaddennod Sniffian-Gwaed ... Dere nawr, rwyt ti'n hollol honco wirion bost ... mae'r cynllun yma'r un mor pathetig ag yr wyt ti ...'

O diar, o diar, o diar...

Anwybyddodd Llŷr ei frawd. 'Ac yna byddaf yn dal y Wrach yn y rhwyd yma pan fydd hi'n ymosod. Cwestiwn nesa.'

'Cwestiwn rhif dau 'te,' meddai Rhaib. 'Does yr un Dewin byw erioed wedi gweld Gwrach, felly sut mae un yn edrych, tybed?'

Agorodd Llŷr ei fag, a thynnu llyfr maint atlas mawr o'r enw *Y Swyniadur* allan ohono.

Mae gan bob Dewin *Swyniadur*, ers y crud. Byseddodd Llŷr drwy'i gopi ef. Roedd un rhan ohono'n anweledig (cafodd ei ollwng i ganol crochan llawn hylif anweledig mewn camgymeriad). Roedd un darn wedi'i losgi mor ddu, allech chi 'mo'i ddarllen yn hawdd (digwyddodd hyn pan aeth gwersyll y Dewiniaid ar dân, diolch i Llŷr), ac roedd llawer iawn o'r tudalennau'n rhydd ac yn disgyn allan (gormod o antur, felly gwell peidio manylu!).

Agorodd Llŷr y llyfr ac edrych ar y dudalen gynnwys, lle roedd chwech ar hugain o lythrennau'r wyddor mewn llawysgrifen fawr, euraid. Sillafodd Llŷr y gair 'Gwrachod' drwy dapio ar bob llythyren yn eu tro, a *wwwwwsh*, dechreuodd y llyfr droi'i dudalennau ei hun, cannoedd ohonyn nhw, gyda'r penodau'n troi'n anweledig wrth iddyn nhw droi ar wib, fel set o gardiau, hyd nes y daeth popeth i stop yn y man cywir yn y llyfr.

'Dyna ryfedd ... dyw e ddim yn eu disgrifio nhw ... ond maen nhw'n wyrdd ... dwi'n *meddwl* ...' meddai Llŷr.

Roedd rhywun arall yn meddwl bod Gwrachod yn gallu troi eu hunain yn anweledig a bod ganddyn nhw waed llawn asid. Ac un arall yn meddwl eu bod nhw'n chwistrellu'r gwaed allan trwy eu llygaid.

'Dwi'n siŵr y gwnawn ni adnabod un pan welwn ni hi,' meddai Llŷr yn ddiamynedd wrth gau'r *Swyniadur* yn glep. 'Maen nhw i fod yn reit afiach, dydyn?'

'Yn rhyfeddol o afiach,' atebodd Crawchog yn ddifrifol i gyd. 'Y creaduriaid mwyaf arswydus i droedio'r ddaear yma erioed ...'

'Felly hyd yn oed os wnei di ddal y Wrach yma, sut wyt ti am ei pherswadio i roi'i Hud i ti?' holodd Rhaib. 'Dwi'n dychmygu na fydd y Gwrachod chwistrellu-gwaed-asid-gwyrdd anweledig, y creaduriaid mwyaf arswydus i droedio'r ddaear yma erioed, yn ildio'u Hud yn hawdd iawn, rywsut ...'

Gyda ffanffer mawr dyma fe'n gwisgo menig, yn estyn i'w fag, ac yn tynnu ... sosban fechan.

'*A-ha*,' meddai Llŷr. 'Dwi wedi meddwl am hynna!'

Yna, bu tawelwch unwaith eto.

'Ti'n deall mai sosban yw honna?' holodd Rhaib.

'Nid sosban gyffredin mo hon,' meddai Llŷr, yn ddig.

Ac yna mi gymerodd anadl ddofn cyn gwneud ei gyhoeddiad ysgytiol.

'Mae'r sosban benodol hon wedi'i chreu o HAEARN ...'

Camodd y rhan fwyaf o'r Dewiniaid yn ôl mewn

arswyd. Gwichiodd yr ellyllon mewn panig. Wfftiodd Rhaib. Yn wir, fe wnaeth e chwerthin mor uchel nes i Llŷr feddwl y byddai'n syrthio'n glewt ar lawr.

'Mae hyn yn wych ... rwyt ti'n mynd i ymladd Gwrach â sosban!' gwawdiodd Rhaib. 'Dwyt ti ddim yn "arweinydd gwych", Llŷr; rwyt ti'n gelwyddgi ac yn fethiant. Mae gan ein tad ni gywilydd ohonot ti – a nawr dwi'n gwybod pam dy fod ti mor awyddus i ddwyn Hud oddi ar Wrach. Mae yna Gystadleuaeth Swyngyfaredd yn y Dathliad Gaeafol heno, a dwyt *TI* ddim yn gallu gwneud Hud a lledrith ... DYW LLŶR DDIM YN GALLU GWNEUD HUD A LLEDRITH ...' gwawdiodd Rhaib.

Gwridodd Llŷr, gymaint oedd ei gywilydd, yna trodd yn wyn dan gynddaredd.

Roedd y ffaith nad oedd e'n gallu gwneud Hud eto yn un o'r straeon

cudd hynny y byddai'n
well ei chadw'n dawel.
Doedd plant Dewiniaid
ddim yn cael eu geni â
Hud. Roedd yr Hud yn
cyrraedd pan oedden nhw
tua deuddeg oed. Ond
roedd Llŷr yn *dair ar ddeg*, ac
yn dal i aros am ei Hud.

Ceisiodd wneud Hud. Am
oriau maith, byddai wrthi.
Byddai'n ceisio gwneud pethau
gwirioneddol hawdd, fel symud
pethau â'i feddwl. Ond roedd
fel pe na bai ganddo'r un cyhyr
Hudol yn ei gorff. 'Ymlacia,'
meddai pawb wrtho. 'Ymlacia, ac
fe ddaw.' Ond i Lŷr, roedd gwneud
hud fel ceisio symud pethau â breichiau
nad oedd ganddo.

Ac yn ddiweddar roedd Llŷr wedi
dechrau poeni ... beth os na fyddai'r Hud
BYTH yn dod? Roedd hynny'n annhebygol.
Ond byddai'n warth ar yr holl deulu pe na bai
plentyn a anwyd i'r Brenin Swynwr yn gallu
gwneud Hud O GWBL.

Roedd ei fol yn corddi wrth feddwl am y peth.
'Druan â babi Llŷr ...' meddai Rhaib yn wawdlyd.
'Mae e'n meddwl bod e'n gymaint o ddyn mawr,

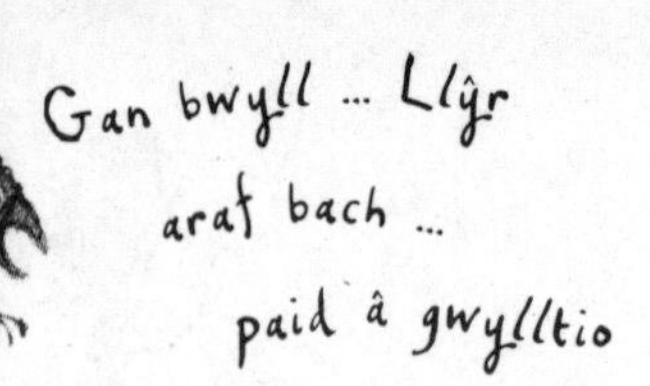

ond dyw e ddim yn gallu gwneud unrhyw Hud o gwbl ...'

'Fe DDAW fy Hud,' hisiodd Llŷr, 'ond yn y cyfamser, dwi'n benderfynol ...' poerodd, â'i lygaid mor fach

... neu beth am ei daro â'r sosban ...?

gan gynddaredd fel mai prin y medrai weld trwyddyn nhw, 'dwi'n BENDERFYNOL 'mod i'n mynd i ddal Gwrach, ac fe fydda i'n gwasgu cymaint o Hud allan ohoni, Rhaib, fel 'mod i'n dy chwythu di bob cam i ebargofiant ...'

'Ooo, ie?' gwenodd Rhaib. Estynnodd i'w fag a chydio yn ei Hudlath. Roedd Hudlath Dewin tua'r un maint â ffon gerdded a chrynai Hud drwyddi.

'Wneith dy swyngyfaredd di ddim gweithio arna i tra 'mod i'n cario HAEARN!' rhuodd Llŷr, gan ruthro ymlaen i daro Rhaib â'i sosban.

Roedd hyn yn berffaith wir, ond yn anffodus, wrth wibio tuag at ei frawd mawr, baglodd Llŷr dros wreiddyn a gollwng y sosban o'i ddwylo. Hedfanodd honno dros ben Rhaib i ganol y prysgwydd.

Pwyntiodd ei frawd mawr ei ffon at Llŷr, a sibrwd gair o swyngyfaredd o dan ei wynt. Crynodd corff Rhaib wrth i'r Hud fynd trwyddo, gan lifo o'i law, ac i mewn i'r Hudlath, cyn tasgu allan fellten danbaid, boeth o Hud a drawodd Llŷr ar ei goesau.

Stopiodd Llŷr yn yr unfan, a'i draed yn sownd yn y ddaear.

'HA! HA! HA! HA! HA!' chwarddodd dilynwyr Rhaib.

'GWAREDA'R HUD!' bloeddiodd Llŷr, a oedd yn cael gwaith codi ar ei draed, am fod y rheini'n teimlo mor drwm â phlwm. Roedd yr Hud wedi'u gludo i'r ddaear.

'Na, dwi ddim yn credu gwna i ...' gwenodd Rhaib.

Gwylltiodd Llŷr.

Cliciodd ei fysedd.

RAAAAAAAAAW!

Cyn i neb gael cyfle i feddwl, taflodd Brenhingath ei hun at Rhaib, a'i cheg ar agor, yn beiriant lladd gwyrddlwyd chwe deg stôn. Gan sgrechian mewn braw, roedd Rhaib bellach wedi'i wthio yn erbyn boncyff coeden, yn edrych yn syn i wyneb hunllefus y gath fawr, oedd fodfeddi i ffwrdd o'i wyneb ei hun, a phedair cyllell yn suddo i'w ysgwydd. Roedd o eisoes yn gwaedu.

Doedd yr un o ellyllon nac anifeiliaid Rhaib ei hun wedi cael amser i symud er mwyn ei warchod.

'Un clic eto â 'mysedd,' poerodd Llŷr, 'a bydd Brenhingath yn rhwygo dy ben i ffwrdd.'

'Twyllwr!' gwaeddodd Rhaib a'i wynt yn ei ddwrn. 'Fe wnest ti dwyllo! Does dim hawl gyda ti ddefnyddio dy anifeiliaid i ymosod ar gyd-Ddewin!'

'GWAREDA'R HUD!' bloeddiodd Llŷr.

Roedd Rhaib bellach yr un mor flin â Llŷr ei hun. Ond beth allai ei wneud?

Pwyntiodd ei ffon tuag at ei frawd, a gwaredu'r Hud, fel bod traed Llŷr yn rhydd o'r ddaear. Yna, gwnaeth Llŷr arwydd ar Brenhingath i'w ollwng, wrth i Rhaib syllu'n syn ar y clwyfau gwaedlyd ar ei ysgwydd.

'Mae dy anifail wedi fy MRATHU i ... ac os FENTRI di roi cynnig ar y Gystadleuaeth Swyngyfaredd, bydda i'n dy CHWALU di'n ...'

Trodd Rhaib at ddilynwyr Llŷr.

'Pwy sydd eisiau dod gyda FI yn hytrach nag aros fan hyn gyda gwallgofddyn bach gwirion a'i Wrach-drap bondigrybwyll?' bloeddiodd Rhaib.

Fesul un, camodd dilynwyr Llŷr oddi wrtho a thuag at Rhaib, gan ddringo ar eu bleiddiaid a'u cathod eira, gan sibrwd pethau fel, 'Sorri, Llŷr ... mae hyn ychydig yn rhy wallgo hyd yn oed i ti,' ac, 'Er bod Gwrachod wedi diflannu, mae ganddyn nhw Hud erchyll, Llŷr ... ddylwn ni ddim bod yma ...'

'Ti'n gweld?' meddai Rhaib dan glochdar. 'Rhaid i arweinydd gwych gael dilynwyr i'w harwain, a does neb eisiau dilyn rhywun sy'n honco bost, heb Hud. Pob lwc efo'r *Wrach*, y collwr!'

Ac yna carlamodd Rhaib i ffwrdd ar gefn ei flaidd, a'r Dewiniaid eraill bron i gyd yn ei ddilyn.

'Cachgwn!' rhuodd Llŷr, a oedd bron â chrio mewn cynddaredd. Rhedodd i mewn i'r prysgwydd i gasglu'i sosban, a chwifio honno tuag

at gefnau'r rheini oedd yn ffoi.

'DDANGOSWN NI I CHI! FE WNAWN NI FACHU GWRACH, MYND Â'R HUD, YNA BYDDWN NI'N LLAWN HUD AC YN GALLU HEDFAN HEB ADENYDD!'

Trodd Llŷr gydag ochenaid tuag at yr ychydig ddilynwyr anniben yr olwg oedd ganddo'n weddill. Pam oedd rhaid i Rhaib ddifetha popeth iddo o hyd?

Doedd gan Llŷr neb ar ôl bellach, bron, dim ond tri Dewin ifanc, di-Hud: merch o'r enw Eurben a bachgen o'r enw Gwibsyn, ac un bachgen arall, Morfran, crwt anferth â chlustiau hyd yn oed yn fwy anferth, a oedd ychydig bach yn dwp ac wedi cyrraedd un deg saith oed heb ddangos unrhyw arwydd o fagu Hud o gwbl.

'Damia, mae e wedi 'ngadael i gyda'r methiannau,' wfftiodd Llŷr.

'Ti braidd yn annheg nawr,' protestiodd Gwibsyn.

'Fyddwn ni wir yn hedfan heb adenydd?' gofynnodd Morfran, gan fflapio'i freichiau lan a lawr.

'Wrth gwrs y byddwn ni,' addawodd Llŷr, gan rwbio'i ddwylo gyda'i gilydd yn gyffro i gyd. Doedd e ddim yn un i aros yn drist am yn hir. 'Mae'r cachgwn yna'n mynd i ddifaru eu bod nhw wedi gadael ... Morfran, ti yw'r mwyaf, felly ti fydd yn gwneud y rhan fwyaf o'r palu,' gorchmynnodd Llŷr. 'Gwibsyn, mae arna i ofn y bydd rhaid i ni dy anafu di er mwyn denu'r Wrach tuag at y trap ... Ac os eith unrhyw beth o'i le ...'

'Ro'n i'n meddwl i ti ddweud fod y dasg yn hollol ddiogel,' mynnodd Gwibsyn yn ddrwgdybus.

'Wel, does dim byd yn HOLLOL ddiogel ...' meddai Llŷr yn amddiffynnol. 'Mae bywyd yn beryglus, yn dydy? Wedi'r cyfan, galli di farw wrth ddringo coeden, fel gwnes i jest nawr.'

'Nid dringo coeden ydy hyn!' poerodd Crawchog wrth i'r tri Dewin ifanc ddechrau ufuddhau i orchmynion Llŷr. 'Ry'n ni'n tresbasu'n fwriadol ar diriogaeth y Rhyfelwyr ac yn ceisio gosod trap ar gyfer un o'r pethau mwyaf brawychus i gerdded ar y ddaear yma erioed!'

Ochneidiodd Crawchog.

Doedd neb yn mynd i wrando arno fe.

Eisteddodd ar ymyl cangen coeden, a'i ben o dan ei adain. Pe na allai e weld y dyfodol, wnaiff y dyfodol ddim digwydd.

Ond, wrth gwrs, roedd yr hen aderyn yn gwybod yn iawn na fyddai hynny'n gweithio.

Ellyllon Llŷr
Saethwenyn
Chwilben
Pry-pi
Gwyllt Gacwn

Cachgibwgan

Pili Pwdwr

2. Rhyfelwr o'r enw Dôn

Yn y cyfamser, sleifiodd dau Ryfelwr ifanc ar gefn ebol bach tew ac ofnus allan yn slei bach o gaer haearn y Rhyfelwyr i berfeddion y tywyllwch.

Doedd dim hawl gan Ryfelwyr adael y gaer wedi iddi nosi. Roedd y Rhyfelwyr yn ddwl o ofn yr Hud a oedd allan yn y goedwig.

Caer haearn y Rhyfelwyr oedd y gaer-ben-bryn fwyaf allet ti fyth ei dychmygu, gydag un deg tri o dyrau gwylio a saith ffos enfawr o'i hamgylch. Gymaint oedd ofn y Rhyfelwyr yma o'r Hud nes iddyn nhw adeiladu caer enfawr, cyn wyned â'r eira, a ffenestri hollt fel llygaid cathod maleisus ym mhobman!

Ond er hynny, roedd y ddau Ryfelwr yma a'u hebol wedi llwyddo i sleifio allan heb i'r gwylwyr nerfus oedd yn martsio 'nôl ac ymlaen ar hyd waliau'r gaer eu gweld. Ac efallai, jest efallai, mai'r gwylwyr oedd yn iawn. Dylai'r Rhyfelwyr fod yn syllu'n fwy pryderus i mewn i'r diffeithwch gwyrdd a oedd yn eu hamgylchynu a'u hamlyncu.

Oherwydd roedd rhywbeth DRWG yn gwylio'r ebol, o fyny fry ym mrig y coed.

Mae'n rhy gynnar i ddweud beth oedd y *rhywbeth* yna.

Roedd rhywbeth DRWG
yn gwylio'r ebol,
yn uchel o frig y coed.

Roedd sawl peth drwg yn y byw yn y Drysni. Gallai fod yn anghenfil-gath. Gallai fod yn fleidd-ddyn. Gallai fod yn ysbadden. (Roedd ysbaddennod ychydig fel cewri, ond yn llawer hyllach.)

Dim ond amser a ddengys beth oedd yno.

Ond doedd dim syndod bod yr ebol wedi dal sylw'r *rhywbeth* yna.

Oherwydd roedd yr ebol yn carlamu'n rhy swnllyd o lawer drwy'r prysgwydd, ac yn bownsio ar ei gefn roedd Tywysoges denau o blith y Rhyfelwyr a'i gwarchodwr cynorthwyol, Cai. Gwisgai'r ddau glogynnau coch dros eu harfwisg, gan wneud iddyn nhw ddisgleirio fel sêr yn y goedwig wyrdd tywyll.

Roedd hyn yn eu gwneud braidd yn amlwg. Waeth iddyn nhw fod wedi gwisgo targed enfawr ar dop eu pennau ddim, neu arwydd yn dweud, BWYTEWCH A BYDDWCH LAWEN, O FWYSTFILOD LLWGLYD Y DRYSNI.

Roedd gan y dywysoges enw hirfaith a brenhinol, ond roedd pawb yn ei galw hi'n Dôn.

Dylai tywysogesau'r Rhyfelwyr, wrth gwrs, fod yn rhyfeddol o dal ac yn hollol ddychrynllyd, fel mam Dôn, Y Frenhines Tarianrhod.

Ond doedd Dôn ddim yn arswydus nac yn fawr.

Roedd ganddi wyneb bach chwilfrydig a oedd yn ymddiddori gormod yn y byd o'i chwmpas, a gwallt a oedd dros y lle i gyd, fel pe bai hi cael ei thynnu drwy'r drain.

Roedd ganddi batshyn du dros ei llygad dde, ac

ymddangosai fel pe bai hi'n chwilio am rywbeth gyda'r llall.

'Does dim hawl gyda ni ddod allan fan hyn ar ein pennau ein hunain yn ystod y *dydd*, heb sôn am yn y nos!' meddai Cai, y Gwarchodwr Cynorthwyol, wrth edrych yn nerfus dros ei ddwy ysgwydd. Nid Cai oedd gwarchodwr arferol y dywysoges ryfedd yma; roedd hwnnw'n sâl yn ei wely ag anwyd cas.

Cai oedd wedi bachu'r swydd roedd pawb ei heisiau, sef y Gwarchodwr Cynorthwyol Brenhinol, er mai dim ond tair ar ddeg oed oedd e, oherwydd ei fod yn gweithio'n galed, ac wedi cyrraedd y brig yn ei ddosbarth yn yr arholiadau TAGU (fel TGAU ond â mwy o gwffio).

Ond dyma'r tro cyntaf iddo wneud jobyn go iawn, ac roedd yn llawer anoddach hyd yma na beth roedd e wedi'i ddychmygu.

Roedd y dywysoges yn cicio yn erbyn y tresi, a ddim yn gwrando o gwbl.

Ac er iddo astudio sut i ymladd yn galed iawn, doedd Cai ddim yn hoffi ymladd gymaint â hynny, a bod yn onest, ac roedd meddwl am fod mewn sefyllfa go iawn lle byddai'n rhaid iddo dywallt gwaed yn gwneud i'w fol droelli fel y dail oedd yn syrthio o'r coed o'u hamgylch.

'Gallai fod bleidd-ddynion neu gathod palug neu gewri allan yna,' meddai Cai, 'ac eirth hefyd, a bwbachod a Dewiniaid ac ysbaddennod ... a gall hyd yn oed gorachod bach fynd yn flin wrth hela fel haid.'

'O, paid ag edrych ar ochr dywyll popeth, Cai!' atebodd y dywysoges. 'Awn ni 'nôl cyn gynted ag y down ni o hyd i f'anifail anwes. Dy fai di yw hyn, beth bynnag. Wnest ti godi ofn arno pan ddywedaist ti y byddet ti'n dweud amdano wrth Mam, ac felly fe aeth o i banig a rhedeg i ffwrdd.'

'Ond trio dy atal di rhag mynd i fwy o drwbwl o'n i,' meddai Cai. 'Does dim hawl gen ti gael anifeiliaid anwes! Maen nhw'n groes i reolau'r Rhyfelwyr!'

Roedd Cai'n berson a oedd wirioneddol yn credu mewn rheolau. Roedd yn gobeithio dringo'r ysgol o fod yn Warchodwr Cynorthwyol i fod yn Amddiffynnwr Teulu, a dwyt ti ddim yn llwyddo i wneud HYNNY drwy dorri rheolau.

'Ac yn bendant does dim hawl gen ti i gael y math arbennig yma o anifail anwes ...'

'Mae o siŵr o fod yn crynu mewn ofn,' meddai Dôn. 'Allwn ni fyth ei adael o i redeg i ffwrdd ar ei ben ei hun bach i'r Drysni – yn unig ac yn llawn ofn, a falle bod mwydod du llwglyd neu rywbeth yn ei ddilyn ... A-HA!' meddai hi'n fuddugoliaethus. 'DYNA FO YN FAN'NA!'

Tynnodd ar ffrwynau'r ebol er mwyn dod ag e i stop, a chodi rhywbeth a oedd yn rhuthro drwy'r prysgwydd. 'Diolch byth!' Rhoddodd fwythau tyner i beth-bynnag-oedd-yno a gwneud synau tawel, fel pe bai'n dweud: 'Paid â phoeni, mae'n iawn. Ti'n saff nawr, ti gyda fi,' – y math o synau fyddai o bosib yn tawelu ci, neu gath, neu gwningen ofnus sydd wedi bod yn rhedeg mewn

A-HA! Dyma fo!

ofn ac yn unig drwy'r Drysni ar ôl machlud yr haul hydrefol.

Nid ci, na chath, nac hyd yn oed gwningen oedd yr anifail anwes.

'LLWY yw dy anifail anwes di!' poerodd Cai.

Roedd y Gwarchodwr Cynorthwyol yn gywir.

Yn wir, llwy de fawr haearn oedd yr anifail anwes.

'Wel, ie, yn wir,' meddai Dôn, fel pe bai hi newydd sylwi, wrth fynd 'nôl ar gefn yr ebol a sychu'r llwy â chwt ei llewys.

'Ac mae'r llwy yn FYW, dywysoges, mae'n fyw!' meddai Cai, wrth i ias fynd i lawr ei gefn wrth syllu ar y llwy. 'Sy'n golygu ei bod yn wrthrych Hud hollol waharddedig. Dwyt ti ddim wedi gweld yr arwyddion ym mhob twll a chornel o gaer y Rhyfelwyr? Does dim hawl defnyddio Hud yn y fangre hon! Peidiwch â bod yn ddi-hid am Hud! Dim creaduriaid o unrhyw fath! Os wyt ti'n dod o hyd i Hud, rho wybod i awdurdod uwch yn syth!'

'Dwi'm yn meddwl bod ganddi Hud, a dweud y gwir ...' meddai Dôn yn

Llwy yw dy anifail anwes di!

obeithiol. 'Mae hi jest 'chydig yn *hyblyg* ...'

'Wrth gwrs ei bod hi'n llwy Hud!' cyfarthodd Cai. 'Dyw llwyau arferol ddim yn neidio lan a lawr er mwyn dy gael di i roi mwythau iddyn nhw! Jest gorwedd yn dawel a throi dy de i ti mae llwyau arferol! Edrych ar hon – mae'n ymgrymu o dy flaen di!'

'Ydy, ti'n iawn!' cytunodd Dôn yn falch. 'Am glyfar.'

Anadlodd Cai yn drwm. 'Dyw hyn ddim yn glyfar. Ry'n ni'n torri cymaint o reolau, mae'n anodd gwybod ble mae dechrau. Ble wnest ti ddarganfod y llwy yma?'

'Ymddangos yn f'ystafell un diwrnod wnaeth hi, fel llygoden wyllt neu rywbeth, felly dyma fi'n rhoi llymaid o laeth iddi, ac mae wedi bod wrth f'ochr i ers hynny ... sy'n neis oherwydd cyn iddi ddod ro'n i'n teimlo braidd yn unig. Wyt ti erioed wedi bod yn unig, Cai?'

'Wel, ydw, a dweud y gwir,' cyfaddefodd Cai. 'Byth ers gwneud cystal yn yr arholiadau a chael fy mhenodi'n

Cyn iddi ddod ro'n i'n teimlo braidd yn unig

Warchodwr Cynorthwyol i ti, roedd pob Gwarchodwr Cynorthwyol arall yn dweud 'mod i wedi mynd yn ben mawr a nawr does neb yn siarad â fi, a – *dal sownd am eiliad!* Nid dyna'r pwynt! Y pwynt ydy, os oes gwrthrych swynol yn ymddangos yn annisgwyl yng nghaer y Rhyfelwyr, dylet ti ddweud wrth dy fam, Y Frenhines Tarianrhod, yn syth, fel ei bod hi'n gallu cael gwared ar yr Hud, NID mabwysiadu'r peth fel anifail anwes!'

Wrth glywed enw'r Frenhines Tarianrhod, siglodd y llwy o un ochr i'r llall, fel pe bai wedi cael braw ofnadwy, ac yna neidio i mewn i wasgod Dôn a chuddio tu ôl i'w harfwisg, fel mai dim ond ei hwyneb oedd yn y golwg, a hwnnw wedi'i oleuo gan olau Hud, rhyfeddol.

'Edrych, ti wedi codi ofn arni eto!' meddai Dôn. 'Dwi ddim yn credu'i bod hi eisiau cael gwared ar ei Hud.'

'Mae'n broses hollol ddi-boen,' nododd Cai.

'Ond dyw hi ddim eisiau,' mynnodd Dôn.

'O'r gorau,' meddai Cai, a phlethu'i freichiau'n benderfynol. 'Os felly, rhaid i ti adael i'r llwy fynd 'nôl i'r gwyllt. Mae'n perthyn i'r goedwig erchyll yma, gyda'r holl fwystfilod a phethau Hudolus eraill. Dyma'i phobl hi. Dywysoges, dwi'n rhoi 'nhroed i lawr yn gadarn. Alli di fyth bythoedd mynd â hi 'nôl i'r gaer haearn gyda ti. Alli di fyth gadw'r llwy yma fel anifail anwes. Mae yn erbyn y rheolau, ac fe gei di dy hun i mewn i drafferth enfawr os daw rhywun i wybod.'

Edrychodd Dôn yn drist dros ben. 'Ond mae'r llwy fel fi – dyw hi ddim yn teimlo'n gyfforddus yng nghwmni'r holl lwyau eraill ...'

'Dyw hi ddim yn teimlo'n gyfforddus efo'r llwyau eraill oherwydd ei bod hi'n *fyw*, dywysoges. Mae hi'n fyw!' mynnodd Cai.

'Ac mae'r holl Ryfelwyr eraill yn f'anwybyddu i,' aeth Dôn yn ei blaen. 'Ti a'r llwy yma ydy f'unig ffrindiau. Os ydw i'n colli'r llwy, ti fydd yr unig un ar ôl.'

'Wel, yn dechnegol, does gen i ddim hawl i fod yn ffrind i ti chwaith, achos rwyt *ti'n* dywysoges a minnau'n *was*, a dyna'r rheolau,' eglurodd Cai.

'Felly, os ydw i'n gadael fynd o'r llwy, byddaf yn colli f'unig ffrind,' meddai Dôn.

'Iawn, Dôn.' (Roedd Cai mor ddigalon, roedd wedi anghofio'i galw hi'n "dywysoges".)

Roedd hi'n amser iddo ddweud y drefn.

'Dwi'n dy hoffi di, dwi'n gwybod dy fod ti eisiau'r gorau, ond y rheswm pam nad oes gen ti unrhyw ffrindiau yw oherwydd dy fod ti braidd yn rhyfedd, a dyw Rhyfelwyr ddim yn hoffi pethau rhyfedd. Mae'n rhaid i ti drio bod yn fwy fel pawb arall, a'r cam cyntaf yw *cael gwared ar y Llwy Hud*.'

Ceisiodd Dôn un ddadl olaf.

'Ond mae gan Mam bethau Hudolus! Beth amdanyn nhw?'

Er mawr syndod i Cai, tynnodd Dôn gleddyf addurnol o'i gwain.

Roedd yn gleddyf arbennig. Roedd ganddo garn budr, hen ffasiwn, ac o dan y budreddi gwyrdd a oedd drosto i gyd, roedd modd gweld ei fod wedi'i ddylunio'n hardd iawn, gyda dail yn cydblethu, ac uchelwydd a dail o goed sanctaidd eraill yn troelli o'i gwmpas.

Ar un ochr y llafn roedd y geiriau yma wedi'u cerfio mewn llawysgrif ffansi, hen ffasiwn:

Un tro roedd yna Wrachod ...

A phan drodd Dôn y llafn drosodd, wedi'i naddu ar yr ochr arall roedd:

... ond mi wnes i eu lladd nhw.

'Ble gest ti'r cleddyf yna?' gofynnodd Cai yn syfrdan.

'Wel, mae'n stori ryfedd, a dweud y gwir. Wnes i ei ddarganfod yn gorwedd yn y brif iard brynhawn ddoe, a doedd o ddim i'w weld yn perthyn i neb, felly mi wnes i ei gasglu.'

'Wnest ti ddim clywed y cyhoeddiad amser brecwast bore 'ma am gleddyf gwerthfawr oedd wedi mynd ar goll o ddaeargelloedd dy fam?' holodd Cai. 'Wnest ti ddim meddwl mai DYMA'R cleddyf? Wnest ti ddim ystyried mai DWYN yw casglu rhywbeth sydd ddim yn perthyn i ti?'

'Do, mi wnes i,' cyfaddefodd Dôn, wrth anwesu'r cleddyf. 'Ond ro'n i jest yn mynd i'w gadw am ychydig yn hirach, ac esgus mai fi oedd piau fo. Dwi mor gyffredin, ac mae hwn mor arbennig, a byddai'n hyfryd cael cadw rhywbeth mor arbennig, dwyt ti ddim yn meddwl?'

'Na, dwi ddim yn meddwl hynny! Mae meddwl yn BERYGLUS! Mae Amddiffynwyr y Teulu Brenhinol yn troi'r cae ben-i-waered wrth chwilio am y cleddyf yma yr eiliad hon, ac rwyt ti wedi'i DDWYN!' meddai Cai yn gyhuddgar.

'Dwi ddim wedi'i ddwyno o, dim ond wedi'i fenthyg o. Ro'n i ar fin ei roi e 'nôl ond wnest ti godi ofn ar y llwy a ro'n i'n meddwl y byddai angen rhywbeth arbennig arnon ni i'n gwarchod ni wrth fynd i ganol y Drysni ar ein pennau ein hunain. Mae gen i deimlad cryf iawn ei fod o efallai'n gleddyf Hudolus,' meddai Dôn yn fuddugoliaethus. 'Gan fod gan Mam wrthrychau Hudolus hefyd, ddylen ni fod yn iawn!'

'Dydy dy fam frawychus di ddim yn cadw'r cleddyf fel ANIFAIL ANWES!' udodd Cai, a chwifio'i freichiau hirion, tenau o gwmpas mewn fflap. 'Dydyn nhw ddim yn cadw anifeiliaid anwes mewn DAEARGELLOEDD! Mae wedi'i gloi'n saff yn y daeargelloedd er mwyn ei gadw o'n saff!'

Edrychodd Dôn yn bryderus ar y cleddyf, fel pe bai'r sylweddoliad newydd ei tharo. 'Ooooo, ieeee. .. rhyfedd i ti sôn, efallai dy fod yn dweud y gwir. Dyw hi ddim wir yn hoffi unrhyw beth sy'n ymwneud â Hud, nac ydy?'

'Ble ar y ddaear wyt ti wedi bod yn byw am yr un deg tri o flynyddoedd diwetha?' bloeddiodd Cai. 'Mae yna arwyddion anferth o amgylch y gaer i gyd; alli di fyth â bod wedi'u methu nhw! Mae dy fam yn CASÁU Hud. Mae Hud yn TROI ARNI!

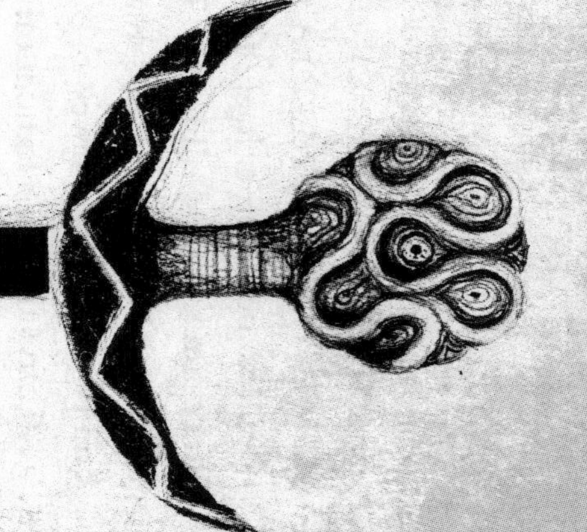
Y CLEDDYF HUDOL
Un tro roedd yna Wrachod ...
Ar un ochr mae'n dweud hyn
Ond mi wnes i eu lladd nhw
Ar yr ochr arall mae'n dweud HYN

Mae hi wedi addo na fydd hi'n gorffwys hyd nes y ceith hi waredu'r GOEDWIG I GYD O UNRHYW BETH SY'N YMWNEUD Â HUD!!'

Crychodd Dôn ei hael. 'Ie, mae'n rhaid i fi ddweud, dwi ddim wir yn deall hynna. Does bosib, jest achos bod PETH Hud yn ddrwg, dyw hynny ddim yn golygu bod POB Hud yn ddrwg?'

'Dwyt ti ddim i fod i ddeall!' gwichiodd Cai. 'Rwyt ti'n RHYFELWR, dwyt ti ddim i fod gofyn cwestiynau! Mae'n syml iawn, iawn – rwyt ti jest i fod ufuddhau i reolau'r Rhyfelwyr!'

Yn sydyn, edrychodd Dôn yn ddigalon.

Edrychai'r llwy ar ei phen yn ddigalon hefyd.

'O diar, ti'n iawn,' meddai Dôn yn drist. 'Dwi wedi neud cawlach o bethau eto, yn dydw i, Cai?'

'Wyt, yn bendant,' meddai Cai, cyn ychwanegu'n sydyn, 'Eich Mawrhydi,' oherwydd yng nghanol y cyffro roedd wedi anghofio rheolau'r Rhyfelwyr ynglŷn â 'Sut i Gyfarch y Teulu Brenhinol'.

Dyma'r broblem gyda Dôn.

Pryd bynnag rwyt ti'n treulio

amser gyda hi, rwyt ti'n dechrau torri'r rheolau heb hyd yn oed sylwi.

'Pe bai Mam yn cael gwybod am hyn, byddai hi'n mynd o'i cho', yn byddai hi?' gofynnodd Dôn, yn dristach fyth.

'Yn hollol benwan,' cytunodd Cai, gan grynu rhyw ychydig wrth feddwl am y peth.

'O am gael bod FEL PAWB ARALL,' meddai Dôn. 'Sut alla i wneud popeth yn iawn eto?'

Ochneidiodd Cai mewn rhyddhad, oherwydd o'r diwedd, roedd y dywysoges yn dechrau gweld synnwyr.

'Iawn, cwyd dy galon, dydy o ddim yn ddiwedd y byd,' meddai, gan roi'i law ar ysgwydd Dôn er mwyn codi'i chalon. 'Doeddet ti ddim wedi bwriadu gwneud cam â neb. Ond mae'n rhaid i ti sylweddoli bod angen rhyddhau'r llwy yma RŴAN HYN, a mynd â'r cleddyf yn ôl i'r gaer a dechrau ymddwyn fel tywysoges y Rhyfelwyr. Dal sownd – beth oedd hwnna?'

Roedd sŵn i'w glywed uwch eu pennau, fel brigyn yn torri wrth i *rywbeth* daro yn ei erbyn.

Roedden nhw wedi bod mor brysur yn cweryla nes eu bod nhw wedi anghofio nad oedden nhw yn niogelwch caer haearn y Rhyfelwyr, ar fin gwledda ar swper godidog (roedd Rhyfelwyr wrth eu boddau â bwyd).

Roedden nhw ar eu pennau eu hunain yn y Drysni, ar ôl machlud haul.

Ac am y tro cyntaf, dyma nhw'n sylweddoli bod rhywun – neu rywbeth – yn eu gwylio.

Fe soniais i, yn do, ar ddechrau'n bennod hon, fod rhywbeth drwg yn eu gwylio nhw, yn dawel ac yn beryglus, o frig y coed?

Daeth teimlad annifyr dros Dôn, a chododd y blew bach ar gefn ei gwar fel pigau draenog. Edrychodd o'i chwmpas, tuag at y coed du, tawel, a'u brigau a oedd yn clymu am ei gilydd fel bysedd coblynnod.

Edrychodd i fyny, ond allai hi ddim gweld dim byd. Ond roedd yr awyr uwch eu pennau'n tywyllu, ac yn mynd yn fwy trwchus, fel pe bai'n llawn ryw fwrllwch du ofnadwy, fel yr oedd, go iawn. Ac roedd rhyw oerfel yn dod o ganol y tywyllwch hwnnw – oerfel nad oedd Dôn wedi'i deimlo erioed o'r blaen.

Yn oerach na phibonwy, yn oerach na dyfnderoedd cefnfor y gogledd, yn oerach na chalon mynydd iâ, yn oerach na marwolaeth ei hun.

Cripiodd niwl oer hynafol yr hen goedwig wyllt o dan arfwisg Dôn a chydio fel llaw gelain am ei hesgyrn.

Ai dychymyg Dôn oedd yn chwarae triciau arni, neu a oedd yr awyr uwch ei phen yn GWENU?

Tynnodd y dywysoges fiswrn ei helmed i lawr.

Neidiodd y llwy i fyny ar gopa'i phen, ac arogli'r aer o'u cwmpas nhw.

Yn sydyn, rhewodd, fel pe bai'n synhwyro rhywbeth ofnadwy ... a phlymio i ganol arfwisg Dôn er mwyn cuddio.

'Rhed, ebol, rhed!' gwichiodd hithau, a dyma'r ebol bach blinedig yn dechrau carlamu, wrth deimlo arswyd ei berchennog.

Byddai unrhyw un fyddai'n gwylio'r olygfa'n meddwl eu bod nhw'n hollol honco, fel pe baen nhw'n dianc rhag dim byd o gwbl.

Ond roedd yna rywbeth rhyfedd yn y gwynt, roedd hynny'n bendant.

Allai Dôn na Cai ddim gweld unrhyw beth uwch eu pennau heblaw am awyr ddu'r nos, sêr, a choed. Ond roedd brigau'r coed yn symud, gan awgrymu fod yna bresenoldeb anweladwy'n gwthio yn eu herbyn nhw.

Ac roedd yr aer a oedd yn rhuthro uwch eu pennau mor oer nes ei fod yn llosgi talcen Dôn, ac wrth i'r ebol garlamu'n gynt ac yn gynt, dechreuodd y gwynt a oedd yn chwythu y tu ôl iddyn nhw wneud synau rhyfedd – sŵn na chlywodd Dôn erioed o'r blaen.

'Nawr ti'n gweld, Cai, on'd wyt ti'n falch 'mod i wedi dod â'r cleddyf gyda fi? Ro'n i'n amau y byddai ei angen arnon ni,' meddai'r dywysoges â'i gwynt yn ei dwrn, gan geisio peidio â phoeni.

'Balch? Balch? Gallwn ni fod yn eistedd yr eiliad hon yn bwyta'n swper yn ddiogel yn y stafell fwyta yng nghaer y Rhyfelwyr – byrgyr carw, fy ffefryn – ac mae'r ebol yma'n mynd i'r cyfeiriad anghywir!' meddai Cai. 'Mae'r gaer i'r cyfeiriad arall!'

Ond doedd beth-bynnag-oedd-y-peth a oedd yn dod ar eu holau ddim eisiau iddyn nhw fynd yn ôl i'r gaer, felly roedd yn eu cwrso nhw ymhellach ac yn bellach ac yn bellach i mewn i ganol y Drysni.

'Oes unrhyw un yn gwybod ein bod ni yma?' wylodd Cai, a oedd wedi tynnu'i fwa ac yn brysur yn tasgu saethau i'r awyr, er nad oedd e'n dda iawn wrth drin bwa a saeth, ac er na wyddai beth goblyn roedd yn anelu ato. 'A fyddan nhw'n dod i chwilio amdanon ni?'

'Mae arna i ofn na fyddan nhw,' meddai Dôn, gan

grychu'i thrwyn wrth syllu i fyny, wrth geisio dyfalu pwy neu beth oedd yn eu dilyn, 'neu ddim tan y bore, beth bynnag. Wnes i ddweud wrth Mam 'mod i'n mynd i 'ngwely'n gynnar oherwydd bod gen i gur pen.'

'Gwych,' meddai Cai, 'gwych. Fel mae'n digwydd, mae gen i ychydig o gur pen yn datblygu hefyd ... Paid â phoeni, dywysoges ... does dim rhaid i ti boeni ... Dwi yma i dy warchod di ...'

Siglodd Dôn y llwy i gyfeiriad beth-bynnag-oedd-yn-eu-dilyn-nhw.

Efallai ei bod hi'n Rhyfelwr anghyffredin, ond roedd yna ddewrder yn perthyn iddi, roedd hynny'n bendant.

'GOBEITHIO NAD WYT TI'N EIN DILYN NI, BETH BYNNAG WYT TI!' bloeddiodd Dôn at y dim byd arswydus. 'Achos mae gyda NI LWY HUDOL!'

'Y cleddyf, dywysoges,' sibrydodd Cai, 'mae'r cleddyf yn swnio'n dipyn mwy bygythiol ...'

'A CHLEDDYF!' bloeddiodd Dôn, gan chwifio'r cleddyf yn ei llaw dde, a'r llwy yn ei llaw chwith. 'Cleddyf sydd mor beryglus, nes ei fod yn cael ei gadw DAN GLO YN NAEARGELL FY MAM!'

Ond roedd hynny, os rhywbeth, fel pe bai'n annog beth-bynnag-oedd-yn-eu-dilyn-nhw ymlaen, oherwydd fe wnaeth y gwynt uwch eu pennau ruo fel petai'n llwglyd, a rhuthro ar eu holau'n gyflymach fyth.

'Paid â phoeni, dywysoges!' gwaeddodd Cai, a oedd yn crynu cymaint fel na allai ddal saeth yn ei lle yn ddigon hir i'w saethu. 'Mae pethau'n reit wael, ond mi wna i dy achub di. Dwi'n warchodwr o fri! Mi ges i A Serennog yn fy arholiadau TAGU!'

Yn anffodus fe ddarganfu Cai bryd hynny nad oedd yn llawer o warchodwr wedi'r cwbl.

Roedd ganddo gyflwr meddygol a oedd yn gwneud iddo ddisgyn i gysgu pan oedd o mewn perygl mawr.

Ac yntau braidd wedi yngan y gair olaf o'i araith ddewr, fe syrthiodd ar ysgwyddau'r dywysoges, a dechrau chwyrnu'n uchel yn ei chlust.

'Cai!' gwichiodd y dywysoges. 'Beth wyt ti'n ei wneud????'

Chwyrnu, chwyrnu.

'Cai!' gwichiodd Dôn. 'Dihuna NAWR!'

Dihunodd Cai yn sydyn gan fwmial, 'Ble? Beth? Sut?'

'Y Drysni ...' anadlodd y dywysoges yn ddwfn, 'mae rhywbeth yn dod ar ein holau ni ... rhywbeth ofnadwy ... cofia beth ddysgaist ti yn dy arholiadau TAGU!'

'Ooo ie! Dwi wedi cael fy hyfforddi ar gyfer argyfwng fel hyn, pan mae ein bywydau yn y fantol!' gwaeddodd Cai, gan osod saeth arall yn ei fwa. Ond yn anffodus, syrthiodd i gysgu unwaith eto wrth iddo anelu, gan wyro ymlaen a saethu'r ebol, druan, yn ddamweiniol yn ei ben-ôl.

Gwichiodd yr ebol dan brotest wrth i'r saeth grafu'i ben-ôl, a rhedeg yn ei flaen fel peth

Paid mentro â'n dilyn ni!
Ry'n ni'n arfog – mae gyda
ni LWY hud!

gwyllt drwy'r goedwig dywyll.

Roedd calon Dôn yn curo mor gyflym â chalon cwningen, a doedd hi ddim hyd yn oed wedi sylwi wrth i'r mieri rwygo'i dillad a chrafu creithiau hir a phoenus ar ei choesau.

Daeth yr ebol o hyd i nant rewllyd, a gorfodi'i hun drwy'r llwyni a glanio â sblash fawr – er bod oerni'r dŵr yn llosgi'u coesau fel tân – yn y gobaith y byddai beth-bynnag-oedd-yn-eu-dilyn-nhw'n colli eu trywydd.

Dringodd yr ebol allan yr ochr arall, a rhedeg ymlaen drwy'r tywyllwch.

Ooo am lanast, meddyliodd Dôn yn llawn braw.

Ddylwn i fyth fod wedi gwneud hyn.

Mae Hud wedi'i wahardd am reswm.

Does dim hawl gan Ryfelwyr fynd allan ar ôl iddi dywyllu am reswm.

Mae caer haearn y Rhyfelwyr wedi cael ei hadeiladu felly am reswm.

Gallai hi deimlo'i chalon yn curo mor gyflym nes ei bod hi'n credu y gallai ffrwydro o'i brest unrhyw eiliad.

'Cyflymach! Cyflymach!' gwaeddodd ar yr ebol, druan. Roedd Dôn yn tagu, gymaint ei hofn, a doedd hi braidd yn gallu anadlu. Carlamodd yr ebol yn sydyn allan o ganol o goedwig i lecyn o dir agored.

Roedd gan swnian y gwynt rhyfedd yma ryw awch iddo erbyn hyn, fel crafiad ewinedd ar lechen – sŵn a oedd yn tyfu'n uwch, fel pe bai'n paratoi i ymosod.

SGRAAAAAAAAAAAP!

Roedd yn sŵn anhygoel, fel pe bai'r aer ei hun yn cael ei rwygo'n ddarnau.

Yn llawn ofn, trodd Dôn â'i chleddyf i wynebu'r hyn a oedd yn ymosod arni ...

Roedd yna floedd gan lais dynol o'r tu ôl iddi yn rhywle a ...

Digwyddodd popeth mewn eiliad.

3. Pluen y Wrach yn Dechrau Disgleirio

'Iawn, dwi'n dechrau cael llond bol nawr,' meddai Gwibsyn, a oedd yn gorwedd o flaen rhwyd gudd Gwrach-drap Llŷr, yn esgus ei fod wedi cael ei glwyfo. 'Ry'n ni wedi bod yma ers oriau.'

'Gwed 'heeelp' yn fwy truenus 'te,' bloeddiodd Llŷr o'i guddfan tu ôl i goeden gyfagos.

'Alla i glwyfo Gwibsyn os wyt ti eisie,' cynigiodd Saethwenyn yr ellyll, gan ddangos ei ddannedd bach miniog. 'Mae'n edrych yn reit flasus.'

'Na, dwi'n iawn, diolch,' meddai Gwibsyn. 'Edrych, Llŷr, falle bod y Gwrachod wedi diflannu i gyd go iawn, fel mae pawb yn honni ... ac mae'n mynd yn hwyr. A dweud y gwir, dwi'n poeni mwy am y Rhyfelwyr nag am y Gwrachod.'

'Paid â phoeni,' meddai Llŷr, gan wfftio. 'BYDDAI DOLUR YN DWEUD WRTHOM NI PE BAI YNA UNRHYW UN YN DOD, YN BYDDET TI, DOLUR?'

Gwaith Dolur oedd dal yn sownd ar y rhaff er mwyn tynnu'r rhwyd yn dynn pan fyddai'r Wrach yn dod ar eu cyfyl nhw, a chadw golwg ar yr uchelfannau. Roedd y cawr i fyny fry, ac roedd rhaid i Llŷr weiddi er mwyn dal ei sylw.

'Hmmm ...' meddai Dolur yn feddyliol. 'Mae yna

ychydig bach o broblem, a dweud y gwir,' cyfaddefodd, ond doedd Llŷr ddim yn gallu'i glywed oherwydd bod y cawr mor uchel i fyny ac roedd yn siarad yn a-n-d-r-o-s o a-r-a-f. (Mae'r byd yn gwibio heibio'n gyflym iawn i gawr.)

Ond doedd dim ots go iawn, oherwydd doedd Llŷr ddim yn gwrando beth bynnag, ac roedd y broblem roedd Dolur yn meddwl amdani ychydig yn wahanol i syniad Llŷr o broblem.

Mae rhai pobl yn meddwl bod cewri'n siarad yn arafach am eu bod nhw'n dwp. Ond allen nhw fyth â bod yn bellach o'r gwir. Mae Cewri'n fawr, ac felly mae eu meddyliau'n rhai MAWR, ac roedd Dolur yn gawr Crib-Gamwr-Mynydd-Lamwr, ac yn un o'r meddylwyr craffaf ohonyn nhw i gyd.

Felly, y broblem, meddyliodd Dolur, *yw hyn: a fydd y bydysawd yn ehangu am byth neu a fydd yn dechrau arafu a lleihau rywbryd?*

(Fe ddywedais i ei bod hi'n broblem FAWR.)

Os oedd y gofod yn ddiddiwedd a'r sêr yn ddiddiwedd, meddyliodd Dolur, *does bosib bod hynny'n golygu bod yna nifer diddiwedd o gewri eraill fel Dolur yn bodoli? Sut oedd hynny'n bosib a beth oedd oblygiadau hynny?*

Difyr iawn wir, ond yn anffodus golyga hyn, er bod Dolur yn dal ei afael ar y rhaff, roedd ei ben yn llythrennol yn y cymylau a ddim yn talu unrhyw sylw at unrhyw berygl oedd yn agosáu.

Dyw cawr Crib-Gamwr-Mynydd-Lamwr ddim yn dda iawn am gadw llygad ar unrhyw beth.

'Dim ond ychydig yn hirach, Gwibsyn ...' sibrydodd Llŷr, a'i lygaid yn llachar yn y tywyllwch. 'Mae yna Wrachod yma, dwi'n siŵr 'mod i'n gallu eu harogli nhw ...'

Caeodd Llŷr ei lygaid a ffroeni'r awyr. *Os gwelwch yn dda... meddyliodd, dwi'n erfyn arnoch chi, dduwiau'r coed a'r dŵr ... Dy'ch chi ddim yn gwybod pa mor anodd yw hi i dyfu lan mewn byd llawn Hud heb eich Hud eich hun. Pawb yn chwerthin am eich pen chi, yn teimlo trueni drosoch ... Dewch â Gwrach ata i – mae angen Hud arna i. Dwi'n ysu am gael gwneud fy nhad yn falch ohona i.*

Yr eiliad honno, sbonciodd ellyllon Llŷr o'r tywyllwch a chylchdroi o gwmpas ei ben fel eurgylch, eu llygaid yn goch a chan hisian fel haid o wenyn: *'Gwrachoood ... Gwrachoood ... Gwrachoood ...'*

'Ro'n i'n gwybod!' meddai Llŷr yn gyffro i gyd. 'Tynnwch eich Hudlathau, ellyllon! Bwâu yn barod. Maen nhw'n dod!'

'Na, dydyn nhw ddim ...' ochneidiodd Eurben, a oedd bellach wedi cael llond bol ar Llŷr a'i gynlluniau gwirion. Roedd hi eisiau mynd adre. 'Dyw Gwrachod ddim yn bodoli, mae pawb yn gwybod hynny ...'

Ond teimlodd Gwibsyn, a oedd yn gorwedd ar lawr, yr aer o'i amgylch yn oeri'n sydyn – digon i wneud iddo grynu.

Gwaeddodd Llŷr arno, 'Paid â symud, Gwibsyn! Ti'n gwneud yn wych ... ti'n edrych yn gwmws fel dioddefwr ... mae'r Gwrachod yn mynd i gael eu twyllo go iawn. Dolur! Bydd yn barod nawr!'

Tawelwch.

'DOLUR!!!!'

'Henffych. Dwi'n credu 'mod i wedi datrys y pwnc dyrys y bûm i'n hir bendroni drosto!' cyhoeddodd Dolur, gan fynd ar ei gwrcwd, a hynny ar gyflymder malwoden mewn amser bodau dynol ond yn syndod o sydyn mewn amser cawr. Roedd Dolur wedi cyffroi. 'Beth yw eich barn ar fy namcaniaeth newydd mai peth CYFYNGEDIG yw'r gofod?'

'Dolur, dyw hynny ddim yn bwysig yr eiliad hon! A dwi wedi dweud o'r blaen wrthot ti am osgoi meddwl yn rhy galed am bethau!' pregethodd Llŷr. Gwyddai y gallai meddwl yn rhy galed fod yn beryglus i gawr – yn gwneud i fwg ddod allan o'u pennau a mudlosgi fel tân mewn coedwig, ac roedd hyn yn golygu y gallai eu hunion leoliad gael ei weld o bellter gan, dywedwch, Ryfelwyr gelyniaethus, neu ysbaddennod, neu, yn wir, Wrachod.

'Mae rhywun yn ymosod arnon ni!' bloeddiodd Llŷr wedi'i gythruddo.

'Mawredd!' meddai Dolur, gan gofio lle roedd e, a gafael yn gadarn yn y rhaff.

Yr hyn sylwodd neb arall, yng nghanol yr holl bryder, oedd bod y bluen ddu enfawr bellach yn siglo 'nôl ac ymlaen ar wregys Llŷr.

Pe bai unrhyw un wedi bod yn edrych ar y bluen yr eiliad honno, efallai y bydden nhw wedi sylwi'i bod wedi dechrau DISGLEIRIO.

Dwi'n siŵr fod yna ryw fath o esboniad rhesymol a gwyddonol am hyn ...

Ond ddylai pluen brân ddim gwneud hynny, beth bynnag maint y frân.

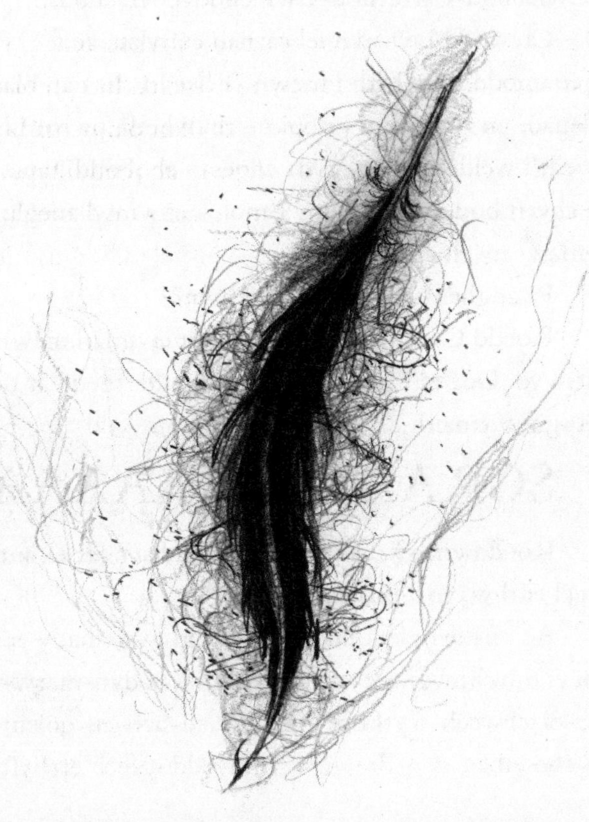

4. Y Gwrach-drap yn Dal Rhywbeth

Drwy lygaid Llŷr, dyma beth ddigwyddodd. Roedd yn aros, yn cuddio tu ôl i goeden, yn crynu â chyffro.

Roedd yr ellyllon yn mwmian yn uwch ac yn uwch, yn chwyrlïo o amgylch ei ben, yn gwichian, 'Gwrachod-Gwrachod-Gwrachod-Gwrachod!!!!!!!!'

Clywodd Llŷr sŵn fel carnau ceffylau, ac fe garlamodd rhywbeth i mewn i'r llecyn clir dan olau lleuad, yn rhy sydyn i stopio – rhywbeth, pe bai Llŷr wedi'i weld yn iawn, gyda choesau ebol oddi tano, a chyrff bodau dynol yn y canol, a chwmwl aneglur, enfawr uwch ei ben.

Pa anghenfil rhyfedd oedd hwn?

Roedd Gwibsyn wedi rhewi yn ei unfan mewn arswyd. Doedd e ddim yn gallu symud, roedd ar fin cael ei sgubo ymaith ...

SGRAAAAAAAAAAAP!

Roedd yna sŵn anhygoel, fel pe bai'r aer ei hun yn cael ei rhwygo'n ddarnau.

Ac yna fe ogleuodd Llŷr yr arogl gwaethaf y gelli di ei ddychmygu: wyau wedi llwydo a dyn-marw-ar-ôl-chwech-wythnos gyda thraed-heb-eu-golchi-a-cheseiliau-sy'n-drewi; a chlywodd sgrech erchyll fel sgrech mil o lygod a'u cynffonnau wedi'u clymu at ei gilydd yn ceisio dianc. Llenwodd yr oglau a'r sŵn ymennydd Llŷr a bownsio o gwmpas y tu mewn iddo nes ei fod yn teimlo fel pe bai ar fin mynd yn hollol honco wirion bost.

Beth sy'n digwydd????? meddyliodd Llŷr, gyda'r rhan fechan o'i feddwl a oedd dal yn gweithio.

Roedd Gwibsyn wedi cyrlio ar y llawr fel draenog, a'i ddwylo uwch ei ben, fel pe bai hynny'n mynd i'w warchod rhag yr erchyllbeth oedd yn gwneud y sŵn YNA, a'r arogl YNA.

Bloeddiodd Llŷr at Dolur.

Ac yna, digwyddodd popeth ar unwaith.

Udodd y cwmwl neu'r gwynt yn uwch. Pwy oedd yn gwybod beth oedd e? Efallai mai Llŷr oedd yn iawn, ac mai Gwrach oedd yno go iawn ... Ond beth-bynnag-oedd-e, llefodd fel ysbryd, ac ar yr un pryd fe wnaeth y saith ellyll fwrw swyngyfaredd o'u Hudlathau, i ganol y llecyn clir, gyda gwres poethwyn, fel pryfed tân, ac fe dynnodd Dolur yn wyllt ar y rhwyd ac roedd yna ffrwydrad anferth ...

CLEEEEEEEEEEEEEEEC!

Taflodd Llŷr ei hun yn wastad ar ei stumog y tu ôl i'r goeden er mwyn symud o'r ffordd ac amddiffyn ei hun.

Roedd yna sŵn sgrechian mawr.

Gwibiodd rhywbeth o amgylch y llecyn clir – rhywbeth anarferol o enfawr a thywyll a phluog, ac yna daeth sŵn cwynfan ofnadwy, annioddefol wrth iddo ffoi.

Llenwyd y llannerch gan gymylau o fwg du a gwyrdd, a chododd Llŷr ar ei draed gan besychu.

Yn hongian yng nghanol y llecyn clir, a Dolur yn dal gafael arno â'i holl nerth, roedd ei Wrach-ffagl.

Roedd rhywbeth yn brwydro'n wyllt y tu mewn, ac o gwmpas y rhwyd i gyd roedd yr aer yn byrlymu, mor goch â gwaed, mor goch â fflam danllyd.

Beth ar y ddaear ddigwyddodd? meddyliodd Gwibsyn, a oedd prin yn gallu credu'i fod dal yn fyw. Cododd gan beswch a thagu, cynddrwg yr arogl oedd yn llenwi'r aer o hyd.

'Fe wnaeth e weithio ...' ebychodd Llŷr, gan faglu i sefyll ar ei draed, a methu credu'i lwc. 'Oooo, mam bach. .. mae e wedi GWEITHIO! Ry'n ni wedi llwyddo ... ry'n ni wir wedi dal Gwrach ... yr aer o'i hamgylch yw ei tharian Hud ... stopiwch ymosod arni, ellyllon, does dim pwynt ...'

Roedd yr ellyllon yn parhau i dasgu gwreichion, gan geisio torri twll yn yr aer coch, llachar o amgylch y rhwyd. Ond trodd yr aer yn fwy coch a phigog, fel drain byw, tanllyd.

Edrychodd Gwibsyn at y rhwyd yn gegrwth. ‘Ooo grwgnach clychau’r gog, a iesgob iorwg, falle’n wir fod Llŷr wedi llwyddo ... falle’i fod wedi dal Gwrach!!! Dewch, o ’ma – glou!’

Neidiodd Gwibsyn ar gefn ei gath eira a’i heglu hi, gydag Eurben a Morfran wrth ei gwt.

Roedden nhw’n cymryd yn ganiataol bod Llŷr yn mynd i’w dilyn nhw.

Ond Llŷr oedd yr unig fachgen, bron, yn yr holl fyd a fyddai’n ddigon gwirion i aros mewn llecyn clir gyda Gwrach fyw, go iawn.

‘TI ARUTHWYCH! TI GORAUBYD! TI ANSBARADIGAETHUS O BENDRAMWNWGL! Ymm ... Beth ni neud nawr, bos?’ holodd Pry-pi yn nerfus.

Roedd hyd yn oed Llŷr yn dechrau poeni erbyn hyn, ond byddai’n well ganddo farw na chyfaddef hynny i’w ellyllon a’i anifeiliaid.

‘Amgylchynwch y Wrach!’

Doedden nhw ddim yn rhy hapus, ond aeth yr ellyllon o gwmpas y rhwyd fel eurgylch. Gorfododd Llŷr ei hun i roi un droed o flaen y llall a chamu at y rhwyd. Roedd ei ddwylo mor chwyslyd ag ofn bu bron iddo ollwng ei sosban.

Roedd yr arogl mor enbyd o wael, a’r aer mor drymaidd, roedd fel cerdded trwy gawl afiach, rhechlyd.

Safodd Llŷr o dan y rhwyd, yn syllu arni'n siglo'n ôl ac ymlaen, 'nôl ac ymlaen ...

Braidd yn annisgwyl iddo, roedd pedair coes CEFFYL yn hongian drwy'r tyllau yn y rhwyd.

'Waw ...' anadlodd Llŷr. 'Pwy feddyliai? Dydy Gwrachod ddim fel adar, maen nhw fwy fel dynfeirch.' (Hanner dyn hanner ceffyl yw dynfarch.) 'Iawn, Wrach!' bloeddiodd, gan geisio swnio'n arswydus, a chwifio'i sosban yn fygythiol mewn llaw grynedig. 'Paid â dwneud dim byd gwirion! Rwyt ti wedi d'amgylchynu gan greaduriaid peryglus ac mae gen i arf sydd wedi'i wneud o HAEARN!'

Roedd yna saib o dawelwch, ac yna daeth llais bychan, crynedig o'r tu mewn i'r rhwyd:

'*Nid* Gwrach ydw i ... Mae Gwrachod wedi marw! Mae pawb yn gwybod hynny! Pam ydych chi'n ymosod arnon ni? Beth ydych chi eisiau?'

'Wel, wrth gwrs, dyw Gwrach ddim yn mynd i GYFADDE ei bod hi'n Wrach, nag yw hi?' meddai Llŷr. 'Paid â cheisio

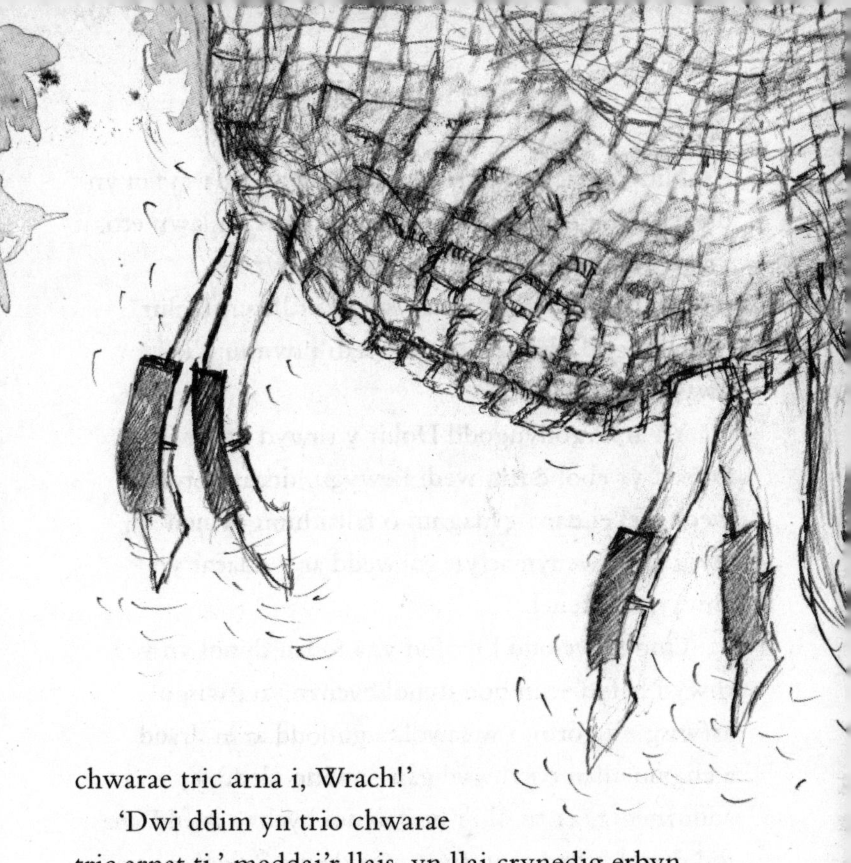

chwarae tric arna i, Wrach!'

'Dwi ddim yn trio chwarae tric arnat ti,' meddai'r llais, yn llai crynedig erbyn hyn, a braidd yn ddig.

'Fy enw i yw Dôn, nid Gwrach. Hyd yn oed pe bai Gwrachod *yn* bodoli, maen nhw i fod yn wyrdd! A beth am eu gwaed llawn asid, a'u plu a phopeth ...'

Saib. 'Wel, pa fath o anghenfil wyt TI 'te?' mynnodd Llŷr. 'Wyt ti'n rhyw fath o ferchfarch?'

'Na, na,' meddai'r llais. 'Fy ebol bach i yw hwnna. Dwi'n meddwl ei fod o wedi llewygu. Roeddwn i a fy ffrind, Cai, yn mynd drwy'r goedwig, pan ddaeth rywbeth ar ein holau ni ... GADEWCH NI'N RHYDD!'

Ffwdan ffwndrus.

Nid Gwrach oedd yna wedi'r cwbl. Bu'r cyfan yn ofer. Roedd ei frawd mawr ffroenuchel yn iawn eto, a'r noson gyfan yn wastraff amser llwyr.

'Gollynga beth-bynnag-yw-e i'r llawr, Dolur,' ochneidiodd Llŷr, a'r gwynt wedi'i dynnu o'i hwyliau'n llwyr.

Yn araf, gollyngodd Dolur y rhwyd i'r llawr. Doedd yr ebol ddim wedi llewygu, druan – roedd wedi cael ei daro gydag un o felltithion cymell cwsg Saethwenyn ac yn gorwedd ar y ddaear yn chwyrnu'n uchel.

Ond fe welodd Llŷr fod yna fodau dynol yn y rhwyd hefyd – un bod dynol bychan yn gwisgo arfwisg o'i gorun i'w sawdl, a gododd ar ei draed a chamu allan o'r rhwyd gan chwifio cleddyf addurnedig, a'r tu ôl i'r bod dynol bychan roedd yna fod dynol ychydig yn fwy, mor denau â rhaca ac yn gwisgo arfwisg hefyd, ac yn baglu wrth geisio sefyll ar ei draed, fel pe bai newydd ddihuno.

Ry'n *ni'n* gwybod mai Dôn a Cai oedd y bodau dynol yma – Cai yr un talaf, a Dôn yr un lleiaf gyda'r cleddyf.

Ond doedd Llŷr erioed wedi cwrdd â Rhyfelwr o'r blaen.

A fyddai e fyth yn gallu dychmygu y byddai Dôn a Cai yn gallu bod yn arwyr yn y stori hon, yn union fel Llŷr ei hun.

Y cyfan roedd *Llŷr* yn gallu ei weld oedd bod y ddau fod dynol yma'n gwisgo arfwisgoedd haearn, ac yn cario cleddyfau haearn, a oedd yn golygu mai Rhyfelwyr oedden nhw, ac roedd Llŷr wedi cael ei fagu i gasáu'r Rhyfelwyr â chas perffaith, oherwydd mai nhw oedd y gelynion.

Gwych.

Ar ôl pendilio tipyn rhwng ofn, cyffro a siomedigaeth, roedd Llŷr yn awchu am gael BRWYDRO. Roed brwydro'n syml ac yn braf.

Os nad oedd e'n gallu dal Gwrach, o leiaf gallai ladd gelyn.

'RHYFELWYR!' bloeddiodd Llŷr yn fileinig, a syllu'n gas, gan gydio'n dynn yn ei sosban a thynnu Hudlath dderw drom o'i fag.

'Rhyfelwyyyr ... Rhyfelwyyr ... Rhyfelwyyr ...' hisiodd yr ellyllon, yn goch gan gynddaredd. 'Lladd ... lladd ... lladd ...'

'DEWIN yw e ac mae ganddo greaduriaid!' meddai Cai mewn panig, gan bwyntio bys at Llŷr a neidio'n amddiffynnol o flaen Dôn. 'Ac maen nhw'n edrych yn ymosodol!'

Ac roedden nhw yn edrych yn ymosodol. Yn llawn ofn, syllai Dôn o'i chwmpas ar yr ellyllon llosgedig, oedd ar dân gan gynddaredd. Roedd fflamau'n tasgu oddi ar eu breichiau hirion a gwreichion yn poeri dros y lle i gyd. Chwyrnai'r bleiddiaid, yr arth a'r cathod eira gan ddangos eu dannedd, ac uwch eu pennau nhw, i fyny fry, roedd cawr.

Roedd cymaint yn fwy ohonyn nhw, ac roedd cewri'n bwyta pobl – neu dyna roedd Dôn wedi'i

glywed. Gallai ellyllon wasgu rhywun i farwolaeth gyda'u Hud a'u lledrith, a gallai cathod eira rwygo rhywun yn ddarnau. Roedd y Cleddyf Hudol gan Dôn, ond gwyddai nad oedd hi'n ymladdwr cleddyfau da iawn, a doedd Cai ddim wedi bod yn fawr o ddefnydd fel gwarchodwr hyd yn hyn.

Prin oedd eu gobaith, felly.

'Paid â phoeni, dywysoges!' bloeddiodd Cai yn ddewr. 'Wna i ddelio â nhw!'

Tynnodd Cai ei waywffon ac ysgwyd ei gleddyf.

Gwelodd y cawr.

Tynnodd wyneb.

Blinciodd ddwywaith.

Yna, caeodd ei lygaid yn glep, pendwmpian, ac yn aaa-r-aaa-f fe syrthiodd i'r llawr fel coeden wedi'i thorri. Holltodd ei waywffon yn ei hanner gyda'i gleddyf wrth ddisgyn.

A dyna lle roedd e'n gorwedd a'i geg yn llydan agored.

Edrychodd Llŷr ar Cai mewn syndod. Ai tric oedd hyn?

'Cathod eira! Bleiddiaid! Amgylchynwch fi!' mynnodd Llŷr. Ffurfiodd y creaduriaid gylch amddiffynnol o amgylch Llŷr, gan wneud i'w hunain edrych yn fawr, yn barod i lamu ar eu prae. 'Arth, gafael di yn yr un sydd ar y llawr! Falle mai twyllo y mae e!'

Gosododd yr arth ei bawen fawr ar frest Cai ac eistedd arno.

'Ellyllon, gadewch hyn i fi! Wna i ddangos i'r Rhyfelwyr yma ein bod ni, Ddewiniaid, yn gwybod sut i frwydro!' llefodd Llŷr, a thaflu'i hun i gyfeiriad Dôn, a'i sosban haearn yn un llaw a'r Hudlath yn y llall.

Llwyddodd Dôn i atal hyrddiad cyntaf Llŷr â'r Cleddyf Hudol, a dyna ddechrau ar yr ymladd.

Gwelodd Dôn fod ymladd â Chleddyf Hudol gymaint yn haws nag ymladd â chleddyf cyffredin. Roedd y Cleddyf Hudol yn gallu rhagweld o ble roedd y sosban neu'r Hudlath yn dod, a'u hatal, gan lusgo Dôn i'r un cyfeiriad.

Ysgydwodd y cleddyf hi hwnt ac yma, gyda Dôn yn cydio'n dynn ynddo â'i dwy law, fel pe bai'n gafael mewn cynffon tarw gwyllt.

Roedd Crawchog wedi gwylltio ac yn gwibio o amgylch pennau'r ymladdwyr gan grawcian: 'Y Cleddyf Hudol! Bydd yn ofalus iawn â'r Cleddyf Hudol! Paid â gadael iddo gyffwrdd ynot ti! Mae yna rywbeth yn bod arno!'

'Cleddyf Hudol?' galwodd Llŷr. 'Amhosib!'

Sut ar y ddaear all *Rhyfelwr* ymladd â Chleddyf Hudol? Doedd Rhyfelwyr ddim yn defnyddio Hud!

Sgubodd y Cleddyf Hudol o'i flaen gan fwrw'i Hudlath i ganol y prysgwydd, a'r sosban ar ei ôl.

'Wyt ti'n ildio?' holodd Dôn, gan ddal y Cleddyf Hudol at ben Llŷr.

'Dwi'n ildio,' meddai Llŷr, yn anfodlon.

'Paid ag ymddiried ynddo! Mae Dewiniaid yn rhai da am chwarae triciau!' bloeddiodd Cai, a oedd wedi dihuno o'i lewyg, a darganfod ei fod dan ben-ôl arth.

Anwybyddodd Dôn ef. Ymlaciodd, cymryd cam yn ôl, a gostwng y cleddyf.

Am gamgymeriad! Roedd Cai yn iawn – doedd Llŷr ddim i'w drystio.

'Brenhingath! Llygaid-y-Nos! Ymosodwch!' bloeddiodd Llŷr, yn syth wedi i'r cleddyf gael ei ostwng.

Llamodd Brenhingath ymlaen a tharo Dôn i'r llawr. Trawodd grym yr hyrddiad y Cleddyf Hudol o law Dôn, ac yn syth wedi iddi ollwng gafael arno, diflannodd yr Hud. Roedd y cleddyf yn llonydd, a disgynnodd ar lawr y goedwig, mor oer a difywyd â chleddyf cyffredin.

Cydiodd Llŷr ynddo, wrth i Brenhingath osod ei phwysau sylweddol ar frest Dôn. A'i cheg o amgylch ei helmed, torrodd honno ar agor, fel gefel yn agor cneuen.

Disgynnodd dau hanner yr helmed i'r naill ochr, ac edrychodd Llŷr yn syth i wyneb merch fach ryfedd yr olwg a phatshyn dros un llygad.

'Merch!' meddai Llŷr mewn syndod.

Dechreuodd yr ellyllon chwerthin yn afreolus. 'Mae Llŷr wedi cael crasfa gan ferch fach ...'

Edrychai Dôn yn syth i geg cath eira biwis, a bachgen o Ddewin a oedd yn dal y Cleddyf Hudol uwch ei phen â golwg ddryslyd ar ei wyneb.

'A nawr,' gofynnodd y bachgen, 'wyt *ti'n* ildio?'

5. Sêr Gwael yn Croesi a Bydoedd yn Gwrthdaro

'Wna i ddim ildio, mae hynny'n bendant!' meddai Dôn. 'Wnest ti DWYLLO!'

'Dyw Dewiniaid ddim yn cadw at reolau'r Rhyfelwyr,' esboniodd Llŷr.

'Twyllwr o Ddewin!'

'Rhyfelwr rheibus!'

'Melltithiwr!'

'Torrwr coedwigoedd!'

'Bwytwr babanod!'

'Llesteiriwr lledrith! Boed i ti gael dy grensian yn ddarnau mân sy'n llai na llygaid llau pen gan ddannedd Cribwr Gawr!' diawliodd Llŷr.

Roedd Llŷr a Dôn yn oer, yn flinedig, ac wedi cael braw ofnadwy. Trodd y braw yn ddicter, fel sy'n digwydd yn aml, a doedd dim ar ôl i'w wneud ond gweiddi enwau ar ei gilydd. Yr un enwau roedd y Dewiniaid a'r Rhyfelwyr wedi gweiddi ar ei gilydd ers i'r Rhyfelwyr gyrraedd o'r tu hwnt i'r moroedd a chwrdd â'r Dewiniaid yn y Coedwigoedd Gwyllt ganrifoedd ynghynt.

Roedd wyneb Llŷr yn goch gan gynddaredd, a chododd y cleddyf dros ben Dôn gyda'r fath arddeliad, nes i Cai weiddi:

'PAID Â'I LLADD HI! MERCH Y FRENHINES TARIANRHOD YDY HI AC OS WNEI DI EI LLADD HI, BYDD Y FRENHINES TARIANRHOD YN DIAL YN Y MODD MWYAF ERCHYLL!'

Syllodd Llŷr yn syn ar Dôn. 'Hi? Yn ferch i'r Frenhines Tarianrhod? Byth bythoedd!'

Roedd y Frenhines Tarianrhod yn enwog yn y goedwig am ei chreulondeb a'i thaldra a'i chryfder didrugaredd. Sut allai'r ferch fechan fach goesau matsys hon fod yn perthyn i'r arswydus Frenhines Tarianrhod?

'Merch y Frenhines Tarianrhod? Lladd hi, lladd hi, lladd hi ...' suodd yr ellyllon, gan amgylchynu Dôn, a'u bwâu yn llawn melltith farwol. Dim ond i Llŷr yngan un gair, byddai ar ben arni.

Roedd Llŷr wedi brolio erioed y byddai'n lladd Rhyfelwr yn syth petai'n cwrdd ag un.

Ond roedd ymffrostio'n un peth.

Ac roedd hon yn Rhyfelwraig fach o gig a gwaed, yr un oedran ag e. Roedd hi'n gorwedd o'i flaen ac yn amlwg yn ofni am ei bywyd ond yn smalio bod yn ddewr, ac roedd e newydd gipio'i chleddyf oddi arni. Wel, roedd lladd hon yn fater arall yn llwyr, a doedd Llŷr ddim yn gallu gwneud wedi'r cwbl.

Byddai fy nghyndeidiau wedi gwneud, meddyliodd Llŷr, yn llawn euogrwydd. Fyddai Rhaib ddim wedi meddwl ddwywaith am y peth.

Ond aros wnaeth Llŷr.

Ac yn fwy o syndod fyth, teimlodd rywbeth yn ymosod arno – llwy?! Roedd y teclyn ffyrnig yn ei fwrw ar ei ben.

'Ddyweda i wrth y llwy am roi'r gorau iddi, os gwnei di ofyn i dy arth di ...' tagodd Dôn.

Er mawr siom i'r ellyllon a oedd yn hisian fel cacwn gwyllt, gostyngodd Llŷr y Cleddyf Hudol, ac amneidio ar ei arth. Ochneidiodd honno wrth ollwng Cai yn rhydd. Rhoddodd y Llwy Hudol y gorau i daro Llŷr ar ei ben, cyn ymgrymu ac ymddiheuro a neidio'n ôl i lawr at Dôn.

Syllodd y Dewiniaid a'r Rhyfelwyr ar ei gilydd yn syn, gan barhau i fod yn elyniaethus a drwgdybio'i gilydd, ond yn chwilfrydig hefyd.

'Dôn ydw i, merch Tarianrhod, Brenhines y Rhyfelwyr,' meddai Dôn, 'a dyma fy Ngwarchodwr

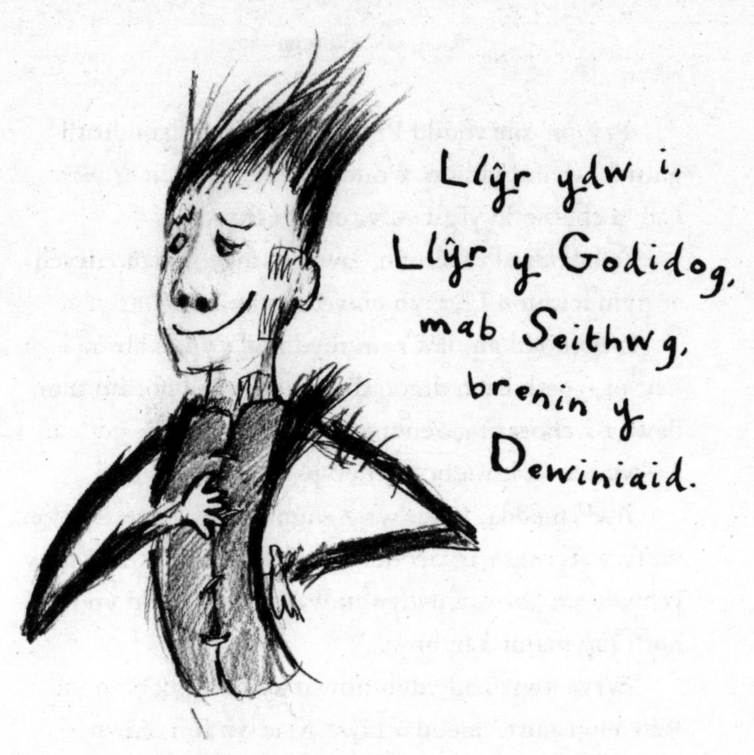

Cynorthwyol, Cai. Pwy wyt ti?'

'Llŷr ydw i, Llŷr y Godidog, mab Seithwg, brenin y Dewiniaid,' meddai Llŷr. 'Dyma fy ... fy mleiddiaid; fy arth, Artholwg; fy nghathod eira: Brenhingath, Llygaid-y-Nos, a Calon Goddeu. Dyma fy aderyn, Crawchog; fy nghawr, Dolur. A f'ellyllon: Afallach, Chwilben, Saethwenyn, Pili Pwdwr, a Gwyllt Gacwn.'

Troellodd yr ellyllon yn filain o gwmpas pennau'r Rhyfelwyr, gan daflu'u gwreichion yn fygythiol.

'Paid ag anghofio amdanom niiii,' gwichiodd Pry-pi.

'O ie, mae'r rhain yn ellyllon hefyd, ond maen nhw mor ifanc, ry'n ni'n eu galw nhw'n dylwyth twp,' meddai Llŷr. 'Cachgibwgan a'r babi a'r ...'

'Pry-pi,' sibrydodd Pry-pi i glust Cai, gan gosi'i glust â'i deimlyddion. Cododd croen gŵydd ar war Cai, a cheisiodd ysgwyd yr ellyll i ffwrdd.

Ochneidiodd Dôn yn llawn cenfigen wrth edrych ar gymdeithion Llŷr, yn enwedig yr ellyllon.

Estynnodd am law'r un roedd Llŷr yn ei alw'n Pry-pi – peth bach digon digri'r olwg, a'i goesau mor flewog â choesau gwenynen.

Mae arna i ofn bod y Pry-pi wedi'i brathu hi.

'Aw!' meddai Dôn, wrth sugno'i bys. 'Mae ellyllon yn fwy ffyrnig nag oedden i'n ei ddisgwyl. Maen nhw ychydig yn gas ... a dydyn nhw ddim i'w weld yn fy hoffi i gymaint â hynny ...'

'Wrth gwrs nad ydyn nhw'n dy hoffi di, y Rhyfelwr hurt,' meddai Llŷr. 'Mae dy fam di'n caethiwo ein cewri a'n corachod a'n hellyllon ni yn ei maglau ofnadwy hi, a DY'N NI BYTH YN EU GWELD NHW ETO!'

'Ond dyw Mam ddim yn lladd yr ellyllon y mae hi'n eu cipio,' eglurodd Dôn. 'Mae ganddi Faen-Hir-Sy'n-Tynnu'r-Hud y mae hi'n ei gadw yn ei daeargelloedd. Y cyfan y mae hi'n ei wneud yw gwaredu eu Hud wrth eu gosod nhw ar y maen hir ...'

Meddalodd llais Dôn wrth iddi gofio cymaint roedd hi eisiau osgoi i'r llwy golli ei Hud.

'Mewn proses hollol ddi-boen,' atgoffodd Cai hi.

'A dwyt ti ddim yn meddwl bod hynny'n eu lladd nhw?' hisiodd Saethwenyn. 'Pam ddim tynnu eu calonnau'n gyfan gwbl? Mae ellyll sydd wedi colli'i

Hud yn ellyll sydd wedi colli'i enaid ...'

O diar ... doedd Dôn ddim yn gwybod beth i'w feddwl nawr – roedd hyn oll yn swnio mor drist.

'Ond mae'r Hud yn wael iddyn nhw,' meddai, 'ac maen nhw'n ei ddefnyddio i'n melltithio ni ... ac mae cewri'n bwyta pobl ... dyna pam mae Mam yn eu caethiwo nhw – dyna ddywedodd hi wrtha i.'

Roedd Llŷr a'r ellyllon yn eu dyblau o glywed y fath anwybodaeth. 'Dyw cewri ddim yn bwyta pobl!'

Edrychodd Dôn i fyny ar y cawr mewn rhyfeddod.

Ac er syndod a braw i Cai, plygodd y cawr a chodi Dôn i fyny'n ofalus iawn i'r awyr â'i fysedd enfawr. Ddylai hynny fod wedi codi ofn arni. Ond symudodd y cawr mor araf, ac roedd ei fysedd o'i chwmpas hi mor gyfforddus o fawr, y cyfan deimlodd Dôn wrth iddi gael ei chodi – i fyny, fyny, FYNY fry i frigau uchaf y coed, oedd cyffro.

'Edrych o gwmpas ac edrych i lawr,' meddai'r cawr. 'Beth sy'n edrych yn bwysig i ti o'r fan yma?'

Syllodd Dôn dros ymyl bysedd y cawr, a dal ei hanadl mewn syndod wrth weld y byd o safbwynt hollol newydd. Roedd y goedwig yn ymestyn am filltiroedd i bob cyfeiriad, ac awyr y nos uwchben yn grochan o sêr a oedd yn disgleirio ar draws y ffurfafen. Islaw, roedd y bodau dynol mor fach â'r ellyllon, a'r ellyllon yn disgleirio fel gronynnau o dywod. Roedd un o'r bodau dynol – Cai – yn gweiddi rhywbeth – 'Gollynga hi!' – ond roedd mor bell i ffwrdd nes bod Dôn yn cael trafferth ei glywed, a doedd ei bryder ddim yn gwneud rhyw lawer o synnwyr.

'Mae'r goedwig yn bwysig,' meddai Dôn, 'a'r sêr ...'

'Yn bendant,' cytunodd y cawr gan wenu. 'Edrych di'n ddwfn i'm llygaid. Wyt ti'n gweld unrhyw awgrym yno y byddwn i'n bwyta bodau dynol?'

Edrychai wyneb y cawr fel un hen ddyn cyfeillgar, wedi'i orchuddio gan rwydwaith o rychau, fel llinellau ar hen fap, ac roedd ei lygaid yn glên a rhyw ddealltwriaeth hynafol i'w gweld ynddyn nhw.

'Na,' meddai Dôn. 'Ddim o gwbl.'

'Cywir,' meddai'r cawr. 'Yn wahanol i ysbaddennod, mae cewri'n llysieuwyr.'

Gwenodd Dolur a thynnu coeden o'r tir, ei gwreiddiau trwchus yn taflu pridd i bob cyfeiriad. Rhoddodd wên enfawr i Dôn cyn stwffio'r goeden i'w geg anferth, a'r canghennau'n clecian wrth iddo gnoi.

'Yn we-e-ll o lawer i'r system dre-e-uli-i-o,' meddai'n freuddwydiol. Chwarddodd y cawr ar ei jôc wael ei hun, a phlannwyd yr hedyn cyntaf o amheuaeth yn meddwl Dôn wrth iddi edrych i fyny ar ei wyneb caredig. Efallai nad oedd creaduriaid Hudol cynddrwg â hynny wedi'r cwbl.

'Dyw Dolur ddim yn enw da i ti,' meddai Dôn.

'Dolur Pen yw fy enw llawn, am 'mod i'n meddwl cymaint.'

'Wyt ti'n iawn?' galwodd Cai yn bryderus.

'Wrth gwrs 'mod i'n iawn,' meddai Dôn, wrth i'r cawr ei gollwng yn ôl i'r ddaear yn ofalus. 'Dyw'r cawr wir DDIM yn beryglus ...'

Oedd hi'n bosib bod y Rhyfelwyr wedi cael eu twyllo i feddwl bod Hud yn beth drwg gyhyd? Oedd yna ffordd wahanol o edrych ar bethau, yn hytrach na ffordd y Rhyfelwyr?

Roedd bydolwg Dôn wedi'i droelli wyneb i waered, ac roedd hynny'n ei drysu.

'Paid â gwrando arnyn nhw, dywysoges!' meddai Cai. *'Maen nhw wedi gosod swyn arnon ni! Maen nhw'n ceisio gwneud i ni edrych ar bethau o'u safbwynt nhw!'*

Edrychai Llŷr yr un mor feddylgar.

'Mae Rhyfelwyr eisiau dinistrio popeth Hudol,' gwgodd, wrth syllu ar y Cleddyf Hudol yn ei law. 'Does bosib na ddylai tywysoges Rhyfelwr gael Cleddyf Hudol?'

'Na, ddylai hi ddim,' meddai Cai. 'Dwi wedi bod yn dweud hynny ers talwm iawn.'

'Bydd yn ofalus â'r Cleddyf Hudolus yna, Llŷr,' meddai Crawchog. 'Mae yna rywbeth yn bod arno ... Alla i deimlo'r peth yn fy mhlu ...'

Wrth syllu ar y llafn, sylweddolodd Llŷr yn sydyn fod Crawchog yn llygad ei le. Roedd rhywbeth yn rhyfedd, yn anghyffredin, ac yn hollol ANNAEAROL yn y cleddyf nes iddo bron â'i ollwng yn ei gyffro.

'O mawredd y byd, Crawchog!' ebychodd Llŷr. 'Dwi ddim yn credu hyn! Mae'r peth yn anhygoel! Wna i ddweud wrthoch chi beth sy'n bod ar y cleddyf yma! Mae wedi'i wneud o haearn! A'r Llwy Hudol hefyd! Maen nhw'n *haearn* ac yn *Hudol* YN GYMYSG I GYD!'

Anghredadwy!

Annirnadwy!

'Amhosib!' ebychodd Crawchog.

'Ble gest ti'r cleddyf hwn?' holodd Llŷr, gan ei droi drosodd a throsodd yn ei ddwylo.

'Ges i afael arno yn y coridor. Mae'n Gleddyf Hudol felly dwi'n meddwl ei fod wedi dianc ar ei ben ei hun, rywffordd, o ddaeargelloedd Mam,' meddai Dôn, a'i chalon yn suddo. 'Nid dy gleddyf di yw hwnna, Llŷr. Mae'n perthyn i Mam! Rho fe 'nôl NAWR!'

Ceisiodd Dôn afael yn y cleddyf ond dyma Llŷr yn symud allan o'i chyrraedd hi, gyda Llygaid-y-Nos yn camu rhwng y ddau ac yn chwyrnu'n fygythiol, fel na allai hi fynd damaid yn agosach.

'Dal sownd am eiliad ...' meddai Llŷr. 'Beth yw hwnna?'

Sylwodd Llŷr, am y tro cyntaf, fod yna eiriau ar y llafn.

Un tro roedd yna Wrachod ...

Aeth ias i lawr ei gefn.

Trodd Llŷr y cleddyf drosodd a darllen y geiriau'r ochr arall.

... ond fe wnes i eu lladd nhw.

Ar ôl y gair 'nhw' roedd yna saeth yn pwyntio at frig y cleddyf, lle roedd yna rywbeth pellach yn disgleirio.

Diferyn bach o waed gwyrdd.

Edrychodd y tri bod dynol ar y staen gwyrdd. Roedd mwg yn codi ohono.

'Paid â chyffwrdd!' sgrechiodd Crawchog.

Paid â chyffwrdd!

Paid â chyffwrdd!!

6. Cymer Ofal Wrth Ddymuno

Syllodd y tri bod dynol, yr aderyn, yr ellyllon a'r anifeiliaid ar y diferyn o waed gwyrdd gyda chymysgedd o syndod a braw – ac yn achos Llŷr, cyffro.

'Gwaed Gwrach!' meddai Llŷr.

'Am beth wyt ti'n mwydro, *"Gwaed Gwrach"*?' gofynnodd Cai. 'Mae pob Gwrach wedi marw!'

Ond wnaeth e ddim gwatwar â'r un argyhoeddiad â phe bai'n swatio y tu ôl i waliau uchel caer y Rhyfelwyr. Roedd yna rywbeth am y Drysni ar ôl iddi nosi, pan oedd y rhew'n tyfu fel blew dros bob brigyn troellog o bren marw, a oedd yn gwneud i ddyn boeni efallai bod rhywfaint o wirionedd yn y si nad oedd Gwrachod yn perthyn i'r gorffennol wedi'r cyfan ...

'Dyma gleddyf *lladd Gwrach*,' meddai Llŷr. 'Edrych! Mae'n dweud ar y llafn. Ac mae wedi dod rywffordd o'ch daeargelloedd Rhyfelwyr chi am ei fod wedi synhwyro bod y Gwrachod yn troedio'r goedwig unwaith eto.'

'Amhosib,' meddai Cai.

'Ond mae'n wir,' meddai Dôn yn bwyllog, 'fod *rhywbeth* wedi ymosod arnon ni cyn i ni gael ein dal yn y trap yna, a dwi'n meddwl falle 'mod i wedi anafu rhywbeth â'r cleddyf.'

'Roedd Gwrach yn ymosod arnoch chi a Gwaed Gwrach yw hwnna,' gwenodd Llŷr.

'Nage wir! Mae gan lot o bethau waed gwyrdd,' meddai Cai. 'Cathod palug! Ysbaddennod! Coblynnod llysnafeddog! Gwyllion smwt-drwynog! All e byth fod yn Wrach, oherwydd dyw Gwrachod ddim yn bodoli – maen nhw wedi mynd!'

'*Mwy na thebyg* wedi mynd,' meddai Llŷr, gan bwyntio at ganol y llannerch.

Yna, reit wrth ymyl Gwrach-drap Llŷr, roedd yna bluen ddu, fel pluen brân, ond tipyn mwy o faint.

Cododd Llŷr hi.

Wrth i'r bluen ddod yn nes at y bluen arall a oedd yn hongian o wregys Llŷr, dechreuodd y ddwy ddisgleirio – rhyw olau gwyrdd pŵl, rhyw olau Hudol argoelus. Ac wrth i Llŷr ddal y bluen i fyny at flaen y cleddyf, dechreuodd y staen ddisgleirio yn yr un modd, mor llachar â phry tân, ond â rhyw wawr werdd arswydus.

'Gwrachod!' gwenodd Llŷr.

Yna, distawrwydd ofnus.

Efallai bod Gwrachod wedi dychwelyd i'r Drysni.

Y creaduriaid mwyaf ofnadwy i gerdded y ddaear erioed – roedden nhw'n fyw unwaith eto!

Closiodd y ddwy garfan elyniaethus – yr anifeiliaid a'r ellyllon – yn agosach at ei gilydd, gan lygadu'r goedwig dywyll o'u cwmpas. Roedd pob un ohonyn nhw'n arswydo gymaint â'i gilydd wrth feddwl beth allai fod yno'n eu gwylio nhw ...

'Os mai Gwaed Gwrach YW hwn – mwy na thebyg nad hynny yw e – ond os mai dyna yw e, gall yr un diferyn yna fod yn beryglus iawn, iawn,' crynodd Crawchog. 'Sycha fe ar y boncyff yna, Llŷr, cyn iddo wneud niwed i rywun ...'

'O, dwi ddim yn mynd i'w wastraffu,' meddai Llŷr. 'Mae'n rhaid bod rheswm pam 'mod i wedi dal Rhyfelwr â Chleddyf Hudol yn y Gwrach-drap ... Beth yw'r siawns o hynny'n digwydd? Wnes i ddymuniad i fod yn Hudol ac mae'r bydysawd yn ceisio f'arwain i'r cyfeiriad cywir!'

'Falle mai dweud rhywbeth arall wrthot ti y mae e! Mae'r bydysawd yn gymhleth iawn, cofia!' llefodd Crawchog. 'Falle'i fod e'n dy roi di ar brawf! Falle'i fod e'n dy rybuddio di bod dymuniadau dwl yn arwain at berygl!'

Ond doedd Llŷr ddim yn gwrando dim ar Crawchog.

Roedd ffawd yn dangos iddo sut i gael gafael ar Hud – sef ei gael gan Wrach.

'PAID Â CHWARAE Â HWNNA, LLŶR!' bloeddiodd Crawchog, a'i blu du'n disgyn fel glaw o'i gorff.

'Paid â chyffwrdd ... paid â chyffwrdd ... paid â chyffwrdd ...' hisiodd yr ellyll.

Ond estynnodd Llŷr gledr ei law allan a'i wasgu'n galed yn erbyn blaen y cleddyf, lle roedd y diferyn o waed gwyrdd yn disgleirio.

Ac o'r eiliad honno, fe newidiodd bywyd Llŷr yn llwyr, a'i dywys ar lwybr y byddai'n anodd iawn dychwelyd ohono.

'Naaaaaaaaaaaaaa!!!!!!!' sgrechiodd Crawchog.

Roedd hi'n rhy hwyr.

Yn rhy hwyr ... rhy hwyr.

Trywanodd blaen y Cleddyf Hudol law Llŷr ... ac fe sgrechiodd hwnnw a phlygu drosodd mewn poen fawr, gan ddal ei law i'w stumog.

Tynnodd Crawchog ei adenydd o'i lygaid, 'O Llŷr ... beth wyt ti wedi'i wneud????'

Sythodd Llŷr ei hun.

Roedd ei lygaid yn pefrio gan gyffro, er bod y boen yn gwneud iddo grynu, a'i law'n ysgwyd fel pe bai newydd gael ei llosgi.

'Rhy hwyr,' gwenodd Llŷr, wrth ddal ei law i fyny. Yna,

Rhy hwyr! Dyma'r marc siâp croes.

yn ei chanol, roedd y Gwaed Gwrach wedi'i gymysgu â'r clwyf ar ei law gan adael marc siâp croes yno.

'Pam yn y byd wnaeth e hynna?' holodd Dôn.

'Dwi'n mynd i ddefnyddio'r Gwaed Gwrach i wneud Hud,' meddai Llŷr yn hyderus.

'Wneith o weithio?' holodd Dôn.

'Does ganddo *ddim syniad* o gwbl!' meddai Crawchog. 'Wyt ti'n meddwl bod Llŷr yn berson sy'n *ystyried pethau* gyntaf??? Dy'n ni ddim yn gwybod beth YW'R stwff gwyrdd yma! Mae'n well i ti obeithio nad Gwaed Gwrach yw e, Llŷr, achos mae'n debyg bod Gwaed Gwrach yn beryglus tu hwnt! Falle dy fod yn gallu'i ddefnyddio i wneud Hud ond gallai dy droi di at yr ochr dywyll ... Falle y byddi di'n troi'n un o greaduriaid y Gwrachod. Gallai dy dad golli'i deyrnas.'

Roedd Crawchog wedi cynhyrfu mwy nag arfer. 'Ond rhaid i fi gyfaddef,' meddai, ychydig yn fwy bodlon ei fyd, 'mae'n llawer mwy tebygol nad Gwaed Gwrach yw e wedi'r cyfan. Mae yna ddigonedd o bethau sydd â gwaed gwyrdd yn y Drysni ... Fe allai fod yn waed bleidd-ddyn – o na! Bydd yn dy droi di yn fleidd-ddyn ...'

'O diar,' meddai Llŷr, wrth ysgwyd ei law bob sut. 'Wnes i ddim meddwl am hynny.'

'Byddai hynny'n anghyfleus,' meddai Crawchog. 'Yr holl beth yna o beidio gallu mynd mas ar ôl hanner nos ac udo at y lleuad a blew ... ychwanegol ... ar hyd dy gorff a phopeth, ond fyddai e ddim yn ddiwedd y byd.'

'O GRÊT!' gwichiodd Pry-pi. 'Ti blewog fel FI! O plis! Tro i bleidd-ddyn, Llŷr! Tro i bleidd-ddyn!'

Ond doedd Llŷr ddim yn edrych yn hapus iawn â'r syniad o droi'n fleidd-ddyn.

Camodd Dôn a Cai yn ôl ychydig, rhag ofn.

'A gallai fod yn waed Ysbadden ... does dim effaith gan hwnnw o gwbl ... *medden nhw* ...'

'Ti'n iawn,' meddai Crawchog, 'mae'n rhaid cadw'n bositif. Gadewch i ni obeithio mai gwaed Ysbadden yw e. A dweud y gwir, ddylwn ni ddim sefyll o gwmpas fan hyn, oherwydd peidiwch ag anghofio, mae Ysbaddennod YN ceisio eich dilyn chi os ydyn nhw wedi'ch clwyfo chi, er mwyn cael eu gwaed nhw yn ôl.'

'Sut maen nhw'n gwneud hynny?' holodd Cai, wedi'i ddychryn.

'Dwyt ti ddim eisiau gwybod,' meddai Crawchog. 'Ond cofia eu bod nhw'n meddwl y byd o'u gwaed, ac maen nhw'n benderfynol i'w gael yn ôl, hyd yn oed os yw gan rywun arall ...'

'Wel, beth bynnag rwyt ti'n ei ddweud, dwi'n dal i obeithio mai Gwaed Gwrach yw e,' meddai Llŷr yn benstiff. 'Ond hyd yn oed os nad dyna yw e, mae gen i'r cleddyf o hyd, yn does e?' Roedd Llŷr erbyn hyn wedi gosod y cleddyf i hongian o'i wregys.*

'Dim dy gleddyf di yw hwnna!' meddai Dôn. 'Rho'r cleddyf 'nôl i ni!'

'Cleddyf?' holodd Llŷr, yn ddiniwed i gyd gan agor ei lygaid yn llydan. 'Pa gleddyf?'

'Y Cleddyf Hudol sy'n eiddo i Mam ac sydd ar hyn o bryd wedi'i wthio i mewn i dy wregys di,' meddai Dôn.

'O, y cleddyf *yna*,' meddai Llŷr, wrth neidio

---

*Dyw hyn ddim i'w argymell. Dylai cleddyf gael ei gadw'n ddiogel mewn gwain, ond roedd Llŷr yn un nad oedd yn poeni rhyw lawer am iechyd a diogelwch.

ar gefn Brenhingath. 'Mae'r cleddyf yna wedi cael ei roi i fi gan ffawd, fel 'mod i'n gallu cyflawni'r swyddogaeth y mae'r bydysawd wedi'i gosod ar fy nghyfer, ac arwain fy mhobl i ymladd yn eich erbyn chi, y Rhyfelwyr. Allwch chi fyth ddadlau â ffawd.'

'Ddim oherwydd ffawd y mae'r cleddyf wedi glanio yn dy gôl di!' bloeddiodd Dôn. 'Rwyt ti wedi'i DDWYN! Rho'r cleddyf yn ôl i ni, y lleidr diawl!'

Anwybyddodd Llŷr hi, a throi ei gefn arni.

'Dewch 'mlaen, bawb! Rhaid i ni fynd 'nôl fel 'mod i'n gallu chwalu Rhaib yn rhacs yn y Gystadleuaeth Hudol.'

'Dal dy ddŵr, am beth wyt ti'n sôn?' holodd Dôn. 'Allwn ni ddim mynd adre, na allwn ni?! Mae swyngyfaredd dy ellyll wedi hala fy ebol i gysgu.'

Roedd yr ebol, yn wir, yn dal i chwyrnu'n braf yng nghanol y llannerch.

'Wel, ddylech chi ddim fod wedi mynd allan i'r Drysni wedi iddi nosi, os nad oeddech eisiau i rywbeth gwael ddigwydd i chi ...' meddai Llŷr, yn hynod o haerllug.

Yr eiliad honno, daeth sŵn carnau ceffylau a chri cŵn o'r pellter. Hisiodd yr ellyllon yn rhybuddiol: *'RHYFELWYR!'*

Roedd Rhyfelwyr y Frenhines Tarianrhod wedi gweld mwg yn codi o'r Drysni, gan ofni ei fod yn codi o ben cawr. Roedden nhw'n carlamu o gaer y Rhyfelwyr er mwyn ymchwilio.

'Dyna chi, y broblem wedi'i datrys,' meddai Llŷr wrth Dôn. 'Mae eich pobl chi'n dod i fynd â chi adre.'

'Ond fyddwn ni mewn trwbl mawr am i ni gripian allan o'r gaer heb ganiatâd!' llefodd Dôn. 'Plis, wnewch chi ein helpu ni i ffeindio'n caer ni cyn iddyn nhw ein ffeindio ni?'

'Does gen i ddim amser i wneud hynny cyn i'r Gystadleuaeth ddechrau,' meddai Llŷr, 'ond wna i adael i chi ddod gyda fi, a gallwch aros dros nos yn fy stafell yng ngwersyll y Dewiniaid.'

'DWYN yw hynny – a HERWGIPIO!' meddai Dôn yn gynddeiriog. 'Cer â ni 'nôl i gaer y Rhyfelwyr a rho'r cleddyf i fi, y Dewin afiach!'

'Wel, dwi ddim yn gweld beth sydd gan hynny i'w wneud â fi?' holodd Llŷr yn syn. 'Pam ddylwn i boeni am broblemau cwpwl o Ryfelwyr sy'n elynion i mi? Dwi'n gwneud fy ngorau ond ry'ch chi'n bod yn anodd iawn.'

Os oedd Dôn wedi amau erioed nad oedd Dewiniaid cynddrwg â'r hyn roedd pawb yn ei ddweud, newidiodd ei meddwl yn syth.

'Roedd Mam yn iawn amdanoch chi, y bobl Hudol!' bloeddiodd Dôn. 'Twyllwyr ydych chi. Ry'ch chi'n ffyrnig, a does gyda chi ddim moesau. Ry'ch chi allan o reolaeth yn llwyr, a ...'

'Mae hi'n iawn, Llŷr!' crawciodd Crawchog. 'Mae pawb yn derbyn yn ôl gan y bydysawd yr hyn y maen nhw'n ei roi i'r bydysawd. Ac mae herwgipio'r ferch yma a dwyn ei chleddyf yn golygu y gelli di ddisgwyl rhywbeth hollol ofnadwy yn gyfnewid gan y bydysawd. Os nad wyt ti'n trin pobol fel yr hoffet ti iddyn nhw dy drin di ...'

'Wel, dylai'r bydysawd fod yn falch am nad ydw i'n bwriadu eu gadael nhw fan hyn i gael eu chwalu gan y Gwrachod.

Alla i ddim deall pam nad yw pawb yn hapus drosta i.' Gwgodd Llŷr. 'Hunanol yw hynny. FI YW BACHGEN FFAWD! FI YW'R UN SYDD WEDI'I DDEWIS!'

Trodd at ei anifeiliaid, a'r cawr.

'Llygaid-y-Nos! Calon Goddeu! Dolur! Dewch â'r Rhyfelwyr gwirion yma a'u hebol nhw i'r gaer ar f'ôl i!'

'Fi hedfan gyda Rhyfelwyr 'fyd!' gwichiodd Pry-pi. 'Fi aros i nhw ac edrych mas am gath palug!!!'

'Paid â theimlo bod yn rhaid i ti, Pry-pi,' meddai Llŷr, wedi'i bechu braidd.

'Fi MOYN gwneud!' canodd Pry-pi yn frwdfrydig. 'Fi lico hi! Mae'n edrych doniol ... a dim ond un llygad ... ac arogl fel bricyllen dim blodyn dynol ... a fi lico gwallt hi!'

Hedfanodd Pry-pi i ganol gwallt Dôn a chreu nyth fach i'w hun yno.

'Wel, pawb at y peth y bo,' wfftiodd Llŷr yn flin. 'Fasen i wedi meddwl y byddet ti eisiau cadw cwmni i fachgen ffawd, i'r un sydd wedi cael ei ddewis, ond os wyt ti'n teimlo trueni dros y bobl honco bost yma, dy ddewis di yw hynny, Pry-pi ... Dewch bawb!' bloeddiodd Llŷr. 'Fe gawn ni ras 'nôl i'r gaer!'

Llamodd Brenhingath yn ei flaen a'r anifeiliaid yn dilyn mewn cnud wyllt a gwallgof, a'r ellyllon yn gwibio yn eu blaenau.

Mae troi amser yn ôl yn amhosib.

Siŵr o fod.

Ond ...

OS byddai Llŷr wedi gweld Dôn ar ôl iddo ei gadael hi yn y llannerch, ac ...

OS byddai wedi gweld yr olwg ar ei hwyneb, fel pe bai hi newydd sylweddoli nad oedd hi'n gallu gwneud popeth yn iawn drwy roi'r cleddyf yn ôl, a bod ei mam, yn anochel, bellach wedi darganfod ei hanufudd-dod yn y ffordd unigryw y mae mamau'n gallu gwneud, ac ...

OS byddai'n gwybod bod mam Dôn ddim y fath o fam fyddai'n rhoi'r argraff y byddai hi'n maddau unrhyw beth i'w merch ac ...

OS byddai wedi gweld Dôn yn crio, a llwy fud yn ceisio'i chysuro hi heb eiriau, a'r Gwarchodwr Cynorthwyol, a oedd hefyd yn drist, yn mwytho'i chefn, a Pry-pi yn gwneud wynebau ac yn gwneud olwyn dro er mwyn ceisio codi'i chalon ac ... OS byddai wedi gweld y cyfan oll, yna byddai Llŷr wedi dyheu am gael troi'r amser yn ôl, hyd yn oed os oedd hynny'n amhosib!

Mae'n bosib.

Ond ...

Mae edrych i mewn i fywydau pobl eraill pan nad ydyn nhw'n sefyll yn syth o dy flaen di hefyd yn amhosib ...

Siŵr o fod.

Dwi'n dweud 'siŵr o fod' am fod troi amser yn

ôl, ac edrych i mewn i fywydau pobl pan nad ydyn nhw'n sefyll yn syth o dy flaen di, yn bethau sydd angen math arbennig o Hud i'w wneud – yr hyn rydyn ni'n ei alw'n 'ddychymyg'. Ond doedd Llŷr ddim wedi datblygu'r math yma o Hud eto, ddim taten yn fwy nag y gallai symud gwrthrychau gyda phŵer ei feddwl, neu hedfan heb adenydd.

Felly, cyn gynted ag yr oedd Dôn o'r golwg, anghofiodd Llŷr amdani'n syth, a dal ati â'r dasg bwysig o'i longyfarch ei hun am fod mor glyfar wrth iddo garlamu ar gefn Brenhingath yn ôl i wersyll y Dewiniaid.

Yn y cyfamser, 'nôl yn y llannerch, roedd Dôn wedi stopio crio am ei bod yn berson ymarferol, a doedd crio ddim yn mynd i helpu'r sefyllfa.

'Beth ydyn ni'n mynd i'w wneud nawr?' holodd Cai, a'i lygaid crwn yn llawn siom.

'Ry'n ni'n mynd i ddilyn y lleidr twyllodrus yna i wersyll y Dewiniaid, a dwyn y Cleddyf Hudol yn ôl oddi arno, ac yna cripian adre i'n caer ni ein hunain cyn y bore,' meddai Dôn. 'Mae'r cleddyf yna'n Hud-yn-gymysg-â-haearn, a ddylwn ni ddim gadael iddo fynd i ddwylo'r Dewiniaid.'

Dydy Rhyfelwyr ddim yn ildio, Cai!

'O, dyna'r cyfan sy'n rhaid i ni ei wneud?' holodd Cai yn goeglyd. 'A dyna lle ro'n i'n meddwl bod gyda ni broblem ...'

'Ond fe GAWN ni farchogaeth y cathod eira yma,' meddai Dôn.

'Ac mae hynny'n beth da?' holodd Cai, wrth edrych mewn arswyd ar yr angenfilod anferth a oedd yn sefyll yn anghyfforddus o agos iddyn nhw. 'Ond anifeiliaid wedi'u gwahardd ydyn nhw! Mae yn erbyn y rheolau!'

Estynnodd Dôn law ochelgar, a chyffwrdd â ffwr anghredadwy o feddal Calon Goddeu. Roedd hi wedi bod yn ysu am gael mynd ar gefn un o'r cathod eira o'r eiliad y gwelodd hi nhw gyntaf.

Yn ofalus, dringodd Dôn ar ei gefn.

'A fyddi di'n ein dilyn ni, Dolur?' bloeddiodd Dôn at y cawr.

Roedd Dolur wrth ei fodd bod rhywun wedi holi'i farn am unwaith. 'Dwi ychydig yn ar-a-a-fach na'r cathod eira,' meddai, gan gynnig gwên fel pwmpen wedi'i hollti ar ei hyd. 'Ond bydda i'n eich dilyn chi. Bydda i'n iawn. Dwi'n gawr!'

Wrth gwrs, beth aeth dros ei phen hi? Allai cawr edrych ar ei ôl ei hun, siŵr iawn. Roedd yn ymladdwr arswydus, mae'n siŵr, hyd yn oed os oedd yn llysieuwr.

'Dilyn Llŷr, plis, gath eira,' meddai Dôn.

Llamodd Calon Goddeu yn ei flaen yn sydyn. *Dwi'n marchogaeth cath eira GO IAWN* ... meddyliodd hithau wrth i'r lyncs wau fel nodwydd drwy'r coed, a gwynt y nos yn chwythu trwy wallt Dôn. Anghofiodd am berygl yr eiliad a bloeddiodd mewn gorfoledd.

'Wel, myn celyn i, ac ewinedd traed Gwrachod a drewdod anadl y Twrch Trwyth llygaid croes!' rhegodd Cai, a oedd ar ei ben ei hun yn y llannerch. *'Mae'r dywysoges fach yna'n debycach i'w mam nag oeddwn i wedi'i feddwl. Penstiff! Anystyriol! Ac mae'r Dewin yna'n waeth byth! Beth sy'n bod ar y teuluoedd brenhinol yma? Falle bod yr holl fwyd cyfoethog y maen nhw'n ei fwyta yn mynd i'w pennau nhw.'*

Ond beth allai Cai, druan, ei wneud? Allai e ddim aros yno ar ei ben ei hun bach yn y goedwig oedd yn llawn bleidd-ddynion, yn mwynhau awyr iach y nos a chwarae "Rwy'n gweld ysbaddennod gyda'm llygad bach i".

A beth bynnag, dylai fod yn gwarchod y dywysoges fach wyllt yna – dyna oedd ei swydd. Felly, yn groes graen, dringodd ar gefn yr ail anifail a oedd wedi'i wahardd, a llamu ymlaen ar ôl Dôn.

Plygodd Dolur, y cawr, a chodi'r ebol a oedd yn cysgu yn ei law cawr mawr. Esmwythodd fwng yr ebol â'i fys, fel y byddai bod dynol yn anwesu llygoden, cyn gosod y creadur yn ofalus yn un o'i bocedi, ac yn araf i-a-a-awn ymestyn ei goesau a dilyn Cai a Dôn a'r cathod eira.

'Paid â phoeni!' bloeddiodd Dôn ar Cai wrth i Llygaid-y-Nos ddal i fyny â Calon Goddeu. 'Mae'n mynd i fod yn hollol iawn!'

'Paid â phoeni?' holodd Cai'n wawdlyd. '*Mae'n mynd i fod yn hollol iawn?* Heno, hyd yn hyn, ry'n ni wedi: dianc o Gaer y Rhyfelwyr heb ganiatâd ... cymryd Llwy Hudol fel anifail anwes ... dwyn rhywbeth ofnadwy o werthfawr sy'n eiddo i dy fam sydd, fel mae'n digwydd, yn gleddyf hynod beryglus ... gadael i'r union gleddyf fynd i ddwylo Dewin, gan beryglu'r holl ryfel yn erbyn Hud ... a NAWR ry'n ni'n teithio i galon tiriogaeth y gelyn ar gefn anifeiliaid sydd wedi'u gwahardd ar ôl cael ein herwgipio gan fachgen gwallgo o Ddewin, sydd, o bosib, ar fin troi i fod yn fleidd-ddyn ... Pam ddylwn i boeni?'

Daeth sŵn mawr o stumog Cai.

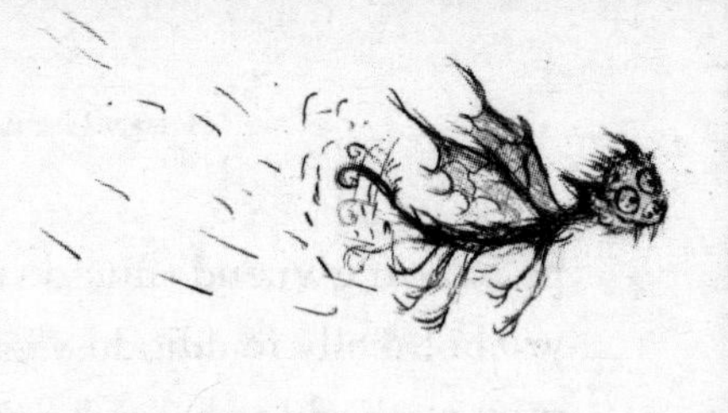

'A dy'n ni ddim wedi cael swper. Byrgyrs carw. Fy ffefryn.'

Chwipiodd Pry-pi yn ei flaen fel taran wen, a gwichian, '*Fi* yn cadw-llygad! *Fi* yn cadw-llygad!' WWAWAWAWA! Cath palug! Cath palug! ... Oooo ... Na, soris, camgymeriad, boncyff coeden. Soris, bawb ...'

Syrthiodd tawelwch anesmwyth wrth iddyn nhw ddilyn Llŷr ymhellach ac ymhellach i ganol y goedwig dywyll, ddieithr, lle roedd hi'n ymddangos fel bod yna lygaid rhyfedd yn syllu o'r tu ôl i bob coeden a lle roedd sgrechfeydd erchyll i'w clywed ym mhobman o'u cwmpas. Efallai mai cath palug oedd yno neu fleidd-ddynion, neu rywbeth gwaeth na'r rhain i gyd ...

Diolch byth, welodd Cai 'mo'r ddau beth ddigwyddodd ar ôl iddyn nhw adael y llannerch, neu byddai wedi bod yn fwy ofnus fyth.

Yn gyntaf, cafodd Dolur ei ddal gan Ryfelwyr haearn Tarianrhod.

Roedd Dôn yn iawn i boeni amdano. Mae cewri'n feddylwyr craff ond yn anffodus, mae'r ffaith eu bod nhw'n arafach yn eu rhoi nhw dan anfantais ofnadwy wrth wynebu gelynion llai. Cafodd Dolur ond digon o amser i feddwl: 'B-E-TH U-W-C-H Y DD-A-E-A-R' cyn i'r Rhyfelwyr ar gefn eu ceffylau wibio i ganol y llannerch a gosod cadwyni haearn o amgylch ei goesau. Rhybuddiodd y Rhyfelwyr y cawr pe bai e'n gwneud smic o sŵn, y bydden nhw'n lladd yr ebol. Felly feiddiodd y cawr ddim gwneud siw na miw wrth iddo gael ei lusgo tuag at gaer y Rhyfelwyr, gan siglo gwreiddiau'r coed wrth iddo faglu ar ôl y Rhyfelwyr bychain blin. (Pam oedden nhw mor FLIN? Doedd cewri ddim yn deall dicter – roedd yn wastraff amser llwyr.)

Ac yna bu tawelwch. Ond roedd yr aer yn y llannerch fel pe bai'n oerach nag oedd ynghynt, a daeth lluwch eira o rywle, fel ewyn môr stormus yn tasgu ar y lan. Oedd rhywbeth wedi cyrraedd y llannerch? Oedd rhywbeth wedi bod yn cadw llygad? Oedd rhywbeth wedi bod yn chwilio am y Cleddyf Hudol?

Aaaa ie wir, byddai *hynny* wedi gwneud i Cai grynu yn ei esgidiau.

Ond os mai Gwrach fyddai'r rhywbeth yna, pa mor annhebygol bynnag oedd hynny, roedd angen ei holl sgiliau TAGU ar Cai, yn bendant ...

Dyw Gwrachod ddim yn gadael olion traed.

Does gan gyrff Gwrachod ddim cysgodion.

Ond maen nhw'n gwneud y coed, y tir a'r mwsogl ychydig yn oerach wrth iddyn nhw fynd heibio.

Cân Melltithio'r Ellyllon

Dy'n ni ddim yma, yr aer sydd wrthi, y cip o adain a welsoch fan'co

Y fuwch sy'n marw, nid ni oedd ar fai, felly peidiwch â melltithio, a pheidiwch â *mentro*

Chwalwch-yr-ysbrydion-a-rhegwch-eu-melltithion-a-gwnewch-ddwrn-bygythiol-fyny-fry

Allwch chi ddim ein dyrnu, dy'n ni ddim yn bodoli, dim ond niwl ydyn ni,

A'r gwynt oedd yno'n gwneud sŵn chwibanu.

Dy'n ni ddim yn becso, a do'n ni ddim yno, ac am chwalu'r gadair – fyddwn ni *fyth* yn mentro

Ei-gadael-i-edrych-fel-bod-popeth-yn-iawn-ac-aros-i-rywun-mawr-a-thew-a-hen-i-roi-ei-ben-ôl-anferth-arno-a-SMWSH-BANG-HA-HA-HA-!-SMASH!!!!!-yr-holl-beth-yn-deilchion-yn-rhacs-jibidêrs-ac-yna-mae'r-person-yn-glanio-ar-y-llawr-caled-ac-yn-torri-ei-ên-nawr-ac-yn-creu-ffws-a-ffwdan-mawr-nes-iddyn-nhw-grio-a-chrio-nes-i'r-dagrau-sychu-gyda'r-wawr ...

Ac nid sŵn chwerthin iasol y tylwyth teg oedd y crio beunydd. Dyna a ddywedon nhw, *celwydd*.

Y plentyn oedd yn marw, nid ni oedd hynna, felly peidiwch â melltithio, a pheidiwch â *mentro*

Chwalwch-yr-ysbrydion-a-rhegwch-eu-melltithion-a-gwnewch-ddwrn-bygythiol-fyny-fry

Allwch chi ddim ein dyrnu,
dy'n ni ddim yn bodoli,
dim ond niwl ydyn ni,
A'r gwynt oedd yno'n gwneud sŵn chwibanu.

Gwersyll y Dewiniaid

7. Gwersyll y Dewiniaid

Gwibiodd yr anifeiliaid trwy ddrysfa'r goedwig dywyll, eu taith yn ymddangos fel un ddiddiwedd. Croesodd Dôn, Llŷr a Cai'r afon rewllyd a'r Wal Ysbrydion ddrylliedig, sef y ffin rhwng tiriogaeth y Rhyfelwyr a theyrnas y Dewiniaid. O'r diwedd fe gyrhaeddon nhw ran o'r goedwig a oedd mor drwchus gan brysgwydd a choed wedi syrthio nes ei bod hi'n amhosib parhau â'u taith.

Daeth y lleuad o'r golwg o'r tu ôl i'r cymylau, ac amneidiodd Llŷr at fynydd pigog o lystyfiant o'u blaenau. Gwyliodd Dôn a Cai yn syn wrth i'r mieri a'r canghennau ddechrau datgymalu o'u blaenau, fel be bai bysedd anweledig yn datod cwlwm cymhleth o edafedd. Gyda sŵn gwichian fel penglinau hen gawr yn plygu, crymodd y coed bob ochr, crebachodd y llystyfiant, ac agorodd llwybr o'u blaenau.

Pan welson nhw beth oedd o'u blaenau yn y llannerch, aeth ias drwy Dôn a Cai, fel pe bai ysbryd yn mwytho'u cefnau. Yno, roedd cylch anferthol o goed hynafol, cawraidd – ywen, bedwen, criafolen, helygen, onnen, draenen wen, ysgaw, pren afalau, aethnen – pob rhywogaeth dan haul. A'r mwyaf pwysig ohonyn nhw i gyd, y dderwen, wrth gwrs. Doedd dim arwydd o unrhyw annedd ddynol, ond roedd sŵn cerddoriaeth, ac arogl mwg.

Nawr eu bod nhw mor bell o adre ac mor ddwfn yn nhiriogaeth y gelyn, roedd Dôn yn dechrau teimlo'n ofnus iawn, iawn. Beth pe bai Llŷr yn eu bygwth? Roedd wedi dweud y byddai'n eu rhyddhau nhw y bore wedyn, ond a oedd modd ymddiried ynddo?

'Ble mae eich caer?' gofynnodd Dôn, a'i llais yn crynu.

'Dan y ddaear,' meddai Llŷr.

Dychmygwch wersyll sydd wedi suddo dan ddaear. Roedd pob un o'r coed anferthol yna'n wag, gan adael i oleuni gyrraedd yr ystafelloedd islaw. Arweiniodd Llŷr nhw i lawr i'r tŵr lle roedd ei ystafell ef – ywen fawr hynafol a oedd mor droellog nes ei bod yn edrych fel bod cawr wedi cydio ym mrigau ucha'r goeden a throelli'r boncyff fel pe bai'n ddarn o glai. Fe ddringon nhw gyfres o ysgolion ac i mewn drwy ffenest ystafell Llŷr.

Suddodd calon Dôn hyd yn oed ymhellach. Doedd dim ffordd allan bellach. Roedden nhw'n gaeth, wedi'u hamgylchynu gan eu gelynion. Beth pe bai Llŷr yn dweud wrth y Dewiniaid eraill ei bod hi yno? Beth os oedd y Dewiniaid eraill hyd yn oed yn waeth na Llŷr, ac yn gallu'i lladd yn araf bach â'u Hud?

Roedd hi'n teimlo'n reit sâl erbyn hyn.

Doedd dim nenfwd i'r ystafell, felly uwch eu pennau roedd awyr y nos a'r sêr i'w gweld. Roedd y llawr yn llawn craciau enfawr fel bod modd edrych i lawr ar y brif neuadd ddeugain troedfedd islaw.

'Peidiwch â phoeni,' meddai Crawchog wrth geisio cysuro Cai a Dôn oedd yn gwylio Llŷr yn cerdded ar draws y llawr oedd fel petai wedi'i wneud o aer yn unig, 'mae'n llawr Hud.'

Agorodd Llŷr ei fag a thynnu *Y Swyniadur* allan ohono, er mwyn darganfod swyngyfaredd i droi brodyr yn fwydod. Roedd y swyn reit wrth ymyl tudalen a oedd yn egluro sut i Droi Pobl yn Gathod (hawdd) a Chathod Duon yn Bobl (heriol).

I ddechrau, meddyliodd Llŷr y byddai'n cosbi Rhaib trwy'i droi'n fwydyn gan ddefnyddio Hud Gwrach. Wedyn, er mwyn gwneud argraff ar bawb, byddai'n tynnu'r cleddyf a dangos i bawb sut y gallai ddefnyddio Hud-sy'n-gweithio-ar-haearn. Ac yna, wrth gwrs, byddai pawb yn curo dwylo ac yn ei glodfori, ac yn gweiddi'i enw. Byddai ei dad ei hun yn moesymgrymu ger ei fron a dweud: 'Llŷr, mae'n ddrwg 'da fi am d'amau di ... Ro'n i'n gwybod yn fy nghalon dy fod ti'n arbennig. Dwi'n gwybod nad ydyn ni wedi gweld llygad yn lygad yn y gorffennol, ond mae'n amlwg nawr mai ti yw'r arwr ry'n ni gyd wedi bod yn disgwyl amdano.'

Roedd y cyfan yn mynd i fod yn bleser MAWR.

Dysgodd Llŷr y swyngyfaredd ar ei gof a chau'r llyfr yn glep.

'Dewch yn eich blaenau, ellyllon!' meddai Llŷr yn benderfynol. 'Bydd y Gystadleuaeth yn dechrau whap ac mae angen i ni fynd er mwyn i mi allu BYCHANU Rhaib o flaen pawb. Dilynwch fi ... ar wahân i chi, Calon Goddeu, Llygaid-y-Nos, Brenhingath, Artholwg, a Pry-pi ...'

'O, pam ydy fi gorfod aros ar ôl?' holodd Pry-pi.

'Am dy fod TI'n meddwl cymaint o'r Rhyfelwyr,' meddai Llŷr yn wawdlyd, gan deimlo ychydig yn genfigennus. 'Felly fe gei di aros yma a chadw llygad arnyn nhw ...'

'Paid poeni dim, Bos. Fi gwarchod nhw ...'

'Wnes i ddim dweud wrthot ti am eu GWARCHOD nhw, Pry-pi, dweud wrthot ti am GADW LLYGAD arnyn nhw wnes i. Maen nhw'n garcharorion – ac yn elynion ...'

'Ond FI eisiau gweld ti'n troi yn fleidd-ddyn!' meddai Pry-pi, wedi'i siomi'n fawr.

'Dwi'n siŵr 'mod iii'n gallu gweeeld ychydig mwy o fleeew ar ei freeeichiau'n barod,' hisiodd Saethwenyn, a'i lygaid yn llawn pleser maleisus.

'O, caewch eich cegau, y ddau ohonoch!' dwrdiodd Llŷr. 'Dwi ddim yn mynd i droi'n fleidd-ddyn! Gwaed Gwrach yw hwn a dwi'n mynd i'w ddefnyddio i wneud Hud, a Lledrith hefyd falle!'

'Ond dwyt ti ddim yn gwybod a wneith e weithio eto,' meddai Crawchog. 'Ddylet ti ffeindio mas gyntaf beth yw'r staen yna cyn i ti fynd o flaen llwyth o bobl a throi'n fleidd-ddyn reit o flaen eu llygaid nhw?'

Edrychodd Llŷr arno fel pe bai'n hollol honco bost.

'Ond byddai hynny'n golygu AROS,' meddai Llŷr. 'Ac mae'r Gystadleuaeth Hud yn digwydd NAWR. Ond, hyd yn oed os na fyddai'r Gwaed Gwrach yn gweithio, dwi'n gwybod bod y cleddyf yn gweithio.'

'Does dim hawl gen ti fynd â chleddyfau i'r Cystadlaethau Hud, Llŷr, heb sôn am rai HAEARN,' meddai Crawchog.

'A'n cleddyf ni ydy o beth bynnag!' protestiodd Dôn.

'Stopia dweud hynna, wir. Cleddyf Hudol yw hwn,' meddai Llŷr. 'Felly mae'n perthyn i *fi*, a'r holl stwff am beth-ti'n-rhoi-i'r-bydysawd-bydd-y-bydysawd-yn-rhoi-nôl-i-ti – wel, y cyfan alla i ddweud yw, drwy ddod â'r cleddyf i mi, mae'r bydysawd yn amlwg yn meddwl 'mod i'n reit arbennig ...'

'Bydysawd GWYBOD POPETH!' gwichiodd Pry-pi.

Doedd dim pwynt siarad â Llŷr pan oedd o yn y fath hwyliau.

'Weden i bod y bydysawd yn crio nawr,' meddai Crawchog yn ddig, wrth i ddiferion trwchus o law syrthio arnyn nhw.

I lawr y grisiau yn y brif neuadd, roedd sŵn gorfoleddu. Roedd cewri'n dawnsio, a lleisiau hapus i'w clywed. Ond i fyny'r grisiau roedd yr ystafell fach yn llawn gwinwydd y goedwig, yn ysgwyd yn y gwynt, yn siglo fel cwch ar y môr, ac roedd diferion glaw mawr yn diferu dros bob man.

'Pam ar y ddaear y byddet ti'n creu ystafell heb nenfwd?' rhyfeddodd Cai. 'Dydy hynny ddim yn ymarferol iawn.'

'Saethwenyn,' meddai Llŷr, 'gwna swyn tywydd cyn i ni gyd foddi! A bydd rhaid i ti aros fan hyn i gynnal y swyn fel nad ydy'r carcharorion yn gwlychu ...'

Hwffiodd Saethwenyn yn flin, 'PamFIohyd-sy'ngorfodgwneudpopeth? Ro'n i eisiau gweld y Gystadleuaeth Hud!' cyn pwdu ac edrych i mewn i'w bag Hud a lledrith. Daeth o hyd i swyn a'i daflu i'r awyr â'i ffon Hud, a neidiodd ymbarél bach anweledig o wynt o frig y swyn, gan arnofio tua thair neu bedair troedfedd uwch eu pennau, fel bod y glaw'n llifo dros yr ymylon fel rhaeadr.

'Mawredd y byd, mae hynna'n anhygoel!' rhyfeddodd Dôn.

'Paid â chael dy swyno,' rhybuddiodd Cai. 'Cofia, gall Hud edrych yn ddeniadol, ond mae'n beryglus, ac yn anhrefnus ...'

'Ond rhaid i ti gyfaddef, mae'n hynod o ddefnyddiol os nad wyt ti eisiau gwlychu,' meddai Llŷr.

'Mae *nenfwd* yn gweithio'n reit hwylus, hefyd,' meddai Cai yn wawdlyd.

Caeodd Llŷr y drws yn glep a'i gloi.

'Mae wedi mynd â'r cleddyf,' meddai Dôn yn siomedig. 'Bydd jest rhaid i ni aros nes iddo ddod 'nôl ac yna gallwn ddwyn y cleddyf pan fydd e'n cysgu.'

'Ond hyd yn oed os ydyn ni'n llwyddo i gipio'r cleddyf yn llwyddiannus oddi wrth Llŷr,' meddai Cai, 'sut ydyn ni am fynd yn ôl i'n caer ni? Allwn ni ddim

CERDDED – mae hi filltiroedd i ffwrdd.'

'O diar, roedd Llŷr yn iawn, ry'n ni'n garcharorion!' meddai Dôn, gan syllu allan o'r ffenest i dywyllwch y nos. Roedd yn ffordd hir i lawr i waelod y tŵr, a doedd dim arwydd o gwbl o'r cawr na'r ebol. 'A dwi'n poeni fod Dolur, druan, wedi cael ei ddal gan filwyr Mam ...'

'Dolur, druan! Mae'n GAWR, Dôn!' meddai Cai mewn penbleth. 'Ar ochr pwy wyt ti?'

Dan ochneidio, trodd Dôn i ffwrdd oddi wrth y ffenest a chodi *Y Swyniadur* roedd Llŷr wedi'i adael yn ddiofal ar y bwrdd.

'Cai, mae'n RHAID i ti weld y llyfr yma, mae'n anhygoel!' meddai Dôn, gan anghofio'n llwyr am ei hofn a'i phryder.

Y Swyn-iadur

Eich Canllaw i'r Byd Hudolus Hwn

Mae'r llyfr hwn
yn eiddo i Llŷr,
Arwr y Bydysawd

y Swyniadur

Helô! Croeso i'r Swyniadur.

Er mwyn holi cwestiwn, bysedda'r llythrennau isod.

Dy gwestiwn yw:

Sut Mae Dianc o Goeden Hudol
yng Nghaer y Dewiniaid a Gwneud Eich
Ffordd Drwy'r Drysni Heb Ebol, Map,
na Ffordd o Wybod Ble Ydych Chi?

Noder: Os oes rywbeth yn mynd o'i le ar *Y Swyniadur,* bydd rhaid i ti droi pob un o'r 6,304,560 tudalen DY HUNAN. Ymddiheuriadau am unrhyw anghyfleustra.

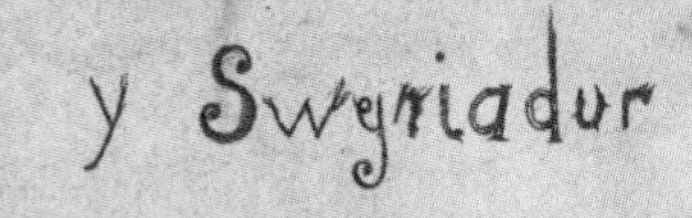

CAWR MAWR PEN-YN-Y-CYMYLA
CLUSTIAU-BOCSIWR

Mae yna sawl math gwahanol o Gawr: Cawr mor fawr nes ei fod yn troi mynyddoedd yn gadeiriau i eistedd arnyn nhw, cawr sy'n cario pair Hud ar ei gefn i bob man, a Phencawr. Er gwaethaf eu henwau, mae Cewri o bob maint i'w cael. Dyma Bendigeid-gawr Gorfawr yn llawn embaras wedi iddo ddamsgen ar ben tŷ rhywun.

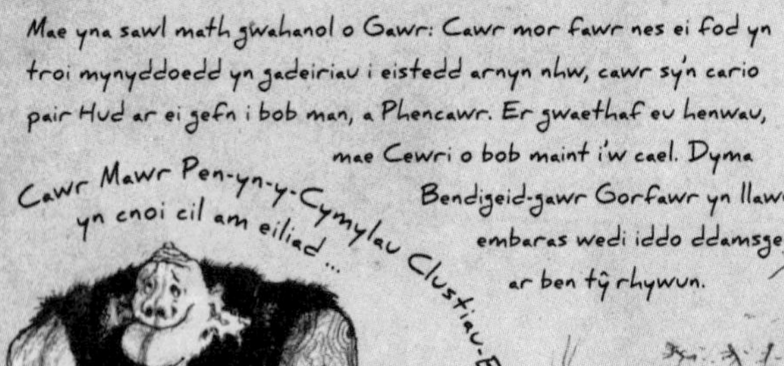

Cawr Mawr Pen-yn-y-Cymylau Clustiau-Bocsiwr yn cnoi cil am eiliad ...

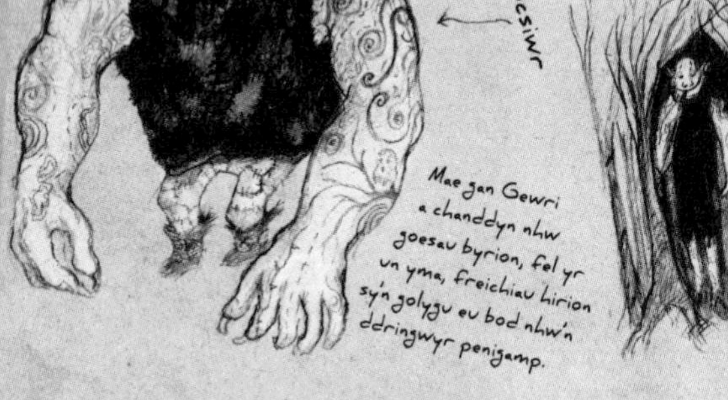

Mae gan Gewri a chanddyn nhw goesau byrion, fel yr un yma, freichiau hirion sy'n golygu eu bod nhw'n ddringwyr penigamp.

Mae'r rhan f
o'r Gewri'n b
llysiau. Maent
tua maint coe
fel eu bod nh
gallu cuddio
heidiau o A
Rheibus Rh
sy'n hedfan
uwch y Goe
Wyllt. (gweler
2,000,041)

Gall Cawr Mawr Pen-yn-y-Cymylau Clustiau-Bocsiwr ddefnyddio'i frechiau hirion i lamu trwy gorsydd.

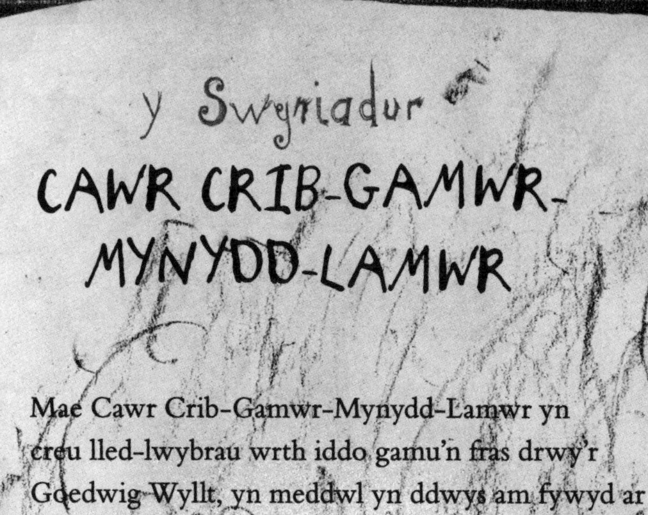

y Swyriadur

CAWR CRIB-GAMWR-MYNYDD-LAMWR

Mae Cawr Crib-Gamwr-Mynydd-Lamwr yn creu lled-lwybrau wrth iddo gamu'n fras drwy'r Goedwig Wyllt, yn meddwl yn ddwys am fywyd ar y ddaear a dirgelion y bydysawd.

y Swyriadur
YSBADDEN
GEFN-FLEWOG

y Swyniadur

YSBADDEN RHECH-ROCH

YSBADDENNOD RYDW I WEDI EU NABOD:

LLASAR CESAIL DDREWLLYD CEFN-FLEWOG YR YSBADDEN

Mae'r Ysbadden Rhech-roch yn rhoi dom da o dan ei geseiliau fel bod yr oglau hyfryd yn denu ysbaddennod benywaidd. Ffaith afiach ond gwir.

RHYBUDD: PEIDIWCH Â CHEISIO DAL PEN RHESWM Â'R YSBADDEN YMA.

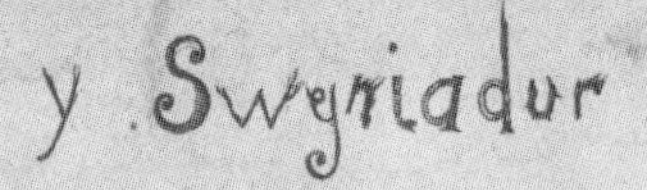

SWYNION

Eich Canllaw Defnyddiol i Hud a Lledrith a Sut Mae'n Gweithio

Mae'r mwyafrif o ellyllon yn rhy fach i'w Hud gael unrhyw effaith ar greaduriaid mwy o faint na nhw eu hunain. Rhaid iddyn nhw, felly, gario eu Hud o le i le mewn sach o amgylch eu gweisg.

Mae gan ellyllon hefyd gawell saethau yn llawn Hud-saethau o bob math. Rhaid iddyn nhw ddewis yr Hud-saeth gywir a'i bwrw fel gwaywffon i gyfeiriad pwy bynnag y maen nhw am ei swyno.

Dyma sach Hud gyda swynion y tu mewn iddi.

y Swyniadur

MATHAU GWAHANOL O SWYNION.

Swyn Hedfan

Swyn Dyfrig

Swyn Tanllyd

Swyn Cawod

Swyn Tyfu

Swyn Anghofio

Swyn Diflannu

Swyn Mellt a Tharanau

SYNIADAU AMHOSIB

RHIF. 34721 SILLAFU SWYNION

Ydchy chi wdei sywddeloli
nad oes wir ots ym mha derfn
mea'r llyerthnnau mwen giarieu
ar yr amod fod y llyreythen
gntyaf a'r olaf yn y lle cwyir?

y Swyriadur

GEIRIAU COLL

Wrth i Gawr Crib-Gamwr-Mynydd-Lamwr groesi coedwigoedd Prydain, ei ben yn mygu, mae'n casglu geiriau sydd wedi'u COLLI neu sydd MEWN PERYG. Yn nhyb y cawr, os wyt ti'n colli'r geiriau i DDISGRIFIO pethau, sut mae modd MEDDWL amdanyn nhw?

Dyma rai o eiriau'r ellyllon sydd mewn peryg o fynd ar goll:

RHUGLDRWST – sŵn rywbeth anweledig sy'n symud drwy'r gwair

RHYNDDRAIG – Tywydd mor oer mae stêm yn dod o dy geg, gan wneud i ti edrych fel draig

FFER-FFWNG – Pan fydd rhew yn tyfu fel ffwng dros bren marw

LLED-LWYBR – Llwybrau sy'n cael eu creu drwy goedwigoedd gan gewri

TRABŴD – Gair am y mwd ar waelod afon

COBLYNWALLT – Gwallt sydd angen ei gribo ar ôl i chi fod yn cysgu

Tud 2, 143, 204

y Swyniadur

CANWYLL-GORFF – Y golau y mae ellyllon, ysbrydion ac eneidiau'r meirw yn ei greu wrth deithio drwy'r goedwig ar noson dywyll

LLYSNAFEDD-SGLWTSH – Y llwybr afiach y mae ysbadden yn ei adael ar ei ôl

LING-DI-RODIO – Cerdded o gwmpas yn ddigyfeiriad a dy ben yn y cymylau

y Swyniadur

MELLTITHION YR ELLYLLON

Ym myd HUD A LLEDRITH mae gan eiriau RYM. Felly mae MELLTITHIO yn arf grymus dros ben. Gwnaeth y Gwynfeirdd (y Derwyddon) hogi eu crefft.

'Ti cael anwyd a trwyn ti gollwng fel afon hir o smwt seimllyd am BUMP WYTHNOS a ceseiliau ti'n cosi fel bod bochdew yn sychu pen-ôl arnyn nhw ...'

'Buwch byta ti a wedyn morfil byta ti a wedyn morfil mynd lawr i waelod y môr lle mae mor ddu â bol buwch mewn bol morfil mewn bol planed ...'

(Noder: Dyw ellyllon ddim yn poeni rhyw lawer am sillafu'n a threfn llythrennau o fewn geiriau, ar yr amod bod y person sy'n cael ei felltithio'n eu deall nhw.)

Y Swyniadur

GWRACHOD

Does dim Gwrachod yn bodoli bellach ac felly does dim modd dangos llun yn *Y Swyniadur* am nad oes neb yn gwybod sut olwg oedd arnyn nhw.

Beth i'w wneud, os, am ryw reswm erchyll, y daw i'r amlwg NAD yw Gwrachod wedi diflannu o'r byd:

1. Does gennym ni ddim syniad.
2. Does dim pwynt ffoi. Bydd y Wrach yn dy ddal di.
3. Efallai y byddai modd defnyddio haearn – ond mae gan bobl Hud alergedd i haearn.
4. Gweler pwynt 1 uchod. O, a phaid ag edrych ar y Wrach. Gall hyd yn oed edrych ar Wrach ddychryn rhywun i farwolaeth.

Tud 1,391,604

Diolch am ddarllen Y Swyniadur.
Cofia nad ydy pethau mor ddu
ag y maen nhw'n edrych

BOB TRO.

'Ddylen ni adael llonydd i'r pethau yma, Dôn ...' meddai Cai yn anesmwyth. 'Maen nhw'n bethau Hud ... ddylen ni ddim bod yn edrych ... ddylen ni ddim bod yn gwrando ... ddylen ni ddim bod yn eu dal nhw ...'

'Ond mae'r llyfr yma'n dweud fod ganddo chwe miliwn o dudalennau!'

'Mae hynny'n amhosib,' meddai Cai, gan sbecian dros ei hysgwydd. Roedd Cai'n caru llyfrau a byddai llyfr â chwe miliwn o dudalennau'n rhywbeth yr hoffai weld yn fawr iawn.

'Edrych!' meddai Dôn. 'Mae'n dweud mai canllaw i bopeth sy'n rhaid i chi wybod am fyd Hud a Lledrith. Mapiau, ryseitiau, rhywogaethau Hudol, Dewiniaid, Gwrachod, corachod, coblynnod, cathod, ellyllon ... ac yna mae'n rhestru mathau gwahanol ... ac mae yna adran am eiriau coll ... mae hynny'n swnio'n ddifyr ... ieithoedd: Coracheg, Coblynneg, Cawreg, a Drwseg – beth yw Drwseg? Do'n i ddim yn gwybod bod drysau'n siarad ...'

Roedd y llyfr yn gymhleth iawn i'w ddarllen gan fod llawer o'r tudalennau'n rhydd, a phan oedden nhw'n arnofio yn ôl at ei gilydd eto roedden nhw yn y drefn anghywir, ac roedd awdur y llyfr yn amlwg yn hynod ddi-drefn ac yn mwydro am un peth yng nghanol pennod am rywbeth arall.

'Ac mae peth o'r sillafu yn y llyfr yma bron cynddrwg â fy sillafu i!' meddai Dôn.

'Dyw hynny ddim yn beth da, Dôn,' meddai Cai. 'Ti'n gwybod y byddai dy fam yn dweud mai dim ond un ffordd sydd i sillafu pethau – y ffordd IAWN. Mae unrhyw beth arall yn derfysg ... yn anhrefn ... yn anarchiaeth ...'

Ond doedd Dôn ddim yn gwrando.

'O mam bach! Edrych! DWI yn y llyfr yma!' llefodd Dôn yn syn, wrth droi at lun yn adran y cewri. 'A Dolur! Sut mae hynny hyd yn oed yn bosib?'

Sbeciodd Cai dros ei hysgwydd eto. 'Wel, dim ond llun o ferch fach ydy hwnna! Falle nad ti yw hi ...'

'Mae gan y ferch lwy ar ei phen!' pwyntiodd Dôn.

'Wel, wir ...' ochneidiodd Cai, 'gallai hi fod yn ti, am wn i, oherwydd mai llyfr am Hud ydy hwn ...' Crynodd Cai drosto o sylweddoli y gallai'r llyfr fod mor Hudol nes gallu cynnwys ei ddarllenydd yn y stori. 'A dyna pam na ddylen ni WIR WIR 'mo'i ddarllen ...'

'Dim ond chwilio am help i ddianc ydw i.'

Doedd Pry-pi a Saethwenyn a'r cathod eira ddim yn gwneud jobyn da iawn o gadw llygad ar garcharorion Llŷr. Roedd wedi bod yn ddiwrnod hir, blinedig, ac roedd bob un ohonyn nhw'n cysgu'n sownd. Felly efallai y GALLEN nhw ddianc, meddyliodd Cai, a'i galon yn codi rhyw fymryn.

y Swyriadur

HWYLIAU LLWYAU

Pryderus

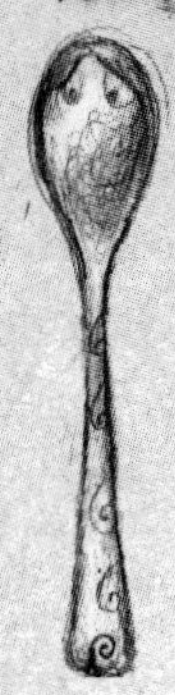

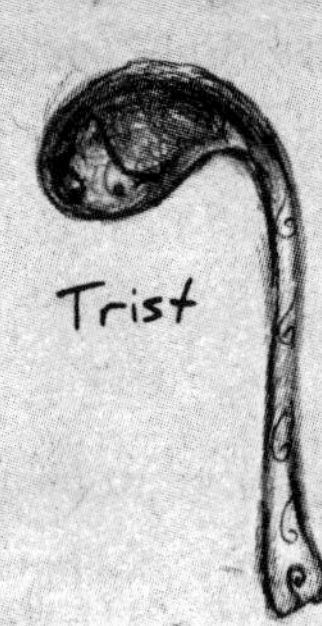

Trist

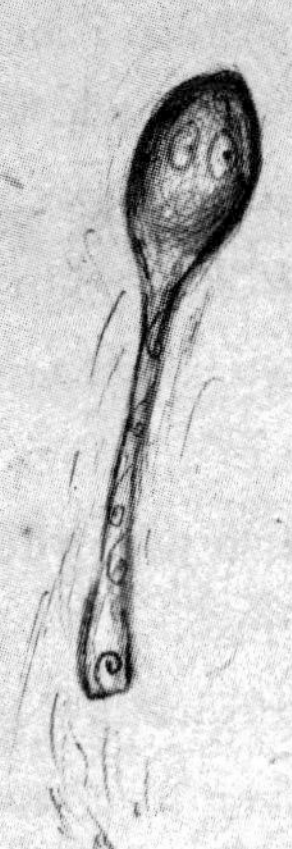

Cyffrous

Ofnus

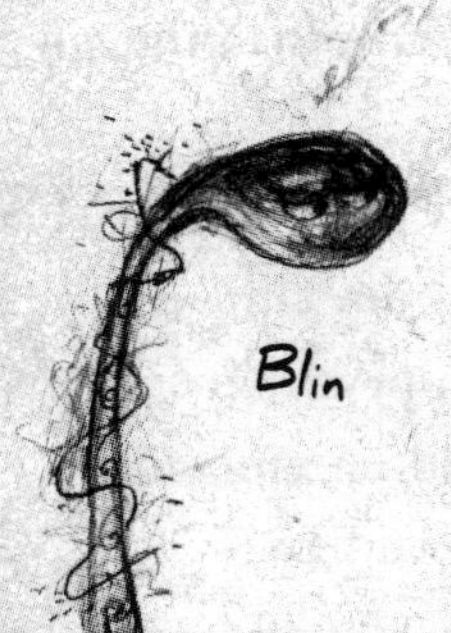

Blin

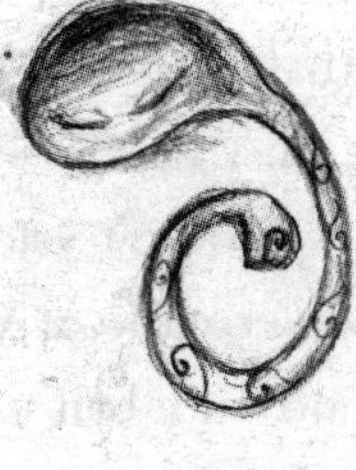

Cysglyd

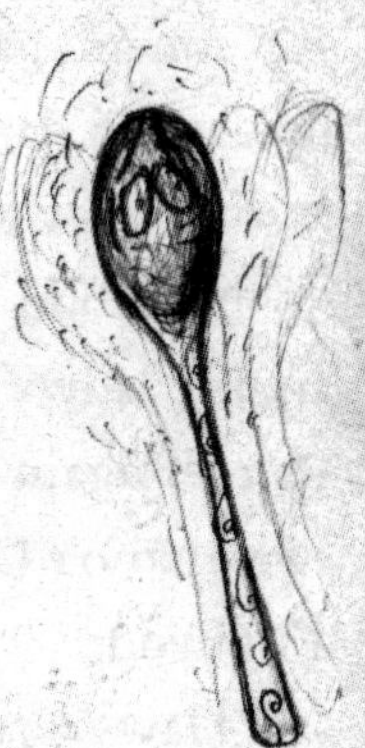

Tud 2,531,294

'Nawr, sut wnaeth Llŷr gael y llyfr i weithio?' gwgodd Dôn. 'Rhoddod ei fys ar bob un llythyren ar y dudalen gynnwys, ac fe wnaeth y tudalennau, drwy Hud a lledrith, droi i'r man cywir ... Drapia, dyw fy sillafu i ddim mor dda â hynny. Cai, alli di roi help llaw ... neu help bys o leiaf?'

Pwysodd Cai ymlaen dros ysgwydd Dôn a byseddu'r dudalen: 'Sut mae dianc rhag coeden Hud yng Nghaer y Dewiniaid a gwneud eich ffordd drwy'r Drysni os nad oes gennych chi raff, ebol, cwmpawd nag unrhyw ffordd o wybod ble ydych chi?' holodd *Y Swyniadur.*

Cynigiodd *Y Swyniadur* sawl ateb ond roedden nhw i gyd yn gofyn am ryw fath o gyfarpar arbenigol, fel carpedi Hud neu esgidiau ag adenydd, ac roedd y llyfr hefyd yn eu hatgoffa droeon o holl berygl y Drysni mewn manylion mor ofnadwy o realistig ac arswydus, gan sôn am gathod palug anferth a bleidd-ddynion a madarch â dannedd. Doedd Cai ddim wir eisiau cael ei atgoffa am y fath bethau.

Neidiodd y ddau yn y fan a'r lle wrth i sŵn anghredadwy o uchel ddod o'r ystafell oddi tano – sŵn fel ugain taran yn ergydio ar yr un pryd. Dyna sŵn rhai o'r Dewiniaid yn y brif neuadd yn ymladd â'i gilydd.

'Hawyr bach, beth oedd hynna?' ebychodd Cai.

Sbeciodd Dôn i lawr drwy'r llawr yn ystafell Llŷr. Gallai weld reit i ganol y brif neuadd.

Roedd y Gystadleuaeth Hud yn dechrau.

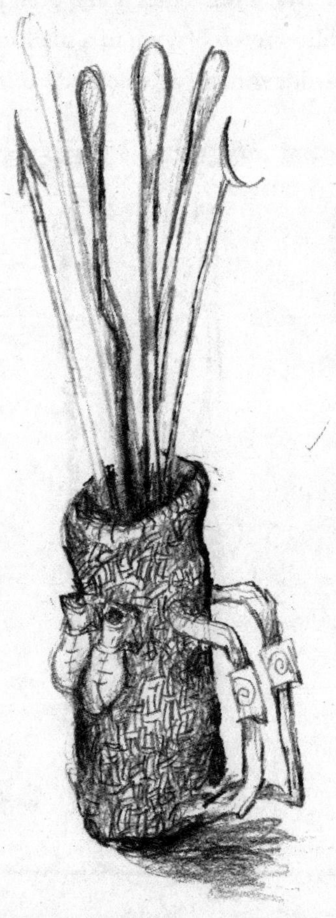

y Swyriadur

HUDLATHAU

Gall disgybl-Ddewin, fel Llŷr, ddefnyddio ffon sydd wedi'i gwneud o bren bedw yn unig. Mae derw'n ddewis da er mwyn gwneud ychydig bach o bopeth, tra bod helygen yn cael ei defnyddio ar gyfer iachau. Mae onnen yn ddefnyddiol ar gyfer gwneud Hud trawsnewid a swyngyfaredd, ond gall fod yn bren anodd i'w reoli. Mae'r ddraenen ddu'n bren peryglus, ac yn cael ei ddefnyddio mewn brwydrau a melltithion.
Dim ond y Prif-ddewiniaid all ddefnyddio ffon ywen.

YWEN

BEDWEN DERWEN HELYGEN DRAENEN ONNEN

8. Y Gystadleuaeth Hud

Dyma wledd o DÂN. Neidiai'r coelcerthi'n uchel ym mhob cornel o'r brif neuadd ac roedd cylch enfawr o dân yn nodi ymylon y sgwâr Hud lle y byddai'r Dewiniaid yn cystadlu, reit yng nghanol y wledd swnllyd.

Roedd y neuadd yn llawn dop o Ddewiniaid o bob oed a maint, cewri hapus a chysglyd a oedd yn dawnsio neu'n pendwmpian ar gyrion yr ystafell, bleiddiaid yn cnoi sgrag, eirth trwsgl, a chathod oedd yn gwylio'n ofalus o'r cysgodion a'r canghennau uwchben, a'u cynffonnau'n ysgwyd yn ôl ac ymlaen. Roedd yr awyr uwchben y neuadd yn llawn offerynnau cerddorol – cyrn a drymiau a thelynau a soddgrythau – a oedd yn chwarae'n swynol, er nad oedd unrhyw gerddor wrth law.

Mewn un gornel o'r ystafell, roedd Seithwg y Swynwr mewn sgwrs ddwys â dewin arall. Roedd Melltgan, Dewin o lwyth Dewiniaid gwrthwynebus arall, yn dadlau fod angen i'r Dewiniaid daro yn ôl yn erbyn y Rhyfelwyr, yn union fel y gwnaeth eu cyndeidiau yn y gorffennol. 'Mae'r amser wedi dod i FRWYDRO,' meddai Melltgan, 'ac i'r arweinydd newydd – FI – i fod yn Frenin yn hytrach na ti, Seithwg ...'

Roedd Cystadleuaeth Hud y Dewiniaid Ifanc yn

digwydd mewn cornel arall, ac roedd Rhaib yn curo pawb arall nes i Llŷr swagro i mewn, gydag Artholwg wrth ei sodlau, yna'r bleiddiaid, a'r ellyllon yn symud yn chwim uwchben, yn dwyn hetiau ac yn pinsio trwynau, ac yn dangos eu hunain i bawb. Ac o fewn dwy eiliad:

roedd Afallach wedi gwibio o dan yr holl fyrddau gwledda yn clymu careiau pobl at ei gilydd fel eu bod nhw i gyd, wrth geisio codi ar eu traed, yn disgyn ar eu hwynebau i'r cawl oedd ar y bwrdd.

Fe drodd Gwyllt Gacwn rannau o'r llawr yn iâ gan achosi i bobl lithro'n boenus.

Ac roedd yr holl ellyllon eraill yn achosi ffwdan a ffrwgwd mewn modd yr un mor ddireidus ...

'Beth wyt ti'n ei wneud yma, Llŷr?' snichiodd Rhaib. 'Dim ond dewiniaid sydd â Hud sy'n gallu cystadlu.'

'Dwi yma i dy herio *di*,' meddai Llŷr yn ddyn i gyd.

'Gyda beth?' gwenodd Rhaib. 'Paid â dweud wrtha i dy fod ti wedi dal GWRACH, wyt ti, frawd bach?' gofynnodd yn smala. Trodd at ei ffrindiau a oedd yn chwerthin, a phwyntio at Llŷr. 'Roedd y collwr yma'n meddwl y byddai'n gallu dal Gwrach a dwyn ychydig o'i Hud ...'

'HA HA HA HA HA!' chwarddodd y Dewiniaid ifanc.

Wfftiodd Llŷr hynny. 'Falle 'mod i wedi dal Gwrach, Rhaib,' meddai. 'Pam na wnei di drio ychydig o dy Hud arna i, ac fe gawn ni weld be wneith ddigwydd, neu oes OFN arnat ti?'

'Gwylia dy hun, Rhaib!' rhybuddiodd Morfran. 'Fe wnaeth e ddal *rhywbeth* ... Dwi ddim yn siŵr beth oedd e ...'

'Wrth gwrs wnest ti ddim dal Gwrach,' gwawdiodd Rhaib. 'A dwyt ti ddim hyd yn oed yn gallu gwneud Hud, frawd bach. Wnes i dy rybuddio di, pe baet ti'n meiddio rhoi cynnig ar y Gystadleuaeth yma, y bydden i'n dy DDINISTRIO di, ac fe wna i ...'

Mentrodd Llŷr i'r cylch sialc, ac wrth iddo gamu i mewn roedd sŵn siffrwd wrth i gromen Hud gau dros ei ben ef a Rhaib, gan atal unrhyw un rhag ymyrryd.

Tawelodd pawb, gan wybod bod rhywbeth mawr ar fin digwydd. Tynnodd Gwyllt Gacwn un o'i ffyn Hud a lledrith, a Cachgibwgan hefyd. Ond allen nhw ddim helpu Llŷr, nawr ei fod e wedi camu i mewn i'r cylch.

Roedd ar ei ben ei hun.

Ymestynnodd Llŷr ei ddwylaw tuag at Rhaib.

'O, ti'n mynd i wneud Hud heb Hudlath, wyt ti Llŷr?' chwarddodd Rhaib, ac ymunodd ei ffrindiau yn y chwerthin. Roedd Hud heb ffon yn waith Dewiniaid Uwch, a dim ond y Prif-ddewiniaid Gorseddol, fel tad Llŷr oedd yn gallu gwneud hynny.

'Mae'n bryd i ti fod yn ofnus, Rhaib, yn ofnus iawn,' rhybuddiodd Llŷr. 'Oherwydd nid yn unig Hud Gwrach sydd gen i, ond mae gan fy Hud y pŵer i weithio ar *haearn* ...'

'HA HA HA HA HA HA HA HA!' gwawdiodd yr holl Ddewiniaid ifanc.

'O, wir?' gwenodd Rhaib.

Roedd e'n mynd i fwynhau hyn yn fawr iawn.

'Wrth gwrs,' meddai Llŷr. 'Fi yw'r bachgen y mae ffawd wedi'i ddewis.'

Yn hyderus, gosododd Llŷr ei law â'r Gwaed Gwrach arni o'i flaen.

Teimla'r grym ... meddyliodd Llŷr. *Teimla'r grym yn llifo drwyddot ti* ...

'Dychmyga'r peth yn dy ben ... teimla'r grym yn y bysedd ...'

Dyna fyddai ei athrawon yn ei ddweud.

Ond aeth wyneb Llŷr yn gochach ac yn gochach, ac yn fwy a mwy blin, fel y gwnâi bob tro roedd wedi ceisio gwneud Hud ac wedi methu ...

Dim byd, ddigwyddodd *dim byd*.

Roedd Rhaib wedi bod yn cripian o amgylch ymyl y cylch, rhag ofn bod ei frawd WEDI dal rhywbeth erchyll. Er mor amhosib oedd hynny, doedd wybod beth fyddai Llŷr yn ei wneud. Roedd yn benderfynol o wneud i'r amhosib ddigwydd.

Ond nawr roedd llygaid Rhaib yn llawn digrifwch.

'O diar,' meddai, gan anelu'i Hudlath at Llŷr, 'o diar mi ... bachgen ffawd, yr un a gafodd ei ddewis ... ble mae dy Hud Gwrach erchyll di nawr 'te?'

'Bachgen ffawd!' chwarddodd y Dewiniaid ifanc tu fas i'r cylch.

'Dwi ddim yn deall,' meddai Llŷr, yn syn ac yn flin. 'Fi YDY bachgen ffawd. Dwi'n GALLU gwneud ... Dwi'n gwbod 'mod i'n gallu gwneud Hud ...'

Damia, meddyliodd Llŷr. Roedd wedi bod mor siŵr ei fod wedi'i ddewis gan ffawd. Roedd y cleddyf yn profi hynny. Ond efallai ei fod yn anghywir ... ac os nad Gwaed Gwrach oedd hwn ar ei law, beth allai fod?

Plis, plis, paid â 'nhroi i'n fleidd-ddyn o flaen pawb, meddyliodd Llŷr. *Byddai hynny'n embaras.*

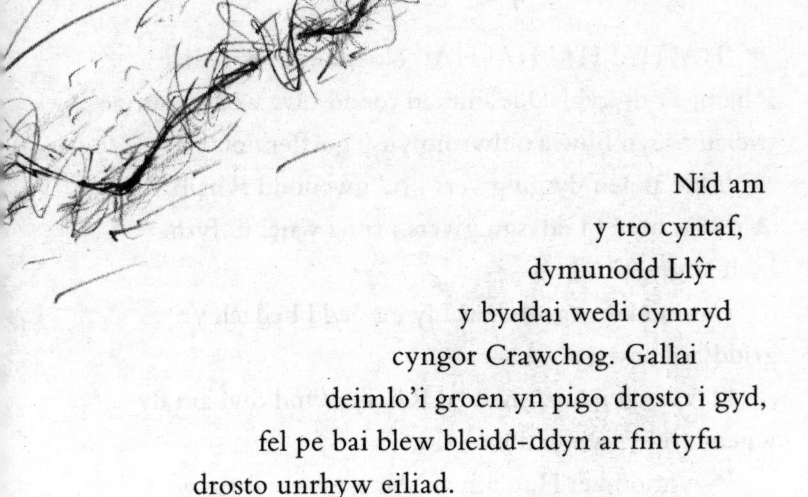

Nid am
y tro cyntaf,
dymunodd Llŷr
y byddai wedi cymryd
cyngor Crawchog. Gallai
deimlo'i groen yn pigo drosto i gyd,
fel pe bai blew bleidd-ddyn ar fin tyfu
drosto unrhyw eiliad.

'Dwyt ti ddim yn gallu gwneud Hud,' wfftiodd Rhaib. 'Ond dwi'n gallu. Gad i fi ddangos i ti sut mae gwneud. Sgwn i beth wna i gynta? Falle y gwna i wneud ... hyn!' Pwyntiodd ei Hudlath tuag at Llŷr – roedd yna fflach a saethodd mellten boethwyn ohoni, gan daro Llŷr mor galed yn ei frest nes iddo gael ei daflu i fyny at ymyl y gromen Hud oedd drostyn nhw.

Go fflamia, meddyliodd Llŷr yn drist, a chodi'i hun yn ôl ar ei draed. *Nid fel hyn roedd pethau i fod ...*

'Dwi'n mynd i dy droi di'n wyrdd,' meddai Rhaib, a saethu ffrwydradau o Hud at Llŷr, a'i droi'n wyrdd llachar. Ceisiodd beidio â sgrechian wrth i'r mellt ei daro yn y stumog. 'A choch ... a melyn ... a phinc ...'

Wrth i Llŷr gael ei daflu yma a thraw ar draws y gromen Hud, gan droi'n wahanol liwiau, teimlai'n fwy ac yn fwy sâl. Roedd ei stumog yn troi. Chwydodd o flaen pawb.

'HA! HA! HA! HA! HA!' bloeddiodd ffrindiau Rhaib, a'r disgybl-Ddewiniaid roedd Llŷr wedi chwarae triciau arnyn nhw a'u dwrdio yn y gorffennol.

'Mae angen dysgu gwers i ti,' gwenodd Rhaib. 'A dwi'n mynd i ddysgu gwers i ti na wnei di fyth, byth anghofio.'

Camodd yn agosach at Llŷr, a oedd bellach yn griddfan mewn poen.

'Ti'n fach nawr,' meddai Rhaib. 'Ond dwi am dy wneud di hyd yn oed yn llai ...'

Pwyntiodd ei Hudlath at Llŷr a mwmial rhyw swyngyfaredd yn dawel bach. 'LL-E-I-H-A-U ...' oedd y swyn. 'Lleihau ...'

O diar, nid y swyn lleihau, meddyliodd Llŷr. Roedd hynny'n boenus iawn. *A dwi'n reit fach i ddechrau. Gwell i mi ddefnyddio'r cleddyf.*

Ond doedd dim amser ganddo – ffrwydrodd Hud o ben Hudlath ei frawd a'i daro. Goleuodd Llŷr fel pe bai wedi'i greu o sêr.

Udodd mewn poen wrth i'r sêr yna grafangu arno, a daeth pinsiad ar ei dalcen wnaeth ledu ar draws ei gorff wrth i'r Hud dynhau, ei gywasgu a'i falu, fel pe bai'n gwisgo arfwisg a oedd yn cau fel dwrn amdano.

'Dwed 'mod i wedi ennill!' bloeddiodd Rhaib, wrth gamu'n ôl er mwyn rhoi eiliad i Llŷr roi'r gorau i'r frwydr. 'Ildia!'

Roedd ceg Llŷr wedi'i siapio'n gam gan y broses lleihau, ond llwyddodd i weiddi. 'Na! Wna i ddim!' gwichiodd.

'O'r gorau 'te,' meddai Rhaib, 'bydd rhaid i ti fynd yn llai fyth ...'

Y tro yma, bloeddiodd Llŷr wrth i'r swyn ddirgrynu drwyddo, a gwasgu'i esgyrn yn llai. Ond wfft! Doedd ganddo ddim cyfle i dynnu'r cleddyf.

'Wyt ti'n ildio?' gofynnodd Rhaib.

'Wrth gwrs nad ydw i!!!' atebodd Llŷr. 'Ti wir wedi 'ngwylltio i nawr, Rhaib!'

Drwy lwc, rhwystrodd hyn Rhaib rhag gwneud yr Hud am eiliad, a bu bron iddo ollwng ei Hudlath am ei fod yn chwerthin cymaint. 'O, dwi WIR wedi dy wylltio di, ydw i? Mae 'da fi lond twll o ofn, wir yr ...'

Felly, tra oedd Rhaib yn brysur yn chwerthin, estynnodd Llŷr y cleddyf. Jest mewn pryd. Pe bai ei ddwylo wedi mynd tamaid yn llai, fyddai e ddim wedi gallu'i ddal.

Ond llwyddodd i gau cledr ei law o amgylch y carn, a chael digon o afael er mwyn ei dynnu o'i wregys.

Ac roedd hi'n eiliad o orfoledd.

Tynnodd Llŷr y Cleddyf Hud, gyda'r sŵn swishio boddhaol yna mae cleddyfau'n eu gwneud, ac wrth iddyn nhw ei glywed, trodd wynebau'r gynulleidfa o wawd i syndod ac arswyd wrth iddyn nhw sylweddoli pa fath o gleddyf oedd ganddo. Cleddyf haearn ...

Camodd Rhaib am yn ôl.

'Dwyt ti ddim yn gallu dod â CHLEDDYF HAEARN i'r fan hyn ...' poerodd. 'O ble gest ti hwnna, y ffŵl?'

'Wnes i dorri mewn i gaer y Rhyfelwyr,' meddai Llŷr yn ymffrostgar, 'a'i ddwyn reit o dan drwynau snobyddlyd y Rhyfelwyr ... A dwi'n *gallu* dod ag e yma, oherwydd mai fy nghleddyf Hud, lladd-Gwrachod yw e. Ac fel y gwelwch, *mae* fy Hud, sydd WEDI cyrraedd erbyn hyn, yn gallu'i reoli a'i swyno ...'

Saethodd Rhaib follt bryderus o Hud at Llŷr, a chydag un chwifiad boddhaol o'r cleddyf, holltodd Llŷr y swyn yn ei hanner a'i fwrw i'r naill ochr.

'Ai swyn lleihau arall oedd hwnna, Rhaib?' gwawdiodd Llŷr. 'Well i ti drio eto, achos dwi'n dod yn nes ...'

Yna dechreuodd y frwydr o ddifri, gyda Rhaib yn saethu bolltiau Hud poeth, sydyn o'i ffon Hud, a Llŷr yn eu rhyng-gipio nhw a'u chwalu yn eu hanner nes eu bod nhw'n taro'r ddaear mor sydyn ag y gallai Rhaib eu hanelu nhw tuag at Llŷr.

Teimlai'r cleddyf yn nwylo Llŷr fel pe bai'n tyfu'n fyw, a'i fod mor ystwyth a chwim ag eog yn y dŵr. Gallai ragweld symudiad nesaf Rhaib cyn iddo anelu'n iawn.

Doedd Llŷr ddim mor ysgafn a Dôn, felly roedd hi'n anodd dweud yn bendant ai'r cleddyf oedd yn rheoli'r ymladd mewn gwirionedd, yn hytrach na Llŷr ei hun. Edrychai fel be bai Llŷr, yn sydyn iawn a bron yn wyrthiol, wedi troi i fod yn Ymladdwr Cleddyfau Gorau'r Byd.

Roedd y dorf bellach yn pwyntio ac yn edmygu yn hytrach na gwneud hwyl am ben Llŷr wrth iddo redeg o amgylch y cylch yn chwalu bolltiau Hud Rhaib yn rhacs jibidêrs, gan weiddi'n hyderus, 'Beth sy gyda ti i'w ddweud am fy Hud i NAWR, Rhaib?'

Mae'n gweithio! meddyliodd Llŷr yn hapus.

Ac roedd e'r un mor gyffrous ag yr oedd wedi'i ddychmygu.

Gallai glywed Eurben yn dweud wrth Deilgan, disgybl-Ddewin arall: 'Waw, mae ymladd â chleddyf yn fwy cŵl na gyda Hudlath!'

A Deilgan yn ymateb: 'Wyt ti'n meddwl bod Llŷr wir yn fachgen ffawd?'

Dwi'n seren! meddyliodd Llŷr yn orfoleddus. *Ro'n i'n gwybod 'mod i'n seren yr holl amser, a nawr bydd pawb arall yn gwybod hynny hefyd!*

Ac yna aeth popeth o'i le.

Yn sydyn, yn rhyfedd iawn, dechreuodd y Cleddyf Hud lusgo Llŷr yn wyllt i'r chwith ac i'r dde.

Beth sy'n digwydd? meddyliodd Llŷr.

Un funud roedd fel pe bai'r cleddyf ac yntau'n un, ac yn rheoli popeth yn fuddugoliaethus, ond y funud nesaf roedd fel pe bai'r cleddyf yn ceisio dianc oddi wrtho.

Roedd yn rhaid i Llŷr ddal yn dynn yn y cleddyf â'i ddwy law, nes i naid enfawr ei daflu rhyw dair troedfedd i fyny i'r awyr. Llusgodd y cleddyf ei hun allan o'i afael a saethu i fyny drwy'r gromen Hud a oedd yn eu hamgylchynu, gan achosi i'r cylch cyfan ffrwydro.

CLEEEEEEECCCC!

Saethodd yr Hud i bob cyfeiriad, fel gwydr wedi hollti, gan rwygo tyllau yn y nenfwd a bownsio oddi ar y waliau, gan dasgu gwreichion anferth maint pwmpenni o amgylch y neuadd.

Hwyliodd y Cleddyf Hud, ar ôl ffrwydro allan o'r cylch Hud, i fyny i drawstiau nenfwd y neuadd fawr – gan ddiflannu i ystafell Llŷr ...

Pan gliriodd y mwg, roedd Llŷr a Rhaib wedi cael eu taflu ar eu cefnau ar lawr, yn tagu a phesychu.

Yna agorodd hollt anferth dan draed Llŷr, gan ymestyn ar draws llawr yr ystafell i gyd.

'BETH SY'N DIGWYDD FAN HYN?'

Atseiniodd llais Brenin y Swynwyr drwy'r neuadd, mor swnllyd a rhewllyd â dau fynydd iâ yn bwrw yn erbyn ei gilydd.

9. Seithwg, Brenin y Swynwyr

Dyn tal oedd Seithwg y Swynwr, ac roedd Hud wedi'i wneud e'n dalach fyth. Roedd yn anodd edrych arno'n iawn, oherwydd ymddangosai fel pe bai'n newid siâp drwy'r amser, ac ymylon ei gorff yn pylu. Roedd ystum ei wyneb yn newid o hyd hefyd. Ond er gwaetha'r Hud a oedd yn golchi fel tonnau ar draws ei gorff, roedd yn ddyn mor galed a llym â chlogwyn.

Roedd yn Ddewin hynod bwerus, ac roedd rhywbeth brawychus amdano, hyd yn oed pan oedd yn sefyll yno'n dawel. Roedd ganddo un ewin bys du ar ei law dde, ac roedd yna stori tu ôl i hynny, ond doedd neb am fentro holi'r Swynwr beth yn union oedd yr hanes.

Ymgartrefodd dwy gath eira anferth naill ochr i'r Swynwr, fel cerfluniau bob ochr i ddrws.

Baglodd Llŷr a Rhaib i'w traed a sefyll mor llonydd â phâr o fwganod brain.

'Llŷr!' cyfarthodd y Swynwr. 'Beth ddigwyddodd fan hyn? A beth wyt ti'n ei wneud yn cystadlu yn y Gystadleuaeth Hud?' Meddalodd llais y Swynwr am eiliad, wrth iddo ofyn: 'Ydy dy Hud wedi cyrraedd o'r diwedd?

Tad Llŷr,
Y
Swynwr

Roedd yn swnio'n frwdfrydig. Yn rhy frwdfrydig, am ei fod yn dangos cymaint roedd y Swynwr eisiau i Hud Llŷr gyrraedd.

'Ydy, wir,' meddai Llŷr.

'Dyw e ddim!' meddai Rhaib.

'Wel, Llŷr?' gofynnodd y Swynwr yn llym, a'r tro hwn roedd siom i'w chywed yn ei lais. 'Ydy e wedi cyrraedd neu beidio?'

'Falle ddim,' cyfaddefodd Llŷr a phwdu.

'Felly pam oeddet ti'n cystadlu yn y ...'

dechreuodd y Swynwr, ond roedd Rhaib mor flin nes iddo dorri ar draws ei dad.

'Fe wnaeth e dwyllo! Roedd e allan o reolaeth yn llwyr!' bloeddiodd Rhaib. 'Aeth e mewn i'r Drysni heno gyda rhyw gynllun gwallgof y byddai'n dal Gwrach a chael ei Hud iddo fe'i hun – ac yna dechreuodd e ymosod arna i gyda'r —'

Roedd Rhaib yn mynd i ddweud wrth y Swynwr am y cleddyf, ond yn anffodus, cosbodd y Swynwr ef drwy wnïo gwefusau Rhaib yn dynn â Hud am fod mor haerllug, cyn iddo gyrraedd diwedd ei frawddeg. Gydag un amnaid o'i fys bach, caeodd ceg Rhaib yn glep fel pe bai ei ên wedi cloi.

Rhuthrodd Brygawth, tiwtor Dewiniaeth a Gwaith Hudol Uwch Llŷr, tuag atyn nhw ar draws y neuadd. Dyn anferth a rhwysgfawr oedd Brygawth, a thrwyn fel cimwch urddasol, a thagell oedd yn crynu fel jeli pan oedd yn flin. Cafodd ei ddilyn gan sawl ellyll hynafol a chrand, a chwe mochyn bach a oedd yn rhochian yn gariadus.

'Dwi wedi ceisio dy rybuddio di am hyn SAWL gwaith, Swynwr!' meddai Brygawth. 'Ac rwyt ti wedi penderfynu peidio â gwrando! Dyma'r diweddaraf o restr hir o anufudd-dodau! Yn ystod yr wythnos diwethaf mae dy fab wedi: reidio'i gath eira i fyny polyn baner y gaer, tynnu baner llwyth y Dewiniaid, a rhoi pâr o drôns eich Mawrhydi yn ei lle ... ac mae e wedi llosgi rhan orllewinol y gwersyll i'r llawr ...'

'Damwain oedd hynny!' gwrthwynebodd Llŷr, gan dorri ar ei draws. 'Dim ond tynnu coes ellyllon y simneiau oeddwn i, a do'n nhw ddim yn gallu cymryd jôc ... beth bynnag,' ychwanegodd ar frys, 'nid fi wnaeth hynny a do'n i ddim yno ...'

A chyda'r gŵyn olaf, disgynnodd llais Brygawth i ryw gryndod afreolus, iasol a oedd yn gwneud i'r sawl gên a oedd ganddo siglo'n ôl ac ymlaen, gan daro yn erbyn ei gilydd.

'Ac yn waeth fyth, mae e wedi arllwys dogn o Swyn Cariad-at-Wirionedd i gafnau'r moch, fel eu bod nhw'n fy nilyn i bobman ac yn bihafio mewn ffordd hynod WARTHUS ...'

Er ei fod wedi'i gythruddo gan ddrygioni'i fab ifancaf, cododd ymylon gwefusau'r Swynwr yn wên. Edrychodd i lawr at y moch a oedd yn syllu'n addolgar ar Brygawth.

'Aaa, ie, ro'n i'n methu deall pam dy fod ti'n cael dy ddilyn i bobman gan foch, Brygawth ... nid yw'n beth urddasol iawn i Brif-ddewin fel ti ...'

'Nid fy syniad i yw'r moch!' poerodd Brygawth. 'Dy fab di sydd ar fai. A ddylet ti ddim chwerthin, Swynwr. Mae anufudd-dod a diffyg Hud dy fab yn warth ar ein llwyth ni i gyd.'

'Beth sydd gen ti i'w ddweud, Llŷr?' gofynnodd Swynwr.

'Does gen ti ddim prawf!' bloeddiodd Llŷr yn flin, gan bwnio'r aer. 'Fi yw Llŷr, Arwr y Bydysawd, a dwi'n mynnu prawf teg!'

Swyn Cariad-at-Wirionedd

Os gwnei di yfed dogn o Swyn Cariad-at-Wirionedd, byddi di'n disgyn mewn cariad â'r person nesaf fyddi di'n ei weld. Mae hefyd yn gyffur gwirionedd. Mae'r hylif yn troi o goch i las pan fydd y person sy'n ei ddal yn dweud celwydd.

'Wrth gwrs,' meddai Seithwg y Swynwr. 'Alli di ddangos i fi beth sydd gyda ti fan'na, Llŷr?'

Pwyntiodd at becyn a oedd i'w weld yn un o'r pocedi oedd yn hongian o gwmpas gwasg Llŷr.

Yn ddigon anfoddog, tynnodd Llŷr y pecyn o'i boced, a'r Swynwr yn mynnu ei fod yn ei ddatod.

Baner llwyth y Dewiniaid wedi'i llosgi oedd y pecyn, a honno wedi'i chlymu o amgylch potel hanner llawn o Cariad-at-Wirionedd.

Ysgydwodd Seithwg y faner ar agor. 'Ie-e-e ... Dyma ddigon o dystiolaeth! Felly dwi'n datgan dy fod ... yn EUOG.'

'Dwi erioed wedi gweld y faner yma o'r blaen!' plediodd Llŷr.

Yn anffodus roedd Llŷr yn dal i gydio yn y botel Swyn Cariad-at-Wirionedd.

Ac mae gan ddogn Cariad-at-Wirionedd ddau briodwedd. Y cyntaf yw, os wyt ti'n ei fwyta neu yn ei arogli, byddi di'n disgyn mewn cariad â'r person neu'r anifail cyntaf weli di. A'r ail beth yw ei fod yn troi o fod o goch i las pan fydd y person sy'n ei ddal yn dweud celwydd.

Syllodd Seithwg ar y Swyn Cariad-at-Wirionedd, wrth i'r hylif droi o fod yn frowngoch i fod yn rhyw fath o ddulas myglyd.

'Rhaid bod rhywun wedi gosod y faner a'r Swyn Cariad-at-Wirionedd yna'n fy mhoced achos dy'n nhw'n bendant ddim yn perthyn i FI!' meddai Llŷr.

Tywyllodd hylif y Swyn Cariad-at-Wirionedd ymhellach yn sgil y fath anwiredd. Llenwodd y botel â mwg a dechrau siglo yn llaw Llŷr cyn i'r corcyn neidio allan. Ceisiodd Llŷr osod y corcyn 'nôl, ond nid cyn i rywfaint o'r hylif Swyn Cariad-at-Wirionedd dasgu o'r botel a gwlychu'r moch bach a oedd yn eistedd yn dawel mewn cylch wrth draed Brygawth. Dechreuodd rheini wedyn rochian yn nwydus a gwneud synau anweddus wrth geisio tynnu sylw Brygawth.

'AAAAAA!' sgrechiodd Brygawth. 'EWCH O 'MA! SHWWW, Y CREADURIAID AFIACH, WHISHWWW!'

Dim ond Llŷr fentrodd chwerthin. Doedd ei dad ddim yn gweld yr ochr ddoniol bellach. Syllodd i lawr ar ei fab ifancaf ag aeliau fel cymylau llawn mellt a tharanau, a'i lygaid yn gul a ffyrnig.

'Dwyt ti ddim yn unig yn euog o bopeth y mae Brygawth a Rhaib wedi dy gyhuddo di o'i wneud, Llŷr, rwyt ti hefyd yn gelwyddgi,' meddai'r Swynwr yn ddifrifol.

Melltith ar ei dad bwystfilaidd! Pam oedd yn rhaid iddo wneud i Llŷr deimlo mor fychan, o flaen pawb?

'A nawr mae'n rhaid i ti roi'r gorau i'r triciau bach gwirion yma a BOD YN DDYN,' meddai'r Swynwr. 'Mae'n ddigon drwg gwneud pethau gwirion a phlentynnaidd, ond mae ceisio dod o hyd i Hud drwg yn drosedd difrifol. Mae dewiniaid wedi'u diarddel am hynny yn y gorffennol ...'

'Ac fe DDYLAI gael ei ddiarddel!' meddai Brygawth yn gyffro i gyd. 'Mab Seithwg y Gorwych, Brenin y Dewiniaid, heb Hud! Mae'n warthus! Mae'n ofnadwy! BETH OS NA DDAW'R HUD O GWBL? Bydd pawb yn y goedwig yn chwerthin am ein pennau.'

Teimlodd Llŷr ei stumog yn troi.

'Un peth sy'n dy arbed di rhag cael dy ddiarddel, Llŷr,' meddai'r Swynwr yn oeraidd, 'yw bod dy syniad mor gwbl wirion fel na allai fyth ddigwydd. Dylai hyd yn oed rhywun tair ar ddeg oed wybod nad oes Gwrachod yn y byd bellach. A phe bai yna'r fath beth â Gwrach allan yna, dim ond gwallgofddyn fyddai'n mentro mynd o fewn canllath iddi.'

Pwyntiodd Seithwg ei fys at Llŷr. Doedd dim angen Hudlath ar Seithwg i wneud Hud. Ffrwydrodd ohono gyda'r fath gryfder, doedd ddim hyd yn oed yn weladwy.

Tynhaodd dillad duon Llŷr amdano nes ei fod yn cael gwaith anadlu.

Roedd patrwm nadroedd yn ymdroelli i'w weld ar y llawr mwd lle safai.

Dechreuodd y nadroedd patrymog ar y llawr blethu drwy'i gilydd, gwibio ar draws y llawr, a throelli o amgylch coesau Llŷr. Llusgwyd ef i'r awyr gan ei ddillad a oedd nawr yn fyw, a throdd y nadroedd yn un llif a chyrlio o'i gwmpas, gan galedi'n gadwyni, nes ei fod yn hongian yn yr awyr, wedi'i gaethiwo yn eu rhwymau.

'GOLLYNGWCH FI!' udodd, mor flin â thincer.

'Mentraist i mewn i'r Drysni, yn groes i'm dymuniad,' meddai'r Swynwr. 'Fe wnest ti chwilio am Hud drwg, gyda'r bwriad o ddod ag e yn ôl i'r gaer er mwyn twyllo yn y Gystadleuaeth Hud. Wna i dy gadw di yma nes i mi benderfynu beth fydd dy gosb di.'

'Alla i ddim gweld pam fod rhaid i mi gael fy nghosbi o gwbl!' taranodd Llŷr, wrth frwydro yn erbyn y cadwyni, ei goesau'n cicio'r awyr. 'Dyw e ddim yn deg! Alla i ddim gweld pam dy fod ti wastad yn pigo arna i!'

'Dwi wastad yn pigo arnat ti achos mai *ti* yw'r un sydd wastad yn camfihafio,' atebodd ei dad, wedi'i gythruddo.

Lledodd Crawchog ei adenydd a sibrwd yng nghlust y Swynwr.

'Bydden i'n argymell pwyll ac amynedd,' meddai'r gigfran. 'Mae'n bwysig iawn i ti fod yn amyneddgar gyda dy blant, a cheisio gweld pethau o'u safbwynt nhw.'

'Dwi *wedi* bod yn amyneddgar iawn gyda'r crwt,' meddai'r Swynwr, yn groes graen, 'ond dwi'n dechrau colli f'amynedd. Rhaid iddo ddysgu sut mae ufuddhau i mi, ac os nad ydyw e'n gwneud, rhaid iddo gael ei gosbi.'

'Po fwyaf y byddi di'n ei gosbi, mwyaf y bydd e'n cicio yn erbyn y tresi,' rhybuddiodd Crawchog.

Tynnodd Hwfa Pedrog, Llysgennad Llys Gorsedd yr Uwch-dderwyddon, ei fysedd drwy'i farf, cyn codi'i fys fry i'r awyr. 'Mae bachgen heb Hud yn arwydd o anfodlonrwydd y duwiau!'

'Mae hynny'n wir,' meddai Melltgan, Dewin a oedd yn ceisio llorio Seithwg bob gafael (ond stori arall yw honno y gwna i sôn amdani wedyn). 'A falle bod dy fethiant di i gosbi a rheoli dy fab yn effeithiol yn arwydd nad wyt ti'n ffit i reoli'r llwyth yma ...'

Aaaa! Mae bod yn dad ac yn frenin yn anoddach nag y mae'n edrych.

Ac mae pawb yn meddwl eu bod nhw'n gallu gwneud y swydd yn well na phwy bynnag sy'n digwydd bod yn rhiant neu'n frenin ar y pryd.

'BYDDWCH YN DAWEL, BOB UN OHONOCH!' bloeddiodd Seithwg, Brenin y Swynwr. 'Pan fydda i angen eich cyngor chi, wna i ofyn amdano,' meddai'r Swynwr. 'Mae Llŷr yn bod yn blentynnaidd ac yn anufuddhau ac yn dangos ei hun o flaen ei ffrindiau am nad yw ei Hud wedi cyrraedd eto.'

Collodd Llŷr ei dymer.

'Wel, o leiaf dwi'n trio GWNEUD rhywbeth!' bloeddiodd. 'O leiaf dwi'n trio GWEITHREDU!

Dy'ch *chi*, Dad, ddim yn gwneud dim byd o gwbl i helpu!'

Aeth sŵn drwy'r neuadd wrth i gannoedd o Ddewiniaid dynnu eu hanadl ar unwaith, ac yna, roedd tawelwch wrth iddyn nhw ei dal mewn syndod. Roedd y tonnau Hud a lifai o amgylch y Brenin Swynwr bellach wedi'u cipio gan ryw storm. Dechreuodd gwreichion saethu oddi arno, a ffurfiodd cwmwl du uwch ei ben a mellt yn llamu ohono.

Rhoddodd Crawchog ei adenydd dros ei lygaid. A oedd Llŷr yn ceisio cael ei hun wedi'i ddiarddel?

'Pam nad ydyn ni'n mynd allan yna i ymladd byddin y Rhyfelwyr?' bloeddiodd Llŷr.

'Dyna'r union bwynt ro'n i'n ei wneud,' grwnodd Melltgan. 'Mae hyd yn oed *mab* Seithwg *ei hun* yn meddwl nad yw ei dad yn gwneud ei waith fel brenin ...'

Bu'n rhaid i Melltgan roi'r gorau i siarad, oherwydd roedd bys bach Swynwr wedi symud, a thynhaodd y coler o amgylch gwddf Melltgan, gan ei gwneud hi'n anodd iddo allu anadlu eto.

'Byddai brwydr yn erbyn y Rhyfelwyr yn beth da – pe bai'n frwydr y gallen ni ei *hennill*,' meddai'r Swynwr, gan geisio rheoli'i dymer.

'Pam dwyt ti ddim yn meddwl y gallwn ni ennill?' gwaeddodd Llŷr. 'Falle bod y Rhyfelwyr yn ein disodli ni 'ta beth, wrth i ni guddio fan hyn yn ein coedwig grebachlyd, yn gwneud diawl o ddim byd, ac yn gwneud dognau bach o Hud cariad, tra eu bod nhw'n llosgi ein coedwig ac yn lladd ein cewri ac yn dinistrio ein holl ffordd o fyw!'

Roedd fflamau'n neidio o lygaid Seithwg y Swynwr nawr.

'Ry'n ni'n cuddio fel cachgwn rhag y Rhyfelwyr,' bloeddiodd Llŷr eto. 'Pam wyt ti'n ein dysgu ni i fod yn gachgwn, Dad? Falle dy fod ti *yn* gachgi ...'

'Tawelwch!' taranodd y Swynwr, 'neu fe wna I DY DAWELU DI! Fe wna i wnïo dy wefusau di ar gau â Hud!'

'Gwna 'te,' meddai Llŷr. 'Does dim ots gen i.'

'Digon!' bloeddiodd Swynwr. 'Dwi wedi penderfynu ar dy gosb di. Rwyt ti a dy ellyllon a dy holl anifeiliaid yn mynd i gael eich cloi yn dy stafell am y tridiau nesa.'

'Dyw hynny ddim yn ddigon,' mwmiodd Brygawth yn flin.

Edrychodd Llŷr yn llawn panig. 'Na, Dad!'

'Ti sydd wedi penderfynu anufuddhau,' meddai ei dad. 'Nawr, bydd dawel.'

'Fi oedd yr un wnaeth anufuddhau! Paid â'u cosbi NHW! Cosba FI!' meddai Llŷr.

'Tridiau,' meddai'r Swynwr, hyd yn oed yn fwy oeraidd, ac yn welw gan dymer. 'Bob tro rwyt ti'n siarad fe wna i ychwanegu diwrnod.'

Agorodd Llŷr ei geg er mwyn siarad ... a'i gau'n glep eto.

'Pedwar diwrnod,' meddai'r Swynwr. 'Dwyt ti ddim i adael dy stafell am bedwar diwrnod. Ac os nad wyt ti'n gwrando arna i, ac os wyt ti'n anufuddhau ymhellach, fe wna i gymryd dy anifeiliaid a dy ellyllon oddi arnat ti am BYTH!'

Roedd Llŷr yn poeni am hynny. O bois bach, roedd yn poeni am hynny.

Roedd yn dawel.

'*Fi* yw'r Brenin yma ...' meddai'r Swynwr. 'Rhaid i BAWB yn y stafell yma gofio hynny. Ac mae angen i Llŷr gael ei atgoffa am *bwy ydyn ni* ... Mae gen ti feddwl mawr o dy hun, Llŷr, ond y gwir yw, rwyt ti'n hunandybus, yn fwriadol anufudd, yn enbyd o hunanol, ac mae'r faith dy fod wedi ceisio cael gafael ar Hud drwg Gwrach yn dangos nad wyt ti wedi dysgu dim am yr hyn mae'n ei olygu i fod yn Ddewin. Dylai Dewiniaid geisio Hud da, Llŷr ...'

Cymerodd anadl ddofn.

'Mae gen ti un cyfle olaf i fod yn Ddewin da,' rhybuddiodd y Swynwr. 'Ac mae'n rhaid i ti fod yn dda, achos os bydd yna unrhyw anufudd-dod eto, bydda i'n cael fy ngorfodi i dy ddiarddel di, a chymryd dy holl anifeiliaid ac ellyllon oddi arnat ti.'

'DWYT TI DDIM YN POENI AMDANA *I*!' llefodd Llŷr, ar dop ei lais. 'Y CYFAN WYT TI EISIAU YDY MAB SYDD Â *HUD*!'

'TAWELWCH!!!' rhuodd y Swynwr.

Symudodd ei freichiau unwaith eto. O gwmpas y neuadd, lle roedd colofnau a phileri a grisiau wedi'u chwalu'n deilchion gan ffrwydrad y cylch Hud, codai darnau bychain o lwch o'r llawr, a dawnsio yn yr awyr, fel cymylau o wenyn yn mwmian.

Symudodd y Swynwr ei freichiau fel pe bai'n arwain cerddorfa anweledig, ac ymatebodd y llwch i'w gyfarwyddiadau.

'Mae'n hawdd iawn dinistrio,' meddai'r Swynwr, 'ond dwi ddim yn Rhyfelwr. Mae'n gymaint anoddach creu, a chreu yw beth ry'n ni, Ddewiniaid, yn ei wneud orau. Offerynnau – cerddoriaeth ar unwaith!'

Saethodd yr offerynnau cerddorol i fyny fry i'r awyr a dechrau chwarae. A dyna lle roedd y darnau bychain bach yn tonni ar draws y neuadd anferthol mewn lluwch enfawr, fel mwg o dân coedwig, yn dawnsio i guriad y gerddoriaeth, gydag egni mor sydyn fel bod modd teimlo'r gwres yn dod oddi arnyn nhw ac yn twymo wynebau'r Dewiniaid wrth iddyn nhw syllu'n syn.

Roedd hon yn arddangosfa hynod effeithiol o bŵer y Swynwr, am fod Hud dyfeisio yn dipyn mwy anodd na Hud dinistrio, a FE oedd yr unig un allai berfformio Hud mor anferthol a gwych â hyn. Roedd yn dangos i'w fab ac yn atgoffa Melltgan a'r Dewiniaid eraill a oedd yno o beth ddylai'r Dewiniaid ei gynrychioli.

Ac fe wnaeth y cynllun weithio. Roedd hyd yn oed Melltgan, yn groes graen, yn synnu a rhyfeddu at yr olygfa (gan ei melltithio o dan ei wynt, cofia!).

'Creu, Llŷr, creu, ac yna fe wnei di greu argraff arna i,' ychwanegodd y Swynwr, a'i freichiau'n troelli'n wyllt ac yn ogoneddus i sŵn y gerddoriaeth roedd wedi'i hysbrydoli. 'Ac yn y cyfamser, fe wnei di aros yn dy stafell tan y bydda i'n dweud y gelli di ddod allan.'

BANG!

Gydag ergyd Hudol a fyddai'n ddigon i ffrwydro clustiau person cyffredin, dyma'r miliynau o ddarnau bychain bach o lwch yn tynnu at ei gilydd ac yn ffurfio colofnau unwaith eto. Caeodd yr hollt yn y llawr, a chododd dillad Llŷr a'r cadwyni nadroedd y bachgen i fyny i'w ystafell, lle hedfanodd y drws ar agor. Siglodd y cadwyni-nadroedd Llŷr 'nôl ac ymlaen cyn ei ryddhau'n sydyn, a'i daflu i'r llawr.

Amneidiodd y Swynwr ar anifeiliaid ac ellyllon Llŷr, a llamodd yr anifeiliaid allan o'r neuadd ac i fyny'r grisiau, a'r ellyllon wrth eu sodlau. Aeth Crawchog hefyd, gan hedfan yn araf ac anfoddog.

Caeodd drws ystafell Llŷr yn glep y tu ôl iddyn nhw.

'Fydd e ddim yn ddigon,' wfftiodd Rhaib, a'i wefusau bellach wedi dod yn rhydd. 'Roedd Brygawth yn iawn. Dylet ti fod wedi'i ddiarddel e.'

Rhuodd ei dad ar Rhaib, yn annisgwyl, oherwydd fel arfer, fe oedd ei hoff fab. A phan dwi'n dweud rhuo, dwi'n golygu ei fod wedi agor ei geg a gollwng bloedd o Hud cynddeiriog ohono gyda'r fath bŵer nes iddo fwrw Rhaib oddi ar ei draed.

Ac yna taflodd Seithwg ei hun ar ei orsedd a rhoi'i ben yn ei ddwylo, a meddwl: *Beth sy'n bod ar Llŷr? Pam nad yw ei Hud wedi cyrraedd eto? Dwi wedi rhoi'r cawr gorau yn y wlad iddo, y goeden odidocaf, Crawchog, yr ymgynghorydd mwyaf gwych ...*
Ond pam na alla i ei reoli?

O, mae bod yn Dad ac
yn frenin yn anoddach
na'r disgwyl ...

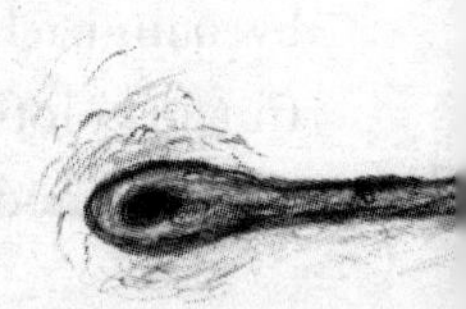

10. Ystafell Llŷr, Bymtheg Munud Ynghynt

Roedd yr ystafell y dychwelodd Llŷr iddi mewn cyflwr tra gwahanol i'r un y gadawodd bymtheg munud ynghynt.

Roedd pethau gwael wedi bod yn digwydd yn ystafell Llŷr. Roedd y pethau gwael yma wedi digwydd i Dôn ac i Cai, i'r ellyllon a'r anifeiliaid, ac roedden nhw i gyd wedi cael eu cloi yn yr ystafell honno gan Llŷr, os wyt ti'n cofio.

Ac roedden nhw'n bethau gwael iawn, iawn.

Er mwyn egluro popeth, rhaid mynd 'nôl mewn amser, bymtheg munud yn union.

Wrth gwrs, mewn bywyd go iawn, mae'n amhosib troi'r cloc yn ôl.

Dwi'n meddwl 'mod i wedi egluro hynny'n barod.

Ond, *dwi'n* gallu gwneud hynny, am mai *fi* ydy duw'r stori hon ac felly mae gen i fwy o Hud nag sy'n dda i mi, o bosib.

Dychmygwch ystafell Llŷr, bymtheg munud ynghynt, felly.

Mae'r Gystadleuaeth Hud yn digwydd islaw, ac mae Dôn a Cai yn gwylio drwy'r llawr.

A thrwy'r glaw trwm a'r gwallgofrwydd

mae *rhywbeth* yn cripian i fyny waliau'r gaer heb i neb wybod.

Rhywbeth hen a thywyll a drwg iawn, iawn.

Ysbadden, efallai, yn edrych am gael ei waed yn ôl ...

Bleidd-ddyn, efallai, eisiau i Llŷr i ymuno â'i gnud ...

Neu, efallai ...

Rhywbeth arall.

Fel arfer byddai gwersyll y Dewiniaid wedi'i warchod yn gyfangwbl gan wahanfur anweledig Hud a oedd yn hongian o lwyni'r goedwig.

Ond pan aeth Llŷr â'r cleddyf i mewn i'r gaer, roedd yr haearn wedi torri twll yn yr Hud. Arweiniodd llwybr y cleddyf haearn tuag at foncyff coeden, ac i mewn i ystafell Llŷr. A chymaint yw pŵer haearn, gall UNRHYW UN neu UNRHYW BETH grwydro'r un llwybr â'r haearn heb i'r Hud wybod ...

Sy'n drueni, oherwydd roedd y ddwy bluen yn y siaced roedd Llŷr wedi'i gadael yn ei ystafell yn dechrau disgleirio gan olau gwyrdd, afiach.

Roedd y cathod eira, Pry-pi, Saethwenyn ac Artholwg wedi syrthio i gysgu'n drwm wedi diwrnod cyffrous yn yr awyr iach yn adeiladu trapiau dal Gwrachod ac yn cael sbort yn y Drysni.

Ond fe newidiodd rhywbeth yn yr aer ac roedd hynny'n ddigon i wneud i Cai a Dôn edrych i fyny o lle roedden nhw'n penglinio ar lawr anweledig ystafell Llŷr, a syllu o'u hamgylch, gan deimlo eu boliau'n troi. Roedd y Llwy Hudol yn crynu gan bryder ar ben Dôn.

Islaw, roedd sŵn y Gystadleuaeth Hud i'w glywed.

Ond allan yn y goedwig, roedd y glaw, y mellt a'r taranau a'r gwynt, a oedd wedi bod yn ysgwyd ystafell Llŷr fel rhywun yn siglo crud babi'n wyllt, wedi stopio'n sydyn ac yn ddisymwth.

Daeth tawelwch iasol i gymryd lle'r taranau, fel pe bai'r goedwig o'u cwmpas nhw'n plygu ymlaen i syllu'n ddisgwylgar ar rywbeth anarferol ac arswydus a oedd o fewn ei dwrn gwyrdd caeedig.

Yr unig sŵn oedd y dŵr yn diferu o ymylon y swyn anweledig uwch eu pennau ... plop ... plop ... plop ...

Gallai Dôn weld reit drwy'r swyn i fyny at yr awyr serennog uwchben. Roedd canghennau'r coed yn syndod o lonydd, fel pe baen nhw wedi'u paentio ar yr awyr dywyll.

Oerodd yr aer o'u cwmpas, yn yr un modd â phan cawson nhw eu cwrso yn y goedwig ynghynt y noson honno; oerfel a oedd yn treiddio i esgyrn Dôn.

Ac er mawr syndod iddi, gallai Dôn weld bod y plu du y tu mewn i siaced wag Llŷr yn disgleirio'n felynwyrdd, llwydaidd, afiach. Roedden nhw'n pylu ac yna'n goleuo, fel petaen nhw'n anadlu.

Daliodd Dôn ei hanadl nes teimlo fel tagu.

Roedd fel pe bai morgrug yn cropian trwy'i gwallt hi, gan beri i bob blewyn sefyll i fyny mewn arswyd.

Uwchben y ddau roedd yr Hud fel darn o wydr, a hylif y glaw'n stribedi ar ei draws.

Ond a oedd yna ryw gysgod hefyd yn symud fel hunllef y tu hwnt i'r gwydr? Rhyw symudiad cyfoglyd, tonnog, seimllyd a oedd yn sugno'r goleuni o'r sêr wrth iddo symud?

Neu ai dim ond cysgod bustlog dychymyg Dôn ei hun oedd yno, creadigaeth ei llygaid gwaetgoch blinedig, ar ôl diwrnod hir a dychrynllyd?

Roedd Dôn yn siŵr bod yna siâp tywyll yn symud y tu hwnt i'r gwydr ...

O leiaf roedd hi'n meddwl ei bod hi'n siŵr ...

Beth maen nhw'n ei ddweud am Wrachod? Eu bod nhw mor anweledig ag ysbrydion ond bod yn rhaid iddyn nhw droi'n weladwy wrth ymosod? Neu fel arall, bod eu dwylo nhw'n mynd drwy ganol corff person mor dawel ag aer?

Ac yna, yn arswydus iawn, roedd hi'n gwybod nad rhithlun mohono.

Clywodd *sibrwd* yn y tywyllwch uwch ben.

Drip ... drip ... drip ... drip.

Sibrwd ... sibrwd ... sibrwd.

'Nywr soga ... nywr soga ... nywr soga ...'*

'Dihunwch!' crawciodd Dôn ar y cathod eira, Pry-pi a Saethwenyn. 'Dihunwch *NAWR*, rhaid i ni fynd o 'ma ...'

Dechreuodd y gwynt chwythu unwaith eto, gan godi chwa o anadl ddrewllyd GWRACH – oglau fel llygoden fawr bydredig wedi'i gwenwyno a thafod gwiber – oglau mor farwaidd â chladdgell lychlyd.

Deffrodd y cathod eira, a'r arogl lond eu ffroenau. Wrth iddyn nhw agor eu llygaid cysglyd, roedden nhw'n gwybod yn syth fod perygl wrth law, a bod angen iddyn nhw fod yn ddistaw, fel ceirw'n arogli cadno.

Agorodd Saethwenyn ei llygaid, un, dwy, cyn gweld y plu'n disgleirio, a throi i fod mor llonydd â phe bai hi wedi'i stwffio.

Ceisiodd Cai agor y drws.

Ond roedd Llŷr wedi'i gloi, wrth gwrs.

'Ry'n ni wedi'n cloi i mewn!' meddai Cai'n llawn arswyd. 'Allwn ni ddim dianc!' cyn llewygu â'i

---

*Mae Gwrachod yn siarad yr un iaith â ni, ond mae pob gair unigol tu ôl tu blaen. Mae hyn yn golygu 'Rwy'n agos ... rwy'n agos ... rwy'n agos ...'

fysedd ar ddolen y drws.

'Cai!' sgrechiodd Dôn. 'Dihuna RŴAN!'

Dihunodd Cai a mwmian, 'Ble? Beth? Sut?'

'Stafell Llŷr ...' meddai'r dywysoges. 'Gwersyll y Dewiniaid ... Mae rhywbeth hynod arswydus ar fin ymosod arnon ni ...'

'Beththth yw e?' sibrydodd Saethwenyn, wrth edrych i fyny, a gafael yn dynn yn ei Hudlath o ddrain.

'Y cleddyf! O dduwiau annwyl y moroedd mawr a bach ... Mae angen y Cleddyf Hud arnon ni!!!!!!!!!!' bloeddiodd Dôn.

Nawr, ti'n gweld, does dim damweiniau go iawn.

Roedd yna reswm pam oedd y Cleddyf Hud wedi gadael llaw Llŷr ar yr union eiliad, hynod anghyfleus, yn y Gystadleuaeth Hud.

Wedi'r cyfan, roedd gwir angen y cleddyf yna ar Dôn yr eiliad honno am resymau llawer mwy difrifol na chystadleuaeth Llŷr.

SLLEEEEEEEEEIIIIIIIIS!!!!!!

Neidiodd Dôn allan o'i chroen, a bron â marw o sioc, gan ddeffro Cai o'i lewyg – am ei fod e'n dal ei afael ar ddolen y drws – wrth i'r Cleddyf Hud dorri trwy nenfwd y brif neuadd a thrwy lawr Hud Llŷr.

Cododd y cleddyf i fyny, dan grynu, a hongian yn yr awyr yng nghanol ystafell Llŷr. Roedd yn anelu i fyny at yr arwyneb gwydr yr Hud uwchben, yn union hyd braich i ffwrdd oddi wrth Dôn.

Y cyfan roedd yn rhaid iddi ei wneud oedd cydio ynddo, a'i gymryd.

Wel myn celyn ac uchelwydd a phob math o lystyfiant arall ...

'Un tro roedd yna Wrachod ...' anadlodd Dôn, wrth ddarllen y neges ar y llafn. '... ond wnes i eu lladd nhw.'

Cydiodd yn y cleddyf.

Daeth sŵn sgrech uchel, annaearol o'r awyr uwch ei phen wrth i beth-bynnag-ydoedd blymio tuag ati.

Trodd y siâp tonnog, aneglur yn rhywbeth o gig a gwaed.

BANG!

TRAWODD rhywbeth y nenfwd Hud anweledig uwchben Dôn gyda grym anghredadwy ...

Roedd yna sgrech arall fel melltith ...

... a thrwy'r gwydr uwchben Dôn, rhwygodd tair crafanc drwy'r Hud.

Tair crafanc frawychus a oedd wir, wir, wir yn rhai go iawn, hir, a melynwyrdd, yn finiog ac yn crymu fel cleddyfau.

Sgrechiodd Dôn.

Oni bai am yr Hud yna uwch ei phen, byddai hi'n bendant wedi marw yn y fan a'r lle, oherwydd roedd beth-bynnag-ydoedd wedi cael ei ddal yn ôl gan y nenfwd Hud ac wedi taro i mewn iddi wrth blymio tuag ati.

Holltodd llinellau igam-ogam ar draws y nenfwd

Hud, fel iâ cyn iddo ddryllio'n ddarnau.

Hyrddiodd Dôn y cleddyf i fyny, a neidiodd yr arf hynod yn ei dwylo, a'i llusgo hi i fyny. Roedd yna sgrech arall wrth i haearn y cleddyf drywanu'r nenfwd Hud a suddo i mewn i rywbeth meddal ...

a —

Sgrechiodd beth-bynnag-ydoedd, y cysgod enfawr, tywyll uwch ei phen, unwaith eto, ac roedd yn llonydd.

Haliodd Dôn y cleddyf a daeth allan gan wneud rhyw sŵn sugno ych-a-fi.

Plis ... plediodd Dôn. Plis gad iddo fod yn farw ...

Symudodd beth-bynnag-ydoedd ddim am funud.

Efallai bod y peth yna, beth-bynnag-ydoedd, wedi marw go iawn?

Roedd hi wedi suddo'r cleddyf i'w ganol yn reit ddwfn ...

Sylweddolodd fod y cathod eira'n rhuo, a Cai'n ailadrodd y geiriau, 'O mam bach ... mam bach ... mam bach ...' mewn arswyd.

Gallai Dôn weld fod y siâp tywyll yn lledorwedd ar y nenfwd Hud uwch eu pennau. Roedd yn hollol lonydd.

'Dwi wedi'i ladd,' meddyliodd Dôn, gyda thristwch ofnadwy. 'Dwi wedi'i ladd go iawn ...'

Edrychodd Saethwenyn yn gegrwth ar y cleddyf. 'Paid cyffwrdd â'r cleddyf ...' sibrydodd yr ysbryd.

Cymer ofal, dywysoges, cymer ofal!

Gorchuddiwyd blaen y cleddyf â sylwedd gwyrdd, llachar, rhyfedd, a oedd yn ymddangos fel petain'n mudlosgi. Disgynnodd un diferyn oddi ar y llafn, ac fel petai'n symud yn araf, fe syrthiodd ... i lawr tuag at law Dôn.

Ond gwibiodd Pry-pi tuag ati gan wichian: 'Bydd gofalus, Dôn, bydd gofalus!!'

... ac wrth geisio gwarchod y dywysoges, hedfanodd rhwng y diferyn gwyrdd â llaw Dôn, a glaniodd y diferyn gwyrdd arno gan beri iddo sgrechian. Ysgydwodd yr ellyll, druan, ei hun er mwyn ceisio cael gwared ar y gwaed gwyrdd poeth.

Llamodd Pry-pi i'r awyr, gan sgrechian a chwythu ar ei law mewn arswyd. Ceisiodd Dôn ei ddal er mwyn ei dawelu, wrth i Saethwenyn wichian, 'Paid cyffwrdd! Paid cyffwrdd!' mewn sgrech ewinedd-ar-fwrdd-du orffwyll.

Roedd rhagor o linellau hollt wedi torri ar draws wyneb y nenfwd Hud uwchben, fel llinellau ar lyn wedi rhewi cyn i'r rhew dorri.

'DOS ODDI AR Y GWELY!' bloeddiodd Dôn. Taflodd y cathod eira a'r ellyllon eu hunain at ymyl yr ystafell – o drwch blewyn, oherwydd eiliad yn ddiweddarach, drylliodd yr Hud a syrthio'n ddiferion Hud o amgylch yr ystafell. Daeth y dŵr glaw oer a oedd wedi bod yn sefyll arno i lawr yn un rhuthr rhewllyd, a disgynnodd y siâp tywyll yn glep hefyd, a mynd â'r gwely i lawr gydag e, gan suddo i lawr, ac i lawr, ac i lawr, gan adael twll enfawr fel twll plwg yng nghanol ystafell Llŷr.

Twll plwg, saith troedfedd o ddyfnder â chorff marw Gwrach ar y gwaelod.

'Dwi'n meddwl ei bod hi wedi marw,' sibrydodd Dôn, wrth sbecian dros ymyl y twll. 'Dyw hi ddim yn symud, beth bynnag. Wyt ti'n iawn, Pry-pi?'

'DIM iawn ...' sibrydodd Pry-pi, gan barhau i ysgwyd ei hun fel ci wedi dringo o'r afon. 'Fi DIM iawn o bwbl ... Dyna Hud joog ... Hud jooooog iawn ...'

Hyd yn oed wrth iddo siarad, cripiodd y staen gwyrdd drosto'n araf i'w ben, ac i'w galon, a'i droi mor stiff â phocer. Disgynnodd, yn grynedig i gyd, fel carreg, a chwympo'n haearnaidd tua'r llawr.

Fel y dywedais i.

Fe ddigwyddodd pethau gwael iawn yn ystafell Llŷr.

Pethau gwael iawn, iawn.

Ac fe all llawer iawn o bethau ddigwydd mewn pymtheg munud.

11. Llŷr Yn Cael Mwy Na'r Hyn y Breuddwydiodd Amdano

Torrodd Hud y Swynwr glo'r drws, a thaflwyd Llŷr i mewn yno gan y cadwyni. Hedfanodd Crawchog i mewn ychydig cyn i'r drws gau'n glep yn Hudol y tu ôl iddyn nhw.

Sylwodd Llŷr ddim i ddechrau fod unrhyw beth yn wahanol am ei ystafell. Pam ddylai sylwi? Dim ond tua phymtheg munud yn gynharach y gadawodd yr union ystafell honno.

Ond roedd e'n rhy brysur yn rhegi melltithion hynod uchel a chreadigol at y drws, ac yn ei gicio â'i droed i sylwi fod pawb wedi cael y fath ysgytwad yn yr ystafell ben-i-waered y tu ôl iddo.

'Yyym ... Llŷr ...' meddai Crawchog, 'dwi'n credu bod 'da ni broblem ...'

'Dwi'n gwybod bod 'da ni broblem!' udodd Llŷr. 'Dyw Dad na 'mrawd ddim yn sylweddoli pa mor bwysig ydw i! Does neb yn sylweddoli!'

'Na, problem go iawn, Llŷr.'

Trodd Llŷr ei ben.

Syllodd yn syn o'i gwmpas.

Safai Dôn, a'i llygaid yn llawn braw, a'i dwylo'n gafael yn y Cleddyf Hud.

'TI gymerodd fy nghleddyf!' poerodd Llŷr yn ffyrnig. 'Dy fai DI yw hyn, y lleidr bwystfilaidd o Ryfelwr! Ro'n i'n curo Rhaib ac yna wnest TI dorri ar fy nhraws! Sut wnest ti lwyddo, hen ferch fradwrus y Frenhines Tarianrhod?'

Ceisiodd Llŷr estyn am y cleddyf wrth i'r ellyllon wichian yn un côr.

'Paaaid â chyffwrdd â'r cleeeddyf!!!!'

A dyna pryd y sylweddolodd Llŷr fod y sefyllfa'n waeth nag y dychmygodd.

Roedd ei ystafell wastad yn flêr, wrth gwrs.

Ond nawr, yn union yn y canol lle roedd ei wely, roedd yna dwll anferthol, saith troedfedd o ddyfnder, wedi ymddangos.

Roedd Dôn a Cai'n sefyll bob ochr iddo â golwg wedi bod drwy'r felin arnyn nhw.

BE YDYCH CHI WEDI'I WNEUD I FY STAFELL I???

'BE YDYCH CHI WEDI'I WNEUD I FY STAFELL I??????????' ebychodd Llŷr. 'O mam bach, wnes i ond eich gadael chi am chwarter awr – beth ydych chi wedi'i wneud????'

Pwyntiodd Cai i mewn i'r twll. 'Ymosododd Gwrach arnon ni. Wnaethon ni ei lladd hi.'

'Wel myn celyn ac uchelwydd i a phethau gwyrdd gyda locsys hir blewog!' meddai Llŷr gan syllu ar y twll. 'Ydych chi'n siŵr mai Gwrach oedd hi, ac nid Ysbadden wedi dod i gael ei waed yn ôl?'

'Edrycha ...' meddai Cai.

Sbeciodd Llŷr i mewn i'r twll. Yno, ar y gwaelod, gallai weld rhywbeth enfawr a thywyll a marw. Roedd ganddo adenydd hir a phluog yn lle breichiau, trwyn fel pig, ac er nad oedd yn symud, roedd yna rhyw ddrewdod Hudol yn codi oddi ar y plu wedi'u crychu, a hwnnw mor gryf nes gwneud i Llŷr simsanu am yn ôl.

Doedd dim dwywaith.

Doedd e erioed wedi gweld Gwrach o'r blaen, ond Gwrach oedd yno, yn bendant.

Wel yn enw barf Cymydei Cymeinfollt y gawres grebachlyd!

Beth oedd ei dad newydd ddweud am ddarganfod Hud drwg?

Roedd y bregeth ddiweddar gafodd gan ei dad wedi gwneud iddo sylweddoli nad oedd gan yr hen Seithwg feddwl mor agored am Wrachod a Hud drwg ag roedd Llŷr wedi'i feddwl.

Ac roedd wedi bygwth mynd â holl anifeiliaid ac ellyllon Llŷr oddi arno.

'Bydd yn dda ...' meddai Llŷr trwy wefusau gwynion. 'Ddywedodd Dad nawr: Bydd yn dda ... Dwi ddim yn credu bod hyn yn cyfri fel bod yn dda, nag yw e?'

Syllodd i mewn i'r twll fel pe bai mewn perlewyg.

'... twll mawr maint cromlech reit yng nghanol fy YSTAFELL, a GWRACH ynddo?'

Chwifiodd Llŷr ei freichiau mewn cynnwrf.

'Sut ydyn ni'n mynd i gael GWARED arni??? Mae'n rhaid i ni ei chael hi o 'ma, glou! Dywedodd Dad y byddai un anufudd-dod arall yn arwain at waharddiad! Dwi'n meddwl bod hyn yn cyfri fel HANNER CANT o anufudd-dodau, ond dyw e?'

'Alli di byth â chyffwrdd ynddi!' sgrechiodd Saethwenyn ac Afallach. 'Paid â mynd yn agos ati!'

'Sut allwn ni gael gwared ar rywbeth dy'n ni ddim yn cael ei gyffwrdd???????' gofynnodd Llŷr. 'Bydd rhaid i ni orchuddio'r corff, ond â beth?' Dechreuodd Llŷr gicio dail i mewn i'r twll mewn panig ond roedd fel ceisio gorchuddio llosgfynydd â phlu eira.

'Nid dyna'r peth gwaetha,' meddai Dôn, wrth lyncu'n galed.

Yn ofalus, gosododd Dôn y cleddyf i lawr ac agor darn o gadach roedd hi wedi bod yn ei ddal yn ei llaw arall.

Y tu mewn i hwnnw roedd Pry-pi, yn crynu fel pe bai'n dioddef o'r pla du.

Iawn, meddyliodd Llŷr. Roedd wedi meddwl na allai pethau fynd yn waeth, ond roedd yn anghywir.

'Pry-pi!' ochneidiodd Llŷr. 'Beth maen nhw wedi'i wneud i ti?'

'Cafodd e Waed Gwrach drosto fe,' meddai Dôn yn drist. 'Mae'n ddrwg gen i, Llŷr.'

'Ydy hynny'n beth gwael? Beth mae hynny'n ei olygu? Beth sy'n bod arno?'

Roedd Pry-pi wedi troi'n wyrdd, ac roedd ei adenydd wedi crebachu amdano fel pe bai wedi'i wasgu gan ddwrn anweledig. Bob hyn a hyn byddai'r crynu'n stopio, a byddai'n troi'n ddelw am eiliad, fel pe bai wedi'i rewi, cyn torri'n rhydd a chrynu eto.

'Fi gwarchod tywysoges ...' meddai Pry-pi. 'Ond fi iawn. Fi jyssst iawn ...' Ond gallai Llŷr weld o'r ofn yn llygaid Pry-pi ei fod yn pryderu am ei einioes.

'Mae ellyllon yn greaduriaid cymaint llai nag wyt ti, Llŷr,' meddai Crawchog yn drist. 'Bydd y Gwaed Gwrach yn effeithio arnyn nhw gymaint yn fwy. Rwyt ti wedi arwain yr ellyll yma i le tywyll iawn.'

'Wna i fynd â'r ellyll yma at Dad,' meddai Llŷr, a'i wyneb yn gwelwi. 'Gall Dad wneud unrhyw beth.'

Dywedodd Crawchog yn dyner, 'Dwi ddim yn credu y gall hyd yn oed dy dad wella Pry-pi, Llŷr.'

Roedd hi'n amser i wynebu'r gwir creulon.

'Yn fuan iawn, bydd yr ellyll naill ai'n marw,

neu'n cysgu,' meddai Crawchog. 'A phan fydd e'n dihuno, bydd wedi troi i'r ochr dywyll. Bydd yn troi'n greadur y tywyllwch, ac yn chwilio am Wrachod i fod yn feistri arno.'

Tawelwch erchyll.

'Ac mae hyn yn golygu mai Gwaed Gwrach YW'R staen ar dy law di,' meddai Crawchog. 'Mae'n ddrwg gen i, Llŷr. Mi wnes i geisio dy rybuddio di. Wnest ti ddymuno cael bod yn Hudolus, a nawr mae gen ti'r math anghywir o Hud ...'

Trodd Llŷr ei law drosodd.

Yno, yng nghanol cledr ei law, roedd y staen gwyrdd llachar. Doedd dim un ffordd o esgus nad oedd yno, yn union fel na allai orchuddio'r twll enfawr â'r Wrach ar ei waelod yng nghanol yr ystafell.

Ceisiodd ei sychu â'i glogyn, ond roedd yn dal yno.

'Alla i ddim hyd yn oed gwneud i'r Gwaed Gwrach wneud Hud ...' meddai Llŷr yn drist.

'Os wnaiff dy dad ddarganfod bod yna Waed Gwrach ar dy law,' meddai Crawchog, 'bydd yn dy yrru di at y Hud-lanhawyr. Falle na fydd yr Hud tywyll wedi cyrraedd dy ymennydd, a gelli di gael dy arbed rhag troi at yr ochr dywyll dy hun. Ond byddai dy dad yn cael ei orfodi i dy ddiarddel di o'r Dewiniaid am byth.'

'Na!' llefodd Llŷr. 'Na!'

'Beth wyt ti'n disgwyl i dy dad ei wneud, Llŷr?' gofynnodd Crawchog. 'Roedd y Dewiniaid eraill yn galw am dy ddiarddel di dim ond am DRIO dod o hyd i Hud tywyll. Ond rwyt ti wedi llwyddo, Llŷr ... rwyt ti wedi bod yn y Drysni, ac mae hynny wedi'i wahardd. Rwyt ti wedi dod â haearn i mewn i'r gwersyll, ac mae hynny wedi'i wahardd. Rwyt ti'n defnyddio Hud tywyll, ac mae hynny wedi'i wahardd. Rwyt ti wedi tynnu Gwrach ar ein pennau ni, ac mae hynny wedi'i wahardd.'

'NA!' bloeddiodd Llŷr.

'All hyd yn oed dy dad ddim troi'r cloc yn ôl, Llŷr,' esboniodd Crawchog. 'All neb droi'r cloc yn ôl. Mae hynny'n amhosib.'

'Ond dyna ydy diben Hud,' heriodd Llŷr. 'I wneud pethau amhosib!'

Roedd yna dawelwch hir.

'Mae yna rai pethau sydd wedi'u gwneud nad oes modd eu dad-wneud,' meddai Crawchog.

'Chi Ryfelwyr twp!' gwylltiodd Llŷr. 'Eich bai chi yw hyn i gyd. Eich cleddyf twp chi yw hwn, a'ch Gwrach dwp chi, a ddylwn i ddim fod wedi gadael Pry-pi yn eich gofal.'

Edrychodd Dôn a Cai i ffwrdd, oherwydd bod Llŷr, y bachgen-nad-oedd-byth-yn-crio, yn crio.

Roedd Llŷr yn gwybod yn ei galon na allai roi'r bai ar Dôn a Cai am hyn o ddifri. Gallai deimlo'r euogrwydd yn cau fel magl amdano. Ei fai ef oedd popeth. Roedd Pry-pi wedi ymddiried ynddo. Os na allai achub Pry-pi fyddai e byth yn gallu maddau i'w hunan ...

'Mae'n ddrwg iawn gen i, Pry-pi,' meddai Llŷr yn druenus. 'Wnes i fyth meddwl y byddai hyn yn digwydd ... mae'n rhaid bod modd gwneud yn iawn am hyn a rhoi pethau yn ôl i fel roedden nhw?'

'Fi credu ti, Feistr,' meddai Pry-pi, trwy gryndod ei wefusau gwyrdd, a chan edrych ar Llŷr yn gariadus. 'Ti bos, a ti achub fi, achos ti gwych.'

Gosododd Llŷr Pry-pi ym mhoced flaen ei wasgod yn ofalus.

'Dwi'n DYMUNO na fydden i byth wedi dymuno cael Hud,' meddai'n angerddol. 'Dwi'n DYMUNO y gallen i roi'r ffidil yn y to fel bod Pry-pi'n gallu bod yn iawn eto. Dwi'n DYMUNO na fydden i fyth wedi gosod y trap Gwrach yna yn y lle cyntaf.

DWI'N DYMUNO, DWI'N DYMUNO, DWI'N DYMUNO ...'

Fe allai fod wedi dymuno saith deg saith gwaith, ond doedd Llŷr ddim yn gallu troi'r cloc yn ôl.

Roedden nhw i gyd eisiau i Llŷr ddysgu gwers, ond roedd hon yn wers rhy hallt, ac roedd ei weld yn crio ac yn eistedd yno mor fach a dawel a thrist yn ofnadwy – ddim fel Llŷr o gwbl. Roedd hyd yn oed ei wallt wedi gwywo.

Llefodd Llŷr, a chysurodd Dôn ef yn llawn cydymdeimlad wrth i'r anifeiliaid a'r ellyllon esgus nad oedden nhw wedi sylwi ei fod o'n crio.

Bob hyn a hyn, bloeddiai Llŷr yn ffyrnig: 'Dwi DDIM yn crio, ac fe wna i LADD unrhyw un sy'n dweud 'mod i!'

A dyma'r ellyllon yn esgus eu bod nhw'n ei ofni er mwyn gwneud iddo deimlo'n well.

Yn y neuadd islaw, roedd sŵn y gerddoriaeth wedi dod i stop yn sydyn, a daeth sŵn lleisiau yn lle hynny.

Tynnodd Llŷr ei ben o'i ddwylo, a gwrando'n astud.

'Gwrandwwwch ...' sibrydodd Saethwenyn. 'Mae'n siŵr bod rhywun wedi sylwi bod hollt yn yr Hud sy'n gorchuddio'r gaer – byddan nhw'n dweud wrth y Brenin Swynwr ...'

Edrychodd y plant ar ei gilydd, ar yr ellyll gwyrdd ar drothwy angau, ac ar y twll yng nghanol

Does dim allwn ni ei wneud ...

yr ystafell â chorff Gwrach ynddo.

'Byddan nhw'n gwybod ei fod e'n rhywbeth i wneud gyda ti, Llŷr ... byddan nhw'n dod lan fan hyn ... i'r ystafell yma ...'

Roedd hyn yn wael.

Doedd dim dwywaith amdani.

Roedd hyn yn wael iawn, iawn.

Edrychodd Dôn ar wyneb Llŷr, wedi'i drawsnewid o'r drygioni arferol i fod yn druenus ac yn llawn euogrwydd am gyflwr ei ellyll.

Roedd hi wedi anghofio bellach bod Llŷr yn elyn, ac wedi dwyn ei chleddyf a'u cipio nhw.

Rhoddodd ei llaw hi allan a chyffwrdd â Llŷr ar ei ysgwydd.

'Paid â rhoi'r ffidil yn y to, Llŷr,' meddai Dôn. 'Dyw hi ddim yn rhy hwyr ... dyw hi *byth* yn rhy hwyr. Mae gen i gynllun i achub Pry-pi.'

Roedd Cai ar binnau.

'Go iawn?' gofynnodd Llŷr, a chodi'i ben o'i blu.

'Wyt ti'n cofio fi'n dweud wrthot ti'n gynharach, fod gan fy mam Faen-Hir-Sy'n-Tynnu-Hud-i-Ffwrdd y mae hi'n ei gadw yn ei daeargell?' gofynnodd Dôn. '*Allen* ni fynd â ti 'nôl gyda ni i gaer y Rhyfelwyr, a thorri i mewn i ddaeargell Mam a chael Pry-pi i gyffwrdd â'r maen hir. Bydd hwnnw'n gwaredu Hud

gwael y Wrach, ac yn achub ei fywyd,' meddai Dôn.

'Allai hynny weithio?' gofynnodd Llŷr yn awyddus, wrth droi at Crawchog.

'O bosib ... na falle ddim ... dwi ddim yn gwybod!' crawciodd Crawchog. 'Fydden i'n meddwl, mewn egwyddor, y gallai'r maen dynnu'r Hud i ffwrdd ... ond mae rhywbeth yn dweud wrtha i fod hyn yn syniad hynod o wael ...'

'Wel, yn gyffredinol *byddai*'n syniad gwael i gyffwrdd â'r Maen-Hir-Sy'n-Tynnu-Hud-i-Ffwrdd,' meddai Llŷr, yn llawn cyffro, 'ond yn yr achos hwn mae gyda ni lot fawr o Hud ry'n ni angen ei waredu, yn does? Achos ar yr un adeg fe alla i gyffwrdd â'r maen hir a chael gwared ar y Gwaed Gwrach yma sydd ar fy llaw. Fyddai Dad ddim yn ei hoffi a dyw e ddim hyd yn oed yn gweithio ...'

'Sgwn i be ddigwyddodd i Dolur?' holodd Dôn yn chwilfrydig. 'Dydy o ddim wedi dod 'nôl eto, naddo? Dwi'n poeni ychydig bod Rhyfelwyr Mam wedi'i gipio.'

'Wyt ti'n meddwl hynny?' mentrodd Llŷr yn sydyn yn ei fraw, oherwydd yn ei natur Llŷr-aidd, roedd wedi anghofio'n llwyr am Dolur. 'Wyt ti'n meddwl ... 'mod i wedi rhoi Dolur mewn peryg HEFYD? Waw... hyd yn oed i fi, mae hyn wedi bod yn ddiwrnod difrifol o wael ...'

Roedd Llŷr yn edrych fel ei fod wedi danto eto, felly tynnodd Dôn sylw pawb yn frysiog gan ddweud y gallen nhw ryddhau Dolur o ddaeargell y Frenhines Tarianrhod hefyd.

'Mae hynny'n gynllun gwych, ac mae'n datrys popeth ar unwaith!' ochneidiodd Llŷr. 'O ystyried dy fod yn elyn, ac yn un rhyfedd iawn yn hynny o beth, rwyt ti wedi meddwl am syniad grêt! Am beth ry'n ni'n aros? Bant â'r cart!'

'Dal sownd am funud!' oedodd Cai. 'Dydy hyn ddim yn syniad gwych o gwbl, dywysoges! Rwy'n rhoi 'nhroed i lawr yn gadarn! Alli di byth â mynd â'r pendafad yma 'nôl gyda ni i gaer y Rhyfelwyr!'

'Rhaid i fi gytuno â Cai,' meddai Crawchog. 'A phe bai'r Frenhines Tarianrhod yn cipio Llŷr, byddai hi'n ei daflu i'r ddaeargell am byth, heb sôn am dynnu'r Hud o bob un o'i ellyllon ...'

'Dyw Mam ddim mor wael â hynny!' gwrthwynebodd Dôn. 'Mae hi'n hyfryd!'

'Wel, faswn i ddim yn dweud *hyfryd* yn union,' meddai Cai yn drist. 'BRAWYCHUS. Dyna beth yw hi. BRAWYCHUS. Mae hi'n fam frawychus.'

'Mae hi'n frenhines ac yn fam, a gwaith mam ydy bod yn frawychus,' meddai Dôn.

'Wel, mae hi'n gwneud ei gwaith yn dda iawn,' crynodd Cai.

'Ond mae'n rhaid i ni fynd i'r ddaeargell er mwyn dychwelyd cleddyf Mam, a gallwn ni ddim gadael i Pry-pi, druan, farw, yn na allwn ni?' holodd Dôn. 'Mae hyn, i raddau, yn fai arnon ni hefyd, ac mae wedi hedfan wrth ein hochr ... edrych arno!'

Synhwyrodd Llŷr fod Cai'n gwanhau wrth iddo edrych ar gorff y dylwythen dwp a blewog a oedd yn gorwedd ym mhoced flaen wasgod Llŷr, yn crynu mewn poen ac ofn.

'Pry-pi, druan ...' ochneidiodd Llŷr. 'Bydd e mor anhapus fel bwystfil tywyll. Roedd e'n dwlu ar ddawnsio – a hedfan drwy'r coed yn yr hydref – a nawr bydd ei draed ar glo, a'i lais mor amhersain ag eos yn tagu ...'

'PAID!' llefodd Cai, gan roi ei ddwylo dros ei glustiau.

'A meddylia am Llŷr,' meddai Dôn. 'Mae'n ben mawr ac eisiau sylw o hyd ac yn boen yn y pen-ôl ...'

'Ydw, wir?' mentrodd Llŷr yn falch.

'Ond allwn ni ddim gadael iddo gael ei ddiarddel o'i dylwyth! Mae Llŷr wedi gwneud camgymeriadau ... ond mae pawb yn haeddu ail gyfle! Ry'n ni i gyd yn haeddu ail gyfle,' plediodd Dôn.

'O'r gorau,' ochneidiodd Cai. 'Mae'n syniad

gwallgo ... ond o'r gorau, wnawn ni eu helpu nhw. Ond mae'n rhaid i ti addo i fi, Dôn, ar ddiwedd hyn i gyd, rhaid i ti ddechrau ymddwyn fel tywysoges-Ryfelwr gyffredin ...'

'Dwi'n addo,' meddai Dôn.

Ysgydwodd y tri ohonyn nhw eu dwylo i gytuno ar y cynllun.

'Pwy feddyliai?' holodd Llŷr yn syn. 'Dewiniaid a Rhyfelwyr yn gweithio gyda'i gilydd.'

Roedd sŵn lleisiau a thraed yn rhedeg yn nesu, gan ddod yn agosach ac yn agosach.

'Iawn,' meddai Llŷr yn sydyn. 'Bleiddiaid, Artholwg, arhoswch chi fan hyn. Crawchog, cathod eira, ellyllon, chi'n dod 'da ni. Ond mae'n rhaid i ni fod yn sydyn, felly rhaid i ni fynd drwy'r drws ... Saethwenyn! Gwna'r swyn!'

'PammaiFIsyngorfodgwneudpopeth?' cwynodd Saethwenyn, wrth gymryd swyn allan o'i sach swynion a'i anelu at ddrws ystafell Llŷr.

'Beth wyt ti'n ei feddwl, mynd drwy'r *drws*?' holodd Cai yn anesmwyth.

Gyda gww-i-i-i-ch rhwygodd drws ystafell Llŷr oddi ar ei golfachau rhydlyd, cyn glanio gyda CHLEC! ar y llawr, yna codi rhyw fodfedd yn araf bach i'r awyr, mewn cwmwl o lwch.

Dringodd Llŷr i ben y drws, gan weiddi, 'Dewch 'mlaen bois! Glou, glou!'

'O, na ...' meddai Cai, a siglo'i ben yn wyllt,

'roedd y cathod eira'n ddigon drwg, ond rwyt ti wir yn disgwyl i mi fynd ar gefn DRWS, fel carped Hud mewn stori?'

'Mae'n berffaith saff,' nododd Llŷr, wrth helpu Dôn i fyny ato, 'i ryw raddau ... ac mae'r cathod eira'n gallu rhedeg yn gynt pan nad ydyn ni ar eu cefnau nhw ... BRYSIA!'

'Ty'd yn dy flaen, Cai,' meddai Dôn yn gyffrous.

Roedd y cathod eira wedi llamu allan o ffenest Llŷr yn barod, cyn dringo i lawr yr ysgolion tua'r goedwig islaw. Felly roedd hi'n rhy hwyr i deithio ar y cathod eira.

Roedd hyd yn oed y Llwy Hud wedi neidio'n frwdfrydig i fod wrth ochr Llŷr a Dôn, ac yn ymddangos fel pe bai'n edrych yn eiddgar ar Cai, fel pe bai ganddi ffydd y gallai Cai fod y math o berson a oedd yn gweld bod hedfan ar ddrws yn gyfle cyffrous yn hytrach na bod yn fath o hunanladdiad.

O diar, mae'n rhaid i mi wneud hyn ... Alla i ddim bod yn llai o arwr na LLWY ... Ond ... Beth ydw i'n ei wneud???? meddyliodd Cai wrth iddo ddringo i ben y drws at Dôn a Llŷr. Doedd e ddim hyn yn oed yn ddrws *cyfan* – roedd drws Llŷr wedi byw bywyd caled – felly roedd y craciau a'r holltau'n amlwg iawn.

'Mae'r drws wedi'i gynnal gan Hud ... mae'r drws wedi'i gynnal gan Hud ...' ailadroddodd Cai er mwyn ceisio cysuro'i hun wrth i Llŷr wthio'r allwedd yn y twll yn frysiog. Cydiodd Cai yn nhop y drws jest mewn pryd, wrth i hwnnw, dan wegian, hedfan i ffwrdd trwy'r nenfwd nad oedd yn bodoli ac allan i dywyllwch y nos.

Am y pum munud cyntaf roedd Cai mor bryderus, agorodd o 'mo'i lygaid, hyd yn oed – dim ond canolbwyntio ar geisio peidio â disgyn i ffwrdd a llewygu a thaflu i fyny oherwydd pendilio gwyllt y drws Hud. A phan agorodd ei lygaid o'r diwedd, difarodd yn syth. Roedden nhw'n mynd ar wib drwy ganol y goedwig, ar gyflymder anhygoel, ac islaw gallai weld y cathod eira'n rhedeg fel y gwynt, a golau llachar yr ellyllod wrth iddyn nhw hedfan.

Griddfanodd Cai gan ofn.

Roedd llygaid Dôn yn disgleirio fel sêr, a'r mwynhad yn amlwg ar ei hwyneb. Roedd Llŷr a hithau'n gweiddi â chyffro gyda phob hyrddiad.

Yn wir, roedd Llŷr yn yrrwr drws Hud penigamp o wych, er braidd yn ddi-hid. Dim ond troelli'r allwedd yn nhwll y clo oedd angen iddo'i wneud er mwyn llywio'r drws rhwng y coed fel hebog.

'Ry'n ni'n mynd i ddisgyn ... ry'n ni'n mynd i ddisgyn ...' cwynodd Cai.

'Dydyn ni DDIM yn mynd i ddisgyn,' meddai Dôn yn orfoleddus, wrth iddyn wibio drwy ganghennau uchaf y coed. 'Ry'n ni'n hedfan fel ADAR! Ac ry'n ni'n mynd i gyrraedd 'nôl cyn y bore, ac ry'n ni'n mynd i wella Pry-pi, a rhyddhau Dolur, a chael gwared â Hud gwael Llŷr ...'

'Ry'n ni'n mynd i ddisgyn ac os bydd dy fam frawychus yn ein dal ni wrth geisio torri i mewn i'w daeargell frawychus, byddwn ni mewn trwbl mawr,' crynodd Cai, a'i wyneb yn troi'n wyrdd.

'Paid â meddwl am y peth,' cynghorodd Dôn. 'Falle na wneith hi ein dal ni, Cai ... a dydyn ni ddim wedi disgyn ETO! Ymlacia a mwynha – dim bob dydd wyt ti'n cael hedfan ar ddrws. Ry'n ni'n rhydd!'

Ac wrth iddyn nhw wibio'n ddi-hid drwy'r coed ar gefn y drws tyllog, a gwynt y nos yn chwythu yn eu gwalltiau, darganfu Cai, er mawr syndod, y gallai weiddi'n llawn cyffro fel y lleill, gan ymlacio a mynd gyda'r llif.

Byddai tad Cai wedi rhyfeddu (ac wedi gwylltio) pe bai wedi'i weld yr eiliad honno. Dyma'r broblem gydag anturiaethau. Maen nhw'n datgelu agweddau newydd o dy gymeriad di – rhai nad oeddet ti fyth yn gwybod eu bod nhw'n bodoli.

Mae'r plu'n hedfan
i ffwrdd, a rhaid
i ni ddilyn.
Ddywedais i fod
y geiriau yma'n
beryglus ...

RHAN Dau

Gwneud yn iawn

12. Caer Haearn y Rhyfelwyr

Roedd Llŷr a'r ellyllon a'r cathod eira a Dôn a Cai i gyd yn gorwedd yn y prysgwydd o flaen caer haearn y Rhyfelwyr. Roedd ganddyn nhw broblem.

Mae torri ALLAN o gaer y Rhyfelwyr sydd â gwarchodwyr lu, saith ffos a thri ar ddeg o wylwyr yn ddigon anodd. Ond mae torri i MEWN fwy neu lai'n hollol amhosib.

Ac mae sleifio Dewin â staen Gwrach a chriw o gathod eira ac ellyllon i mewn ar eich hôl hyd yn oed yn anoddach nag amhosib.

Roedden nhw'n gallu gweld y gwylwyr ar y bylchfuriau'n cerdded yn ôl ac ymlaen, yn ôl, ymlaen, yn ôl, ymlaen, yn cadw golwg gyson ar y goedwig rhag ofn fod unrhyw symudiad yno o gwbl.

Roedden nhw wedi gadael y drws dan orchudd y goedwig (gallai drws Hud hedegog fod ychydig yn rhy amlwg). Yna arweiniodd Dôn nhw o amgylch mynediad y stabl, o le y sleifiodd hi allan yn y lle cyntaf. Roedd y drysau yno yn agor ac yn cau o hyd wrth i griwiau hela fynd a dod.

Gofynnodd Llŷr i'r ellyllon eu gorchuddio nhw gyda swyngyfareddion tywydd, a'u gwneud yn anweledig, fel eu bod nhw'n gallu sleifio at y fynedfa heb gael eu gweld.

'Byyyydd hyn ddim ond yn gweithio nes i ni gyrraedd tu mewn i'r gaer,' rhybuddiodd Saethwenyn. 'Wneith Hud ellyllon ddim gweithio i mewn yna. Mae yna ooormod o haearn ...'

'Paid di â phoeni,' meddai Llŷr yn hyderus. 'Dwi 'di hen arfer torri mewn i gaerau.'

Fe gymerodd peth amser i'r criw bach o gathod eira, ellyllon, a bodau dynol drefnu eu hunain yn dwt dan y bont godi.

Ac yna fe weithiodd y cynllun i'r dim ... i ddechrau.

Aeth Llŷr a Dôn a Cai a'r cathod eira i mewn i'r gaer, dan glogyn Afallach a swyngyfareddion Saethwenyn.

Ond cyn gynted ag yr aethon nhw i mewn i glos y stabl daeth yn amlwg fod y swyngyfareddion yn cael eu gwanio gan yr holl haearn o'u cwmpas. Arswydodd Llŷr wrth weld ei draed oddi tano'n a-r-a-f ddechrau ymddangos.

Gallai weld Dôn a Cai hefyd, ond daeth pen a bol Cai i'r amlwg yn gyntaf, ac am eiliad roedd yn edrych yn union fel ysbryd heb goesau'n hwylio uwchben y llawr.

Os allwn ni gyrraedd yr adeilad nesa, meddyliodd Llŷr mewn panig, *falle y gallen ni guddio yn y cysgodion ...*

'Rhedwch!' sibrydodd, 'Rhedwch!'

Rhy hwyr.

Roedd y gwyliwr wedi troi, a phawennau cath eira'n araf ymddangos wrth iddi lamu ar draws clos stabl y Frenhines Tarianrhod.

'HUD!' bloeddiodd y gwyliwr.

Roedden nhw wedi'u gweld.

Roedd yn rhaid i Dôn feddwl am gynllun hollol newydd yn y fan a'r lle.

'HELP!' llefodd Dôn, a oedd bellach yn hollol weladwy. 'HELP! HELP! HELP!!!! DRAW FAN HYN! YMOSODIAD DEWIN!'

Trodd gwarchodwyr y Rhyfelwyr.

A dyna lle roedd merch fach ryfedd Tarianrhod, yn pwyntio at Ddewin, gyda thair cath eira flin, a chwmwl o ellyllon yn suo o'i amgylch.

'MAE DEWIN YN YMOSOD!' bloeddiodd y gwarchodwyr. 'Seiniwch y larwm!'

Anaml iawn roedd y Dewiniaid wedi ceisio ymosod ar y Rhyfelwyr, am resymau amlwg.

Ond roedd y Rhyfelwyr wedi paratoi'n drylwyr ar gyfer unrhyw fath o ymosodiad.

Yn RHY barod, o bosib.

O bob twll a chornel o'r gaer daeth sŵn rhuglo arfwisg, a chlepian cleddyfau a stampio traed haearn wrth i filwyr y Frenhines Tarianrhod wneud yr hyn roedden nhw wedi ei hyfforddi ar ei gyfer cyhyd.

'MAE'R YMOSODWR YM MHARTH RHIF PEDWAR! MAE ANGEN CEFNOGAETH

ARNON NI!' bloeddiodd y gwarchodwyr, er bod degau wedi'u hamgylchynu nhw'n barod, a'u cleddyfau a'u gwaywffyn yn anelu tuag atyn nhw. 'DEWCH Â'R DALWYR ELLYLLON! DEWCH Â'R TRAPIAU CATHOD EIRA! RHOWCH WYBOD I'R HEDDLU HUD!'

Cynyddodd sŵn y gweiddi, a llifodd rhagor o Amddiffynwyr Tŷ Brenhinol y Rhyfelwyr o bob cwr tuag at glos y stabl, fel pe bai nyth morgrug yn gwagio.

Wel myn cacen cyrents Benlli Gawr, meddyliodd Llŷr. *Mae yna lwyth ohonyn nhw ... Wyddwn i ddim fod yna gymaint â hyn o Ryfelwyr YN Y BYD!*

'Brenhingath! Llygaid-y-Nos! Peidiwch chi â mentro symud!' poerodd, oherwydd ei fod yn gwybod y byddai'r cathod eira'n ysu am daflu eu hunain at y gelyn, a gallai weld wrth edrych i lygaid y Rhyfelwyr y bydden nhw'n lladd y cathod eira'n syth.

Gosododd Llŷr ei law yn ei wregys er mwyn tynnu'r Cleddyf Hud allan ... ond doedd y cleddyf ddim yna.

Cododd ei olygon. Roedd Dôn rhyw ddeg metr oddi wrtho erbyn hyn, ac wedi'i chodi i freichiau Rhyfelwr anferth.

'Mae'r dywysoges yn ddiogel ac yn saff!' rhuodd y Rhyfelwr, ac roedd un edrychiad i fyw llygaid llawn euogrwydd Dôn yn dweud y cyfan.

Roedd Llŷr yn gandryll.

Brad! Brad!

Roedd Dôn wedi dwyn ei gleddyf.

Roedd wedi ymddiried yn y gelyn, ac wedi syrthio i'w trap. Pan ddechreuodd ymlacio, a meddwl bod Dôn am ei helpu, roedd hi wedi dwyn ei gleddyf yn y modd mwyaf haerllug.

(Roedd Llŷr wedi anghofio, wrth gwrs, ei fod ef ei hun wedi gwneud yn union yr un peth rai oriau ynghynt.)

Mae Dewiniaid yn dda iawn am felltithio.

Roedd yn arfer oedd wedi'i etifeddu gan yr Hen Dderwyddon, a oedd yn defnyddio melltithion er mwyn ymosod ar y gelyn.

Felly roedd Llŷr yn melltithio nawr, ac yn melltithio'n uchel ac yn hir.

'Y LLEIDR bradwrus, Rhyfelwr diawl!' bloeddiodd. 'Roedd Dad yn iawn!! Ry'ch chi'n FRADWYR, yn GELWYDDGWN, a rwyt ti, Dôn, GYNDDRWG â'r llofrudd-casáu-Hud o fam atgas sydd gen ti!'

'Mae wedi sarhau'r Frenhines ac mae'n tynnu ei arf!' bloeddiodd y Prif Warchodwr. 'Saethwyr – dinistriwch e!'

Cododd y saethwyr yng nghefn rheng y Rhyfelwyr eu bwâu ar y cyd, gyda chywirdeb ardderchog – os nad oedden nhw ar fin dy ladd di.

'NA!' bloeddiodd Dôn o freichiau'r Rhyfelwr a oedd yn ei chario hi. 'DOES GANDDO DDIM

ARFAU! PEIDIWCH Â MEIDDIO LLADD *YR UN OHONYN NHW* NEU MI WNA I DDWEUD WRTH MAM!'

Doedd dim ots gan y Rhyfelwyr ladd Dewin heb arf. Roedden nhw'n gwneud yn eithaf aml, pan nad oedd Tarianrhod yno i gadw golwg. Ond roedd arnyn nhw ofn mawr o'r Frenhines, felly, yn groes graen, dyma'r saethwyr yn gostwng eu bwâu'n siomedig, ond wnaethon nhw ddim gollwng gafael o'u saethau.

'ARESTIWCH NHW!' bloeddiodd y Prif Warchodwr. 'DALIWCH Y GWRTHRYFELWR! TANIWCH Y DALWYR ELLYLLON! AC AR ÔL HYNNY—'

Ochneidiodd y Prif Warchodwr a llyncu'n galed. 'Gwell i rywun fynd i roi gwybod i'w Mawrhydi.'

Sibrydodd y Dirprwy Brif Warchodwr yn ei glust. 'Ymm ... oes rhaid i ni?'

'Wrth gwrs bod rhaid!' cyfarthodd y Prif Warchodwr. 'A dweud y gwir, gan dy fod ti wedi bod mor haerllug â chwestiynu gorchymyn, dwi'n dy enwebu *di* fel y person lwcus i fynd i ddweud wrthi!'

Piiiiiiaaaaawwww!!!

Taniodd y Rhyfelwyr dal-ellyllon eu bwâu, gan ryddhau rhwydi â phwysau haearn bach ynddyn nhw.

Allan yn awyr agored y goedwig gallai'r ellyllon osgoi'r saethau'n weddol rwydd.

Ond roedd gormod o haearn yma ac roedd hynny wedi'u harafu ac effeithio ar eu sgiliau hedfan.

Roedden nhw'n symud yn drwsgl ar hyd y lle, yn araf ac mewn penbleth, yn sgrechian yn wallgof, y pethau bach, wrth iddyn nhw geisio sgrialu i bob cyfeiriad, a cheisio mynd mor bell â phosib oddi wrth yr haearn ofnadwy. Ond yn hytrach, dyma nhw'n plymio i'r llawr, wedi'u dal yn y rhwydi, a gorwedd yno'n stryffaglu i anadlu, fel pysgod allan o ddŵr.

Roedd pob un ohonyn nhw wedi'u dal ar wahân i Cachgibwgan, un o'r ellyllon blewog, a oedd wedi cuddio ym mhoced Dôn cyn gynted ag y dechreuodd y chwalfa.

Llamodd y gwarchodwyr yn eu blaenau. Roedd Llŷr mor gaeth dan gadwyni tyn, dim ond ei ben oedd yn y golwg. Roedd y cathod eira a'r bleiddiaid wedi'u dal gan gadwyni hefyd.

'PANAS PIWIS!' rhuodd Llŷr, yn goch dan gynddaredd. A dyna sut y gwelodd Tarianrhod ef, wrth iddi gyrraedd clos y stabl ychydig yn ddiweddarach, a darganfod bwndel o gadwyni gyda phen bachgen o Ddewin yn ymwthio ohono, yn sgrechian sarhad ar ei byddin hi.

Brenhines
Tarianrhod

13. Cwestiynau'r Frenhines

Wrth i'r Frenhines Tarianrhod gyrraedd, ymgrymodd y Rhyfelwyr mor isel, roedd eu talcennau bron â bwrw'r llawr.

Roedd Tarianrhod yn ddigon i godi ofn ar unrhyw un.

Ond eto, roedd hi'n frenhines rymus, ac fel y dywedodd Dôn, efallai bod yn RHAID i freninesau grymus godi ofn ar bobl.

Roedd yna rai a oedd yn dweud na allai dynes reoli byddin o Ryfelwyr – ond roedden nhw'n dweud hynny'n ddistaw iawn, iawn rhag ofn i'r Frenhines Tarianrhod eu clywed nhw.

Anhygoel oedd y gair gorau i ddisgrifio'r Frenhines Tarianrhod – os oedd 'anhygoel' yn golygu prydferth.

Roedd ganddi wallt fel ffynnon ddŵr euraid, roedd hi mor fain â chleddyf, yn chwe throedfedd o daldra ac yn gyhyrau i gyd. Gwisgai ddillad gwyn ac roedd ganddi berl du'n hongian o'i chlust. Yn wir, roedd ganddi'r holl arfogaeth oedd ei hangen arni i fod yn frenhines y Rhyfelwyr, ac er mwyn hoelio sylw pawb wrth gamu i mewn i ystafell.

P'un ai oedd ei *chymeriad* hi'n 'anhygoel', wel, dyna gwestiwn hollol wahanol, a bydd rhaid i ni weld am hynny.

Siaradai'r Frenhines Tarianrhod yn dawel iawn, iawn, mewn llais mor fwyn â brathiad gwiber.

Doedd dim angen iddi siarad yn uchel, oherwydd roedd pawb yn pwyso ymlaen i wrando arni. Gellid bod wedi clywed sŵn pin yn disgyn yn y tawelwch dychrynllyd oedd yn ei dilyn hi fel y clogyn ar ei chefn.

Roedd hyd yn oed Llŷr wedi stopio melltithio am funud.

'Felly ...' meddai'r Frenhines Tarianrhod, yn ei llais addfwyn, tawel, mor bur â phibonwy. 'Ble mae'r Dewin sydd wedi 'neffro mor ddisymwth cyn iddi wawrio?'

Dan grynu, amneidiodd y Prif Warchodwr ar Llŷr, yr ellyllon a'r cathod eira â'i law.

'Ry'n ni wedi atal yr ymosodiad, Eich Mawrhydi,' meddai'r Prif Warchodwr.

'Ydych wir,' meddai'r Frenhines Tarianrhod, wrth geisio mesur yr ymosodiad gan Ddewin. 'Ond doedd o ddim yn ymosodiad mawr iawn, nac oedd, i gyfiawnhau dihuno brenhines cyn iddi wawrio? Roeddwn i'n meddwl bod gen i'r gwylwyr gorau yn y byd, ac felly mae'n peri mymryn o bryder i mi y gallai bachgen o Ddewin sleifio i mewn i 'nghaer heb i neb ei weld.'

'Y GWYLWYR FU'N GYFRIFOL AM GANIATÁU I'R YMOSODIAD GAN DDEWIN DDIGWYDD, CAMWCH YMLAEN!' rhuodd y

Prif Warchodwr.

Camodd y gwylwyr ymlaen yn ofnus.

'Dylai'r gwylwyr a oedd yn gyfrifol gael eu cloi yn Naeargell 308,' meddai'r Frenhines Tarianrhod. 'Ac rwy'n dy ddal di'n gyfrifol hefyd, Brif Warchodwr, felly fe gei di gloi dy hun i mewn hefyd, a phostio'r allweddi allan drwy'r bariau,' meddai'r Frenhines eto. 'Dydw i ddim yn goddef methiant yn y gaer yma.'

'Ar unwaith, eich Mawrhydi,' ymgrymodd y Prif Warchodwr, gan ymdeithio gyda'r gwylwyr oddi yno i'w cloi eu hunain yn Naeargell 308.

'Pwy ddaliodd y Dewin a'i gyfeillion Hudol yn y lle cyntaf?

'Eich merch,' meddai gwarchodwr arall, a phwyntio at Dôn.

Cododd y Frenhines Tarianrhod ael.

'Wir?' holodd. 'Am ... beth Rhyfelaidd i'w wneud, yn groes i'w chymeriad.' Yna meddai, 'Tynnwch y cadwyni oddi ar y carcharor.'

'Ond eich Mawrhydi, ydy hynny'n gall?' gofynnodd y Dirprwy Brif Warchodwr. 'Mae'n *Ddewin*, wedi'r cwbl ...'

Edrychodd y Frenhines Tarianrhod arno.

Aeth y Dirprwy ati i ddatod y cadwyni.

Camodd y Rhyfelwyr a dinasyddion y gaer yn ôl, gan ofni beth fyddai'r Dewin peryglus yn ei wneud nesaf.

Camodd y Frenhines Tarianrhod o amgylch Llŷr,

gan edrych arno fel pe bai'n fath prin o bryfyn roedd hi newydd ei weld am y tro cyntaf.

'Beth wyt ti, a beth wyt ti'n ei wneud yn fy nghaer i?'

'Llŷr ydw i, mab Seithwg, Brenin mawr y Swynwr,' meddai Llŷr yn llawn balchder. 'Ni sydd biau'r Coedwigoedd Gwyllt, NI'R DEWINIAID, nid *chi*, y gwladychwyr rheibus, di-Hud!'

Ochneidiodd y Frenhines Tarianrhod. 'O, y fath anwybodaeth sydd gan y Dewiniaid, druain,' meddai. 'Ry'n ni'n dod â gwareiddiad. Ry'n ni'n rhoi trefn ar bopeth ry'n ni'n ei gyffwrdd. Edrych arnon ni. Edrych ar ein harfau ni, ein dillad ni, ein tapestrïau ni, ein celfi ni. Ry'ch chi, y Dewiniaid, mewn cymhariaeth, fawr gwell nag anifeiliaid ...'

Roedd y gaer, yn wir, yn edrych yn wych, ac roedd y Frenhines Tarianrhod yn benderfynol o gadw'r lle fel pin mewn papur, felly roedd pob arf a chleddyf yn sgleinio fel swllt. Roedd hyd yn oed barfau'r pennau marw a oedd yn hongian yn y brif neuadd yn cael eu cribo bob dydd. Felly roedd y cyfan i gyd yn edrych yn sgleiniog ac, a dweud y gwir, roedd soffistigeiddrwydd arfau'r Rhyfelwyr a chrandrwydd eu dillad a'r gaer wedi gwneud cryn argraff ar Llŷr.

Oedodd am eiliad.

Rhybuddiodd Crawchog: 'Mae pethau Rhyfelwyr yn beryglus ... mae'n dy ddenu di ...'

'A pham wyt ti angen y teganau Rhyfelwyr yma?' sisialodd Afallach, 'Pam na allet ti ddawnsio dan y lleuad, a chanu alaw ar ffidil? Ydyn nhw werth un tamed o ryddid?'

'Yn hollol!' bloeddiodd Llŷr. 'Rydych chi Ryfelwyr wedi dod fan hyn, dwyn ein coedwig, ac un diwrnod pan fydda i'n hŷn ac yn arweinydd ar fy llwyth, dwi'n addo 'mod i'n mynd i LADD Y CWBL LOT OHONOCH CHI!'

Syllodd y Frenhines Tarianrhod arno'n graff. 'Wyt ti?' gofynnodd. 'Wee-ee-l ... mae hyn yn ddiddorol. *Gallen* i wneud yn siŵr nad wyt ti byth yn tyfu i fyny, yn gallaf? Neu falle byddai Seithwg yn fodlon talu i gael ei fab yn ôl ... neu gallwn i dy gadw di ar yr amod ei fod yn bihafio ...'

Edrychodd Llŷr ym myw llygad y Frenhines.

Ond doedd dim llawer yn codi ofn ar Llŷr.

'Dydw i erioed wedi gweld Brenhines erchyll mor llipraidd!' meddai Llŷr.

Gwingodd Tarianrhod.

Daliodd pob un o'i rhyfelwyr ei hanadl.

Culhaodd llygaid y Frenhines Tarianrhod nes eu bod fel dwy lechen finiog.

'*Beth* ddwedest ti?'

'Dinistrydd dieflig y goedwig!' bloeddiodd Llŷr. 'Boed i ti gael dy rwygo gan ddannedd Ysbadden nes dy fod yn llwch llai na chwannen ar gefn gwybedyn!'

'Bydd yn gwrtais, Llŷr!' meddai Crawchog yn ingol.

'Cythraul-ar-goesau â chlustiau fel coblyn a gwallt fel pen-ôl arth a thrwyn fel moronen geinciog – dyna wyt ti!'

Unwaith i Lŷr ddechrau melltithio, roedd wir wedi rhoi ei galon a'i enaid i mewn iddo. Roedd wedi bod yn ddiwrnod anodd, rhwng cael ei fychanu gan Rhaib a chael cerydd gan ei dad. Byrlymodd yr holl ofn a'r gynddaredd allan ohono'n un felltith hir, fanwl i gyfeiriad Tarianrhod, brenhines y Rhyfelwyr.

'O, Llŷr,' cwynodd Crawchog, a'i adenydd dros ei lygaid. 'Ti wedi gofyn amdani'r tro 'ma. Ti am gael dy ladd. O ddifri ...'

'Alli di felltithio cymaint ag y mynni di, Llŷr, fab Seithwg,' sibrydodd y Frenhines Tarianrhod, a'i cheg yn dynn fel saeth. 'Ond chei di 'mo dy ffordd. Beth wyt ti eisiau, gyda llaw?'

Cofiodd Llŷr ei neges yn sydyn.

Roedd o eisiau achub Pry-pi.

Stopiodd yng nghanol y melltithio, gan anadlu'n ddwfn.

'Dwi'n mynnu eich bod yn rhoi'r ysbryd sy'n fy llaw ar y Maen-Hir-Sy'n-Tynnu-Hud, cyn gynted â phosib!' meddai Llŷr.

Edrychodd Tarianrhod arno'n syn.

Roedd hi'n hen gyfarwydd â charcharorion yn erfyn ac yn gweddïo ac yn crefu ac yn pledio i beidio â mynd at y maen hir ofnadwy, gyda'u *plis, plis, plis, Frenhines Tarianrhod, wnawn ni beth bynnag y mynnwch chi, ond peidiwch â mynd â ni at y Maen-Hir-Sy'n-Tynnu-Hud.*

Doedd hi erioed wedi dod ar draws carcharor oedd yn mynnu cael ei arwain yno'n syth, a'i sarhau hi'r un pryd.

Efallai bod y Dewin yma'n llawn twyll.

Ond roedd Tarianrhod yn gyfarwydd â thwyll.

Roedd hi'n dwyllwr ei hunan.

'Ewch â fi at y maen hir,' mynnodd Llŷr, 'cyn gynted ag y gall eich Rhyfelwyr mawr twp symud yn y gwisgoedd gwirion yna. Mae hyn yn argyfwng!'

Ac fe estynnodd law i boced ei frest. Roedd ei ddwylo'n crynu wrth iddo ddadorchuddio Pry-pi.

O, roedd hyn yn ofnadwy. A'i galon yn gwegian, gwelodd Llŷr fod Pry-pi'n edrych yn waeth nag erioed. Roedd mor wyrdd ag emrallt, yn crynu drosto i gyd fel pe bai'n dioddef o'r ffliw, yn llewygu ac yna'n dod ato'i hun am yn ail, yn ddifywyd am funud, a stêm yn codi ohono'r funud nesaf. Am eiliad, agorodd

llygaid dryslyd y dylwythen dwp flewog ac edrych ar Llŷr fel bai newydd ddeffro. Cododd ei freichiau gwanllyd, crynedig ac ymbil ar Llŷr a'r Bobl Fawr eraill. 'Helpwch fi ...' sibrydodd Pry-pi. 'Helpwch fi ...'

Trodd Llŷr at y Frenhines Tarianrhod.

'Dwi eisiau achub fy ellyll ...' meddai Llŷr yn ddigalon.

Dychrynodd y Frenhines Tarianrhod o weld Pry-pi.

'Beth ddigwyddodd i dy ellyll di?' holodd yn ddifrifol.

'Syrthiodd Gwaed Gwrach arno,' atebodd Llŷr.

Arswydodd y milwyr a dinasyddion y Rhyfelwyr a chamu'n ôl hyd yn oed ymhellach oddi wrth y bachgen o Ddewin.

Allai'r Frenhines Tarianrhod ddim dangos unrhyw fraw o flaen y Rhyfelwyr. Ond gwelwodd ei bochau rhyw ychydig.

'*Gwrach*, ddywedaist ti?' holodd.

'Ond mae Gwrachod wedi mynd o'r byd ...' meddai'r Dirprwy Brif Warchodwr.

'Celwyddgi!' galwodd Rhyfelwr o'r dorf. 'Mae pob Dewin yn gelwyddgi!'

'Fe welais i'r Wrach â'm llygaid fy hun,' meddai Llŷr. 'Gwrach oedd hi'n bendant. Ac fe roddodd hwn i fi ...'

Daliodd Llŷr gledr ei law i fyny er mwyn dangos y staen gwyrdd ar ei chanol hi.

'Staen Gwrach!' bloeddiodd y dorf, a chamu'n ôl ymhellach fyth.

'Cachgwn!' cyfarthodd y Frenhines Tarianrhod. 'Yn ôl y chwedlau, dyw Gwaed Gwrach ddim ond yn beryglus o'i gymysg â'ch gwaed CHI! Dangos dy law di eto, fachgen!'

Dangosodd Llŷr ei law eto.

Syllodd y Frenhines Tarianrhod ar yr ôl gwyrdd. Edrychodd yn fanwl ar Pry-pi hefyd, a chymryd y bwndel bach yr oedd wedi'i lapio ynddo allan o ddwylo Llŷr, ac edrych arno o bob ongl.

Ac yna trodd at y dorf.

'Fel ro'n i'n ei amau,' meddai'r Frenhines Tarianrhod, wrth ddal yr ysbryd gwenwynig, druan, i fyny fel bod pawb yn gallu'i weld, cyn gweiddi'n ffyrnig, 'DYW GWRACHOD DDIM WEDI MYND O'R BYD AC MAEN NHW WEDI DYCHWELYD I'R GOEDWIG!'

Ciliodd y dorf mewn braw.

'AC ROEDD AMBELL UN YN DWEUD 'MOD I WEDI MYND DROS BEN LLESTRI!' llefodd Tarianrhod. 'Yn dweud fod angen cynyddu nifer ein gwylwyr, ac ychwanegu at nifer ein gwylwyr ar y tŵr.' Trodd at Llŷr, 'Rŵan rwy'n deall pam dy fod eisiau ymweld â'r Maen-Hir-Sy'n-Tynnu-Hud, Llŷr fab Seithwg. Mae hyn, fel yr wyt ti'n ei ddweud, yn argyfwng, oherwydd os nad ydy'r ellyll yn cyffwrdd â'r maen hir i waredu'r Hud Gwrach o fewn pedair awr ar hugain, fe fydd yn marw.'

Roedd Tarianrhod yn berson sylwgar, ac yn bendant fe sylwodd hi ar y dagrau yn llygaid Llŷr wrth iddi ddweud y geiriau rheini.

'Na,' sibrydodd Llŷr, 'na, rhaid iddo beidio â marw! Wneith e ddim! Rhaid iddo beidio! Wna i ddim gadael iddo! Paid â phoeni, Pry-pi, ymddirieda ynof i, wna i ddim gadael iddo ddigwydd ...'

Edrychodd Pry-pi, a oedd yn swatio a chrynu yn nwylo'r frenhines, i fyny at ei hwyneb llym, a chrio.

Ochneidiodd Tarianrhod mewn cydymdeimlad. 'Rhaid i frenhines y Rhyfelwyr fod yn drugarog yn ogystal â bod yn gryf,' meddai. 'Ac felly fe wna i fynd â ti a dy greadur at y maen hir, a dwi'n gobeithio'n fawr, er lles y ddau ohonoch chi, nad ydy hi'n rhy hwyr.'

Trosglwyddodd Tarianrhod y bwndel a oedd yn cynnwys Pry-pi i'w Dirprwy a ddaliodd ef hyd braich, gan grynu, am nad oedd eisiau cyffwrdd â Gwaed Gwrach.

'Ond cyn i fi fynd â chi yno,' meddai Tarianrhod, yn annwyl, 'mae gen i ambell gwestiwn i'w ofyn ...'

'O diar ...' sibrydodd Crawchog. 'Bydd yn ofalus, bydd yn ofalus iawn o gwestiynu'r frenhines, Llŷr ...'

'Soniaist di dy fod wedi gweld Gwrach wedi marw,' meddai'r Frenhines Tarianrhod. 'Mae hynny'n fy niddori'n fawr, oherwydd yn ôl y chwedl, mae'n anodd iawn lladd Gwrachod. Felly – pwy laddodd y Wrach? A chyda beth?'

Roedd yna dawelwch.

Tu ôl i'r Frenhines Tarianrhod roedd Dôn yn sefyll ac yn chwifio'i breichiau'n wyllt er mwyn ceisio dal sylw Llŷr. Roedd golwg boenus ar ei hwyneb.

Gallai Llŷr weld carn y Cleddyf Hud o dan ei chlogyn.

Ac roedd Dôn yn geirio rhywbeth gyda'i cheg, rhywbeth yn debyg i: 'Dwi ar dy ochr di ...'

Ond a oedd hi wir ar ei ochr o neu beidio? Doedd dim syniad gan Llŷr.

Ond yr eiliad honno, sylwodd Llŷr efallai nad oedd Dôn wedi dwyn y cleddyf am ei bod hi'n fradwr o Ryfelwr, ond er mwyn atal ei mam rhag cael gafael ar hwnnw hefyd.

'*Fi* laddodd y Wrach,' meddai Llŷr o'r diwedd. 'Gyda bwa a saeth.'

'Wir?' holodd y Frenhines Tarianrhod, gan godi ei hael. 'Oherwydd, trwy ryw gyd-ddigwyddiad rhyfedd, dim ond ddoe wnes i golli hen gleddyf enfawr o 'naeargell – un a oedd yn ddigon da i ladd Gwrach. Diflannodd, PWFF! fel yna ac ers hynny, mae fy Amddiffynwyr wedi bod yn chwilio ym mhob man amdano. Wyt ti'n gwybod unrhyw beth am y cleddyf yna, Llŷr fab Seithwg?

'Nac ydw,' meddai Llŷr.

'Cleddyf mawr, hynafol a'r geiriau "Un tro roedd yna Wrachod ... ond mi wnes i eu lladd nhw" wedi'u hysgrifennu ar y llafn?'

'Dwi erioed wedi gweld y fath gleddyf yn fy myw,' meddai Llŷr.

'Ac wyt ti'n gwybod ble mae'r cleddyf rŵan?' holodd Tarianrhod, yn anghrediniol.

'Na,' atebodd Llŷr. 'Sut alla i os nad ydw i wedi'i weld yn y lle cyntaf?'

'Celwydd!' meddai Tarianrhod, mor sydyn â gwiber.

'Dwi ddim yn dweud celwydd!' protestiodd Llŷr.

'Mae arna i ofn dy fod di,' meddai'r Frenhines Tarianrhod.

Wnes i ddweud bod y Frenhines Tarianrhod yn berson sylwgar.

Sylwodd ei llygaid siarp a chraff ar gornel rhywbeth yn un o bocedi Llŷr – potel hanner llawn o ddogn 'Swyn Cariad-at-Wirionedd'.

'Dwi'n gwybod dy fod yn dweud celwydd,' meddai'r Frenhines Tarianrhod, 'oherwydd mae gen ti un o feddyginiaethau rhyfedd y Dewin sy'n newid lliw pan mae rhywun yn malu awyr.'

Pwyntiodd at y botel, ac roedd yr hylif y tu mewn wedi troi'n lliw indigo tywyll, y porffor dwfn yna oedd yn dynodi bod y person a oedd yn ei gyffwrdd yn dweud celwydd.

Dom draig! meddyliodd Llŷr. *Mae hi gynddrwg â Dad ... Dyna'r ail dro heddiw i mi gael fy nal allan gan y dogn cariad bondigrybwyll. Rhaid i fi gofio peidio â chario un o'r poteli yna yn fy mhoced – dyw e ddim yn cŵl.*

Ond sut fyddai brenhines y Rhyfelwyr yn gwybod am ddogn 'Swyn Cariad-at-Wirionedd', a'r hyn roedd yn ei wneud?

'Dwi'n astudio 'ngelynion yn ofalus,' meddai'r Frenhines Tarianrhod, fel pe bai Llŷr wedi siarad yn uchel. 'Mae'n hynod o bwysig. Dwi'n gwybod llawer iawn amdanoch chi Ddewiniaid a'ch melltithio a'ch crochanau a'ch dognau drygionus, ac mae'r wybodaeth yn ddefnyddiol iawn.'

Pwysodd y Frenhines Tarianrhod ymlaen a thynnu'r botel 'Swyn Cariad-at-Wirionedd' o boced Llŷr, ei siglo, a gwylio'n ofalus wrth i'r hylif droi'n ôl i fod yn goch golau eto. 'Ac mae'r ffaith dy fod yn dweud CELWYDD yn dweud wrtha i dy *fod* ti wedi gweld fy nghleddyf. *Rwyt* ti'n gwybod lle mae o, a thaset ti eisiau, byddet ti'n dweud wrtha i ble mae o rŵan ... Archwiliwch y Dewin!'

Yn gyndyn iawn, archwiliodd gwarchodwyr y Rhyfelwyr Llŷr, er nad oedden nhw eisiau mynd yn agos at Ddewin â oedd â staen Gwrach arno, ond roedd un peth yn fwy brawychus na Gwaed Gwrach, a'r Frenhines Tarianrhod oedd hynny.

Daeth pob math o bethau difyr o bocedi Llŷr. Melltithion a swyngyfareddion a dognau Hud a pherlysiau amrywiol.

Ond dim cleddyf.

'Hmm ...' meddai'r Frenhines Tarianrhod. 'Sgwn i beth wyt ti wedi'i wneud â'r cleddyf? Ble mae fy nghleddyf i, Llŷr, fab Seithwg?'

'Dwi'n gwrthod ateb,' mynnodd Llŷr, a phlethu'i freichiau.

'O'r gorau,' meddai'r Frenhines Tarianrhod, yn dawel, 'fe wna i ddod i gytundeb â thi. Ro'n i WEDI meddwl dy ddal di yma. Ro'n i'n MYND i anfon neges at dy dad yn dweud os ydy o byth eisiau gweld ei fab bach drewllyd yn fyw eto, y byddai'n rhaid iddo'i gynnig ei hun yn garcharor yn dy le di. Byddai tynnu'r Hud oddi ar ar Seithwg y Swynwr yn dipyn o ergyd i'r Dewiniaid a byddai'n anodd iawn iddyn nhw oroesi hynny.'

Gwingodd Llŷr mewn arswyd.

'Ond ...' synfyfyriodd y Frenhines Tarianrhod, 'os ydy'r Gwrachod wedi dychwelyd i'r goedwig unwaith eto, bydd wir angen y cleddyf lladd Gwrachod yna arna i. Felly, dwi am fod yn rhesymol iawn. Os wnei *di* roi'r cleddyf yn ôl i fi, fe wna *i* fynd â ti a dy ellyll at y Maen-Hir-Sy'n-Tynnu-Hud, ac yna fe wna i dy ryddhau di a dy ellyll a dy anifeiliaid. Nawr, sut mae hynny'n swnio?'

'Ydych chi'n addo?' gofynnodd Llŷr.

'Wrth gwrs 'mod i'n addo!' cyfarthodd y Frenhines Tarianrhod. 'Wyt ti'n amau addewid gan y Frenhines?'

Roedd yn gynnig deniadol.

Ystyriodd Llŷr y peth yn ddwys.

Roedd yn teimlo fel pe bai mewn trap. Fyddai

fyth yn gallu goresgyn cymaint o Ryfelwyr, ac o leiaf byddai Pry-pi'n gwella a ...

... ac yna fe welodd wyneb Dôn eto.

Roedd Dôn yn amneidio â'i phen tuag at y botel 'Swyn Cariad-at-Wirionedd' a oedd yn llaw Frenhines Tarianrhod.

Roedd yr hylif mor dywyll roedd bron iawn yn ddu.

'Celwydd!' bloeddiodd Llŷr, a phwyntio at y botel 'Swyn Cariad-at-Wirionedd'. 'Celwydd, ac rwy'n gwrthod eich cynnig!'

Edrychodd y Frenhines Tarianrhod i lawr ar y botel. 'O diar, *diar*,' meddai gan chwerthin, 'dyna esgeulus! Ac rwyt ti'n fachgen bach drewllyd clyfar, Llŷr, fab Seithwg. Dwi'n hoffi gelyn deallus; mae'n fy nghadw i'n effro. Rwyt ti'n llygad dy le, dwi yn dweud celwydd,' cyfaddefodd. 'Ar ôl i fi fynd â ti at y Maen-Hir-Sy'n-Tynnu-Hud, dwi'n bwriadu dy ddal di er mwyn cael gafael ar dy dad, beth bynnag wyt ti'n dewis ei wneud.'

Roedd Dôn mewn cymaint o arswyd allai hi ddim peidio â thorri ar ei draws. 'Ond ... Rheol rhif 13! Ddylai Rhyfelwr fyth dweud celwydd!'

Edrychodd y Frenhines Tarianrhod ar Dôn fel pe bai hi'n wlithen.

'Newid i Reol 13: Gall brenhines dorri'r rheolau,' meddai'r Frenhines Tarianrhod, 'er mwyn diogelu ei theyrnas.'

Yna, meddyliodd Dôn, *beth yw'r pwynt cael rheolau yn y lle cyntaf?*

Ond fe gadwodd hi hynny i'w hunan.

Rhoddodd y Frenhines Tarianrhod y dogn 'Swyn Cariad-at-Wirionedd' yn ôl ym mhoced Llŷr.

'Rwyt ti'n fachgen hynod anufudd, ac yn amlwg dwyt ti ddim wedi dy ddisgyblu'n ddigonol,' meddai'r Frenhines Tarianrhod. 'Ond rwy'n meddwl y gweli di 'mod i'n gadarn iawn. Rhaid i ti ddysgu gwers, Llŷr, fab Seithwg, a dyna pam y cafodd carchardai eu creu ...'

Ochneidiodd Llŷr.

Pam oedd pawb eisiau dysgu gwers iddo? Brygawth, ei dad, Crawchog, a nawr y frenhines afiach hon.

Roedd yn tynnu'r stwffin allan ohono.

'Fe wna i dy gloi di yn fy ngharchar,' meddai'r Frenhines Tarianrhod. 'A wna i ddim mynd â ti a

dy ellyll at y Maen Hir,' aeth yn ei blaen mewn llais caled, 'NES i ti ddweud wrtha i'n union ble mae'r cleddyf. Rho'r ellyll yn ôl i'r bachgen!'

Gyda rhyddhad, gosododd y Dirprwy Pry-pi yn ôl yn nwylo Llŷr.

'Os na ddywedi di wrtha i ble mae'r cleddyf, bydd yn rhaid i ti wylio dy ellyll yn marw o flaen dy lygaid di,' meddai'r Frenhines Tarianrhod. 'Cyn gynted ag y gwnei di ddweud wrtha i, fe af i â ti a dy ellyll at y Maen Hir. Ac yna fe wna i dy ddal di yno, a bydd dy dad, os ydy o'n ddigon gwan i garu bachgen mor haerllug ac anufudd â thi, yn dod yma i dy achub di, ac fe wna i waredu Hud Seithwg hefyd.'

Gwenodd ar Llŷr. Roedd hi'n wên hyfryd, ddanheddog. Pryd bynnag yr oedd hi'n gwenu ar Dôn, a oedd yn bur anaml, byddai byd cyfan Dôn yn llenwi â heulwen. Ond doedd Llŷr ddim yn gwerthfawrogi'r wên.

'Rwyt ti a dy dad a dy ellyll i gyd yn mynd i golli'ch Hud, beth bynnag sy'n digwydd,' meddai'r Frenhines Tarianrhod, mewn llais mor feddal fwyn â saeth wedi'i gwenwyno. 'Ond os wnei di ddweud wrtha i ble mae'r cleddyf, gelli di o leiaf achub bywyd dy ellyll. Ac rwyt ti'n caru dy ellyll, yn dwyt ti? Mae cariad yn wendid. Felly rwy'n gwybod y gwnei di'r dewis iawn.'

Roedd Llŷr wedi'i ddal. Beth allai ei wneud? Roedd pethau hyd yn oed yn waeth arno. Gallai

Pry-pi farw, a bai Llŷr fyddai'r cyfan. Gallai ei dad golli'i Hud, a bai Llŷr fyddai'r cyfan.

'BRENHINES DRYGIONI! CALON O REW! CACHGI O ARWEINYDD HAEARNAIDD Â WYNEB FEL PEN-ÔL CANTHRIG BWT Y GAWRES!' bloeddiodd Llŷr, mewn cynddaredd ac ofn.

Gwridodd y Frenhines Tarianrhod a daeth golwg ddiamynedd drosti. Doedd dim llawer yn ei bwrw hi oddi ar ei hechel; gallai gymryd bygythiadau, twyll, a hyd yn oed drais gyda phinsied o halen. Ond doedd neb wedi mentro siarad â hi â'r fath amarch, fel y gwnaeth Llŷr, o'r blaen.

Yn gyfrinachol, roedd y Rhyfelwyr yn parchu dewrder y Dewin bach yma, a oedd yn gyfan gwbl ar drugaredd y rheolwr mwyaf didostur yn y goedwig. Ond roedd e'n dal i daflu sarhad ati, heb ddal dim yn ôl.

'Ewch â'r Dewin bach anfoesgar yma a'i ellyllon a'i anifeiliaid i gell rhif 445!' cyfarthodd y Frenhines Tarianrhod.

Roedd Llŷr yn gwisgo gwên ddewr a blin, ond y tu mewn roedd e'n teimlo'n hollol anobeithiol.

Cwffiodd yn eu herbyn am ychydig, ond roedd gormod ohonyn nhw, a llusgodd y gwarchodwyr Llŷr a'r cathod eira a'r ellyllon i ffwrdd, wrth i Lŷr barhau i felltithio'r Frenhines Tarianrhod ar dop ei lais:

'CHI'N FEDDALACH NA CHWNINGEN! YN WANNACH NA DŴR! YN FWY FFLWFFLYD NA'R BABI LLYGODEN FWYAF FFLWFFLYD, A GALLAI MAM-GU EICH LLORIO CHI GYDAG UN LLAW TU ÔL I'W CHEFN!'

'Dydw i erioed wedi gweld Brenhines erchyll mor llipraidd!'

14. Siomi'r Frenhines Tarianrhod Unwaith Eto Gan Ei Merch

Gwyliodd y Frenhines Tarianrhod Llŷr yn cael ei lusgo i ffwrdd, a'i daflu i dywyllwch y daeargelloedd.

'Am fachgen haerllug,' twt-twtiodd hi. 'Ydy'n ormod i ddisgwyl y byddai Seithwg y Swynwr Mawreddog yn magu mab ychydig yn fwy cwrtais?'

Edrychodd ar ei merch.

'Dwi'n mawr obeithio pe baet TI'N cael dy gipio gan y gelyn, Dôn,' meddai'r Frenhines Tarianrhod, 'y byddet ti'n cadw dy urddas ac yn aros yn gwrtais ac yn foesgar. Yn enwedig os ydyn nhw'n bygwth dy ladd di. Dydy bod yn ddigywilydd ddim yn mynd i newid eu meddwl nhw.'

Roedd Dôn mewn cymaint o benbleth doedd hi ddim yn gwybod beth i'w feddwl na theimlo. Ar un llaw, roedd hi'n pryderu'n ofnadwy am Pry-pi, ac ar y llaw arall, wrth gwrs na fyddai ei mam wych, ysblennydd, glyfar ddim yn gwneud rhywbeth oedd yn anghywir ...

A fyddai hi?

Does bosib bod ei mam yn mynd i adael i Pry-pi *farw*?

'Dwyt ti ddim yn mynd i adael i ellyll Llŷr gael ei frifo, Mam?' holodd Dôn. 'Ti'n mynd i fynd â nhw at y maen cyn bo hir, fel ei fod o'n gallu cael iachâd, yn dwyt ti?'

'Dyw hynny'n ddim o dy fusnes di,' cyfarthodd y Frenhines Tarianrhod.

'Ond dim bai'r ysbryd ydy ei fod wedi cael Gwaed Gwrach drosto'i hun ... roedd mor ofnus, druan bach,' protestiodd Dôn.

'Mae ellyllon a Dewiniaid yn Hudol ac mae Hud yn ddrwg, felly does dim ots os oedd yr ysbryd yn ofnus, a ddylet ti ddim poeni am eu ffawd nhw beth bynnag,' meddai'r Frenhines Tarianrhod yn ddiamynedd. 'Pam wyt ti'n teimlo trueni dros y gelyn a pham wyt ti'n meiddio cwestiynu fy mhenderfyniadau? Rhaid i mi wneud yr hyn sydd orau i ni, a neb arall.'

Neidiodd Dôn yn euog o un goes i'r llall. Culhaodd llygaid y Frenhines Tarianrhod wrth iddi ddechrau drwgdybio'i merch. Pam oedd Dôn fach wirion yn edrych mor euog? Oedd hi'n cuddio rhywbeth? Oedd yna ryw ochr i gymeriad ei merch anobeithiol nad oedd hi wedi sylwi arno?

'Dywedodd y gwarchodwyr mai ti ddaliodd y Dewin bach haerllug, Dôn,' meddai'r Frenhines Tarianrhod. *'Ti???'*

Roedd y Frenhines yn gwneud pob ymdrech i siarad yn rhesymol o glên gyda'i merch ofnadwy o anobeithiol, ond roedd rhywbeth yn y ffordd y dywedodd hi'r gair 'Dôn' wastad yn awgrymu anfodlonrwydd, fel pe bai'r gair yn atgoffa'r frenhines ei bod hi'n dymuno y byddai Dôn yn berson hollol wahanol i'r hyn oedd hi.

Ac roedd hi hefyd.

Oherwydd roedd Dôn yn destun siom fawr i'r Frenhines Tarianrhod. Roedd y frenhines wedi gobeithio am ferch a oedd yn dal ac yn euraid fel hi ei hun, nid creadur bach blêr a rhyfedd â gwallt gwyllt, patshyn llygad a chamau cloff.

'Felly, Dôn, wnest ti ymladd yn erbyn y Dewin ifanc yma a'i anifeiliaid a'i ellyllon a'u goresgyn gyda dy sgiliau Rhyfelwr arbennig?' holodd ei mam yn amheus.

Byddai Dôn, wrth edrych i fyny'n gariadus ar wyneb euraid ei mam, wrth ei bodd pe bai modd iddi allu dweud mai dyna oedd wedi digwydd. Mor hyfryd fyddai gweld edmygedd, parch, a chariad ar ei hwyneb yn hytrach na siom a dicter!

Ond fyddai ei mam glyfar fyth yn ei chredu hi. Ac roedd yna beryg y byddai

Roedd Dôn yn siom
anferth i'r Frenhines
Tarianrhod.

hi'n dechrau amau popeth ac yn ymchwilio ymhellach ac yna, efallai y byddai'n darganfod y cleddyf ac yna byddai hi ar ben ar Llŷr ...

'Wel, na, Mam,' cyfaddefodd Dôn. 'Fe glywais i sŵn, a gweld mai Dewin oedd yno. Ro'n i'n mynd i geisio ymladd yn ei erbyn ond yna es i ar fy wyneb ar lawr a gweiddi am help.'

Pylodd y ddrwgdybiaeth o lygaid Frenhines Tarianrhod gan adael anfodlonrwydd yn unig. *Roedd hynna*'n hollol gredadwy.

'Fydden i ddim yn galw hynna'n "ddal" y Dewin, fyddet ti?' cyfarthodd y Frenhines Tarianrhod. 'Disgyn ar dy wyneb a gweiddi am help! Dyw *disgyn* ddim yn un o sgiliau brwydro'r Rhyfelwyr, Dôn ...'

Edrychodd y Frenhines Tarianrhod ar batshyn llygad Dôn a'i choes gam fel pe bai wedi colli defnydd o'r ddau ran yma o'r corff yn fwriadol, o ganlyniad i ddiffyg trefn ar ei rhan.

'Pam na elli di fod yn debycach i dy chwiorydd?'

Cnodd Dôn ei gwefus er mwyn ei hatal ei hun rhag crio. Roedd crio'n un o'r pethau eraill yna roedd y Frenhines Tarianrhod yn eu hystyried yn wendid.

'*Allet* ti ddewis dilyn esiampl dy chwaer, Cleddwen, er enghraifft,' aeth Tarianrhod yn ei blaen. 'Fe greodd hi garped o farfau corachod ar ôl eu saethu o bell. Dydw i ddim yn goddef trais diangen, wrth gwrs, ond mae anturiaethau o'r fath yn rhan annatod o dyfu'n Rhyfelwr. Pan oeddwn i dy oed di roeddwn i wedi dymchwel fy nghawr cyntaf ar fy mhen fy hun bach.

Ond rwyt ti wedi penderfynu'n fwriadol, heb unrhyw esboniad, fynd i gyfeiriad hollol wahanol. Pam ar y ddaear wyt ti'n meddwl ei fod yn syniad da edrych mor igam-ogam ... mor rhyfedd ...'

Roedd siom Tarianrhod yn gwasgu ar Dôn i'r fath raddau nes ei bod hi'n gwywo, fel pe bai bysedd wedi'u gwneud o blwm.

Bydd drugarog ... meddyliodd Tarianrhod, wrth i Dôn wywo o'i blaen hi. *Does gan y plentyn ddim HELP ei bod hi'n edrych fel brigyn bach rhyfedd y mae rhywun wedi sathru arno, am wn i. Does ganddi ddim HELP ei bod hi'n gorweddian o gwmpas y lle fel cwningen gysglyd. Dylai brenhines fod yn HYNAWS yn ogystal â bod yn ddifrifol ac anllygredig ... Dylai brenhines fod yn FADDEUGAR yn ogystal â bod yn ystyfnig o gadarn ...*

Gyda chryn ymdrech, ceisiod Tarianrhod reoli ei siom.

'Wel,' meddai'r frenhines drwy'i dannedd, 'mi wnest ti dy orau, am wn i, er cynddrwg oedd y gorau hwnnw. Sut mae dy gur pen di, gyda llaw, gan ein bod ni'n trafod gwendid corfforol a meddyliol?'

'Fy nghur pen i?' holodd Dôn yn ddryslyd, cyn cofio'n sydyn ei bod hi wedi dweud wrth ei mam ei bod hi'n mynd i'w gwely'n gynnar oherwydd cur pen fel ei bod hi'n gallu sleifio allan ar ôl y llwy. 'O, ymm, mae'r cur pen dipyn gwell, Mam, diolch.'

'A sut wyt ti'n dod ymlaen gyda dysgu sut mae bod yn Rhyfelwr?' holodd ei Mam.

'Mae'n reit anodd, Mam ...'

Ochneidiodd Tarianrhod.

'Mae Madam Arteithglwyd yn dweud bod dy sillafu di'n arbennig o wael – mae iaith a gramadeg cywir yn arwydd o ba mor uchel a gwaraidd ydym ni'r Rhyfelwyr, wyddost ti, Dôn.'

'Dwi'n gwybod, ond y peth yw, gyda'r sillafu, dyw'r llythrennau ddim yn aros yn llonydd,' eglurodd Dôn. 'Maen nhw'n crwydro o gwmpas yn fy mhen, a dwi'n anghofio ym mha drefn roedden nhw i fod yn y lle cyntaf. Mae yna rai pobl,' awgrymodd Dôn yn ddewr, 'sy'n meddwl nad yw sillafu falle'r un mor bwysig â'r hyn ry'ch chi'n ceisio'i sillafu ...'

'Wel, mae'r bobl yna'n WALLGO,' meddai'r Frenhines Tarianrhod. 'Bydd yn rhaid i ti drio'n galetach, yn bydd? Gan ddechrau gyda sut olwg sydd arnat ti ...'

Roedd Dôn yn edrych hyd yn oed yn fwy anniben nag arfer. Roedd ei chlogyn tu chwith allan, ei dillad wedi rhwygo, brigau dros y lle i gyd, a'i gwallt mewn clymau cynddeiriog wedi i Pry-pi nythu ynddo'n gynharach.

'Dylai hyd yn oed is-Ryfelwr fel ti edrych yn dda, Dôn,' meddai'r Frenhines Tarianrhod. 'Pob blewyn yn ei le. Pob arf wedi'i hogi. Pob ewyn bys yn sgleinio. Cofia di hynny.'

Ac wrth i'r Frenhines Tarianrhod symud oddi wrthi yn un siffrwd o sgertiau gwynion hir, urddasol, datglymodd cwlwm a oedd yn dal allwedd haearn fechan wrth ei gwregys, a disgynnodd yr allwedd i'r llawr.

Roedd hi'n allwedd fechan iawn, iawn, felly wrth iddi ddisgyn ar y llawr caregog doedd fawr ddim sŵn, a chlywodd y frenhines ddim smic. Diflannodd rownd y gornel, heb sylweddoli ei bod hi wedi'i cholli.

Ting!

Clywodd Dôn y sŵn.

Cododd yr allwedd ac edrych arni.

Agorodd ei cheg i ddweud, 'Mam, rwyt ti wedi gollwng dy allwedd!'

Yna, caeodd ei cheg.

Roedd yr allwedd yn fach, yn ddu ac yn oer.

Aeth ias i lawr cefn Dôn wrth iddi sylwi bod yr allwedd nid yn unig yn agor pob ystafell yng nghaer y Rhyfelwyr, ond hefyd *daeargelloedd* ei mam.

Dyna ryfedd bod y Frenhines Tarianrhod wedi'i cholli hi, yr union eiliad honno.

Ai syrthio wnaeth yr allwedd, neu neidio?

Os wyt ti'n berson dychmygus, efallai y byddet ti'n dadlau bod yr allwedd, rywsut, yn *chwilio* am Dôn, ac am iddi ei defnyddio.

Ond dydyn ni ddim yn bobl ddychmygus, wrth gwrs. Byddai'r fath beth yn chwerthinllyd!

Dyma'r allwedd i

ddaeargelloedd

ei mam.

15. Torri i Mewn i Ddaeargell y Frenhines Tarianrhod

Gobeithiai Dôn a Cai a Cachgibwgan allu sleifio i lawr i ddaeargelloedd Tarianrhod yn ystod y dydd, ond roedd hynny'n amhosib. Roedd yna ormod o bobl o gwmpas.

'Bydd yn rhaid i ni aros nes bod pawb yn mynd i'r gwely,' meddai Dôn. 'Ond sut ydyn ni am fynd heibio'r gwylwyr sy'n gwarchod y fynedfa i ddaeargelloedd Mam?'

'Fi gan swyngyfaredd cysgu grêt, gad fi cysgu pawb!' gwichiodd Cachgibwgan.

'Wneith dy swyngyfareddion di ddim gweithio fan hyn, mae arna i ofn, Cachgibwgan,' meddai Dôn.

Edrychai Cai'n euog. 'Dwi'n dal yn meddwl bod hyn yn syniad ofnadwy,' meddai. 'Ond rhag ofn eich bod chi eisiau bwrw ymlaen â'r cynllun, mi wnes i roi dracht cysgu bach yng nghawl baedd gwyllt y gwyliwr pan ro'n i'n gweini swper. Nid pobl Hudol yn unig sy'n gwybod rhywbeth am berlysiau ...'

'O, Cai, DIOLCH!' meddai Dôn, gan wenu.

'Paid â diolch i fi,' meddai Cai. 'Byddai Dad yn siomedig ofnadwy. Ond roedd gen i gymaint o drueni wrth feddwl am Pry-pi, druan. Ddylwn i allu anwybyddu 'nheimladau a dilyn y drefn ... Dwi ddim yn gwybod beth ddaeth drosta i.'

Felly yn hwyr y noson honno, cripiodd Dôn a Cai i lawr at y drws mawr a oedd yn fynedfa i ddaeargelloedd Frenhines Tarianrhod.

Roedd y gwyliwr a oedd fod i'w warchod yn cysgu'n sownd, felly dyma nhw'n sleifio ar flaenau bysedd eu traed heibio iddo, datgloi'r drws ag allwedd Tarianrhod, a llithro heibio, mor dawel â chysgodion clustogau, a chau'r drws y tu ôl iddyn nhw.

Wrth i'r drws gau, daeth pwl o banig dros Cai.

Tueddai daeargelloedd Tarianrhod i gael yr effaith yna ar bobl.

'Aros di fan hyn, Cachgibwgan,' meddai Dôn, 'fel dy fod ti'n gallu dod i'n rhybuddio ni os daw Mam neu unrhyw un arall ar ein holau ni.'

'Iei!' gwichiodd Cachgibwgan. Roedd y dylwythen ddwl flewog leiaf wastad yn falch o gael swyddogaeth. Ac roedd hi'n falch iawn nad oedd yn rhaid iddi fynd dim pellach.

Oherwydd yng nghanol yr ystafell lle roedden nhw'n sefyll roedd gwir fynedfa'r daeargelloedd – twll mawr, ac yn hongian uwch ei ben roedd llwyfan bren a oedd yn codi a gostwng.

Syllodd Cai i grombil y pwll. 'Bydd yn rhaid i ni fynd lawr fan'na, yn bydd?' holodd, gan obeithio'n fawr y byddai Dôn yn dweud 'Na'.

'Bydd,' meddai Dôn, wrth ddringo i fyny at y llwyfan.

'Twdl-w ...' sibrydodd Cachgibwgan. 'Lwc dda i

pawb ... hyyyfryd nabod ... Pobl Mawr caredig, llai dreeewllyd na'r rhaaan fwyaf ...'

'Diolch,' meddai Cai. Dan grynu, dringodd ar y llwyfan bren wrth i Dôn ddatgymalu'r rhaff, a'i rhyddhau'n raddol, ac ...

I LAWR ...

I LAWR ...

I LAWR ...

â nhw. Roedd y tymheredd, fel calon Cai, yn plymio wrth i'r llwyfan suddo'n is, ac yn ddyfnach i'r celloedd dan y ddaear.

Roedd calon Dôn yn suddo hefyd, oherwydd roedd mynd i lawr fan hyn nid yn unig yn teimlo fel ei bod hi'n bradychu ei mam, ond hefyd fel ei bod yn tresbasu ar dir na ddylai fentro arno.

Yma roedd Tarianrhod yn cadw'i holl gyfrinachau ...

Oherwydd ...

Roedd yn rhaid i frenhines gael cyfrinachau ...

Roedd holl gyfrinachau Tarianrhod wedi'u cuddio dan y ddaear.

Gwyddai Dôn hynny, ac roedd hi'n gwybod hefyd nad oedd hi wir, wir eisiau darganfod beth oedd y cyfrinachau hynny.

Ond doedd ganddi ddim dewis.

I LAWR ...

I LAWR ...

I LAWR ...

Pan ddaeth y llwyfan i stop, oedd yn teimlo fel rhai oriau'n ddiweddarach, roedden nhw ym myd canol nos cyfrinachol carcharorion y Frenhines Tarianrhod, wedi'u claddu dan ryw gan metr o gerrig a phridd, yn ddwfn o dan gaer y Rhyfelwyr.

Camodd Dôn a Cai i ffwrdd o'r llwyfan tua

chanol ystafell oeraidd, lwm. Doedd dim i'w glywed ond sŵn drip dripian cyson dŵr o'r nenfwd a dim i'w weld heblaw am un ffagl yr oedd ei fflamau bron â diffodd.

Doedd dim llai na saith coridor yn arwain i bob cyfeiriad o'r ystafell.

Roedd daeargelloedd Tarianrhod ar safle a fyddai, yn yr hen amser, wedi bod yn bwll glo. Felly, nid yn unig roedd yma ysbrydion carcharorion o blith y Dewiniaid, ellyllon, cewri, a chorachod, ond hefyd ysbrydion glowyr y gorffennol. Trawsnewidiodd y pwll glo i fod yn garchar, ac roedd y daeargelloedd bellach yn ddrysfa a oedd yn ymestyn i bob cyfeiriad fel gwe pryf cop anferth, gyda choridorau'n troelli ac yn croesi ar draws ei gilydd, mor gymhleth a chamarweiniol â meddwl y Frenhines Tarianrhod ei hun.

Tu hwnt i'r coridorau yma roedd ystafelloedd bach diddiwedd, rhai ohonyn nhw'n cynnwys carcharorion, rhai'n cynnwys ... pethau eraill ... ond sut allai Cai a Dôn wybod pa ffordd i fynd?

'Beth yw'r SŴN yna?' sibrydodd Cai.

Wrth iddyn nhw arfer â'r tawelwch, sylweddolodd Dôn a Cai fod daeargell y Frenhines Tarianrhod yn llawn sŵn.

A'r sŵn hwnnw'n gerddoriaeth a oedd yn llawn anobaith ond yn brydferth yr un pryd, gan ddangos y gallai hiraeth a gofid fod yn hardd.

Doedd y carcharorion a oedd yma dan y ddaear ddim yn gallu gwneud Hud bellach. Doedden nhw ddim yn gallu gwneud unrhyw un o'u swyngyfareddion. Allai'r ellyllon ddim hedfan, ac roedd y cewri yn aaa-raf grebachu. Oherwydd i mewn yn un o'r celloedd cyfrinachol, yn yr ystafell isaf, ddyfnaf o'r cyfan, roedd y Maen-Sy'n-Tynnu'r-Hud, ac roedden nhw i gyd wedi bod yno, wedi cyffwrdd â'r maen hir, a cholli'r Hud a oedd yn gymaint rhan o'u hunaniaeth.

Roedden nhw wedyn yn cael eu harwain yn ôl i'w celloedd a'u caethiwo yno, nes iddyn nhw ddod yn gyfarwydd â bywyd heb eu Hud.

Doedd neb wedi dod yn gyfarwydd â cholli rhan mor bwysig ohonyn nhw eu hunain eto, ac felly roedd y di-Hud a oedd yn byw yno'n llenwi'r daeargelloedd â sŵn – sŵn lleddf, sŵn blin, sŵn difaru, sŵn curiadau traed ysbaddennod yn llusgo'u cadwyni'n gylchoedd trist, sŵn udo'r bleidd-ddynion, a chaneuon yr ellyllon, a oedd yn canu mewn lleisiau uchel, iasol am y dyddiau disglair a fu.

Dyna'r cyfan roedden nhw'n gallu'i wneud erbyn hyn. Roedden nhw wedi colli eu hadenydd, eu Hud, a'u gobaith. Roedden nhw wedi colli eu golwg, eu golau, oherwydd pan oedd Hud ellyllon yn diflannu, roedd eu lliwiau'n pylu, a'r golau mewnol a oedd unwaith mor ddisglair yn diffodd.

Ond roedden nhw'n dal i allu gwneud sŵn.

Roedden nhw'n cael llwyau haearn, a phlatiau haearn i fwyta oddi arnyn nhw, ac roedden nhw'n cydio yn yr haearn â'u dyrnau neu bawennau di-Hud. Roedden nhw'n gallu mynegi eu hanobaith a'u hiraeth drwy un curiad a atseiniai drwy'r daeargelloedd fel cân leddf am hen gariad a gollwyd.

Pan aeth Dôn a Cai i mewn i'r daeargelloedd, fe glywon nhw gân gan ellyll o'r enw'r Ellyll di-Hud a oedd yn sefyll ar ysgwyddau Dolur y cawr. Roedd yntau wedi'i gloi yn un o gelloedd Tarianrhod. Roedd Dôn yn iawn. Daliwyd Dolur, yn wir, gan Ryfelwyr y Frenhines Tarianrhod pan oedd Llŷr wedi'i adael ar ôl yn llannerch y goedwig.

A dyma lle roedd Dolur y cawr nawr, wedi'i guddio rhywle yn naeargelloedd y Frenhines Tarianrhod, ei lygaid ar gau, yn meddwl yn ddwys a oedd unrhyw obaith y byddai Llŷr yn dod i'w achub.

Yn y cyfamser, ar ei ysgwyddau, roedd yr Ellyll di-Hud yn canu am ryw ddiwrnod braf o haf pan oedd wedi hedfan i fyny fry a chysgu ar adain gwennol, gan adael i siffrwd yr awel ei suo i gysgu – a'r peth olaf iddo'i weld cyn cysgu oedd ynysoedd Prydain yn lledaenu oddi tano, a'r goedwig fawr yn ymestyn o fôr i fôr.

Ac fe ganodd y gân mor hyfryd nes peri i holl

garcharorion yr ystafell yna dan ddaear feddwl eu bod nhw'n gallu gweld yr un olygfa, ac ymuno yng 'Nghân yr Hud Coll', a churo eu llwyau haearn ar eu platiau haearn i guriad calon y cawr, fel pe baen nhw yn yr awyr, yn hytrach na'u bod wedi'u claddu yn y dyfnderoedd mawr, yn angof i bawb a phopeth, yn gaeth am byth. Pry-pi druan. Ai dyma fyddai ei ffawd yntau hefyd?

Unwaith i ti glywed 'Cân yr Hud Coll', wnei di fyth ei hanghofio.

Roedd dryswch yr emosiynau yn y gân honno – yr anobaith, y gobaith, y difaru – a'r ffordd roedden nhw'n adleisio i lawr y coridorau yn ailadrodd ac yn adlewyrchu a thasgu oddi ar y waliau, gan greu drysfa o sŵn a theimladau a oedd yr un mor llethol â'r ddrysfa go iawn.

'Ydyn ni wedi gwneud y peth iawn? Ydyn ni wedi gwneud y peth anghywir?' oedd cân y caneuon. 'Ond ydyn ni wedi colli? Oedd gyda ni ddewis?' Ac roedd y gân yma'n cydblethu â chaneuon eraill am harddwch y Coedwigoedd Gwyllt am hanner nos – y coedwigoedd tywyll rheini lle na allai unrhyw lygaid ond rhai Hudol weld drwy'r tywyllwch. Dyma'r coedwigoedd lle mai'r unig olau sy'n disgleirio'r ariannaidd yw'r barrug ar y madarch Hudol sy'n tyfu wrth fonion y coed, a siffrwd goleuni pwl yr ellyllon wrth iddyn nhw droelli ymysg y brigau.

A doedd dim sicrwydd pa rai oedd caneuon y bobl fyw go iawn, a pha rai oedd caneuon ysbrydion meirw'r bobl Hudol a gafodd eu carcharu yn y tyllau yma amser maith yn ôl. Roedd eu lleisiau nhw wedi'u rhewi yn y waliau, i'w rhyddhau oddi yno gan hyrddiad sain o'r presennol, fel pe bai'r ellyllon a'r corachod a'r coblynnod a'r glowyr bychain marw'n dal i fod yna, yn crafu'r synau o'r waliau gyda'u bwyelli Hudol, ac yn rhyddhau'r caneuon fel eu bod nhw'n fyw eto yng nghlustiau Cai a Dôn.

O oedd, roedd y lle'n rhyfedd, yn drwch o ysbrydion, y carchar dan y ddaear yna, lle roedd Hud a haearn, gorffennol a phresennol, da a drwg yn plethu i'w gilydd mewn modd mor ddryslyd fel na fyddet ti'n credu y gallai'r fath le fodoli dan sylfeini caer y Frenhines Tarianrhod.

'Does dim map gyda ni,' meddai Cai, gan orchuddio'i glustiau. Am fod y sŵn mor ddryslyd roedd hi'n anodd *meddwl*, heb sôn am wneud unrhyw fath o benderfyniad ynglŷn â ble i fynd nesaf. Roedd wedi chwilio un o'r coridorau'n barod, a darganfod ei fod wedi'i rannu i ddau gyfeiriad arall ar ei ben draw. 'Sut ydyn ni'n mynd i ffeindio ble mae hi wedi carcharu Llŷr? Dy'n ni byth yn mynd i allu dod o hyd i'r hogyn mewn drysfa mor fawr â hon.'

Gall drysfa fod mor effeithiol â chloeon ac allweddi os wyt ti'n ceisio cuddio rhywbeth.

Cerddodd Dôn a Cai o amgylch yr ystafell yn llawn anobaith am ychydig, cyn i'r Llwy Hudol sylwi ar rywbeth, i lawr ar waelod un o'r coridorau dwfn, tywyll fel bol buwch mewn bol morfil. Brycheuyn o olau, yn wincio arnyn nhw fel seren bell.

Trawodd y llwy Dôn yn dyner ar ei phen er mwyn cael ei sylw, ac yna sboncio ar hyd y coridor i gyfeiriad y pwll bach o olau.

Dilynodd Dôn y llwy gan deimlo'i ffordd ar hyd wal y coridor, wrth i Cai ofyn 'Ble wyt ti'n mynd?' a'i dilyn hi'n groes graen.

A phan gyrhaeddodd hi'r gronynnau bach llachar, gallai weld darn arall o olau, ymhell yn y pellter, yn wincio arni fel llygad bleidd-ddyn.

'Llwch ysbryd! Rhaid bod Llŷr wedi taenu llwch ysbryd ar hyd y ffordd, fel ein bod yn gallu'i ddilyn! Mae hynny'n glyfar!' meddai Dôn yn llawn edmygedd.

Felly ymlaen â nhw, gan deimlo eu ffordd tuag at yr ysgeintiad o olau ysgafn, yn ddyfnach a dyfnach, nes nad oedd ganddyn nhw syniad ble roedden nhw yng nghoridorau troellog daeargelloedd Tarianrhod, na sut y bydden nhw'n dianc yn ôl i'r wyneb pe bai raid.

'Mae'n rhaid ei fod yma yn rhywle,' meddai Cai, wrth gyrraedd coridor oedd yn rhes ddiddiwedd o gelloedd oer a llwm. 'Bydd yn rhaid i ni chwilio bob un.'

'Oes rhaid i ni?' holodd Dôn. 'Mae'n iawn i ti – nid dy fam DI yw hi – ond byddai'n well gen i beidio â gwybod beth sydd i lawr yma. DWI DDIM EISIAU GWYBOD POPETH.'

Braidd yn gyndyn, tynnodd Dôn ei hallwedd a datgloi'r gell agosaf. Agorodd hi'n araf â gwich fel chwerthin Gwrach.

'Edrycha di, Cai,' meddai Dôn, a gosod ei llaw dros ei llygad.

Gwasgodd Cai ei ben drwy'r drws...

... a llewygu yn y fan a'r lle.

'Beth oedd yna????' holodd Dôn, wrth i Cai ddadebru.

'Dwyt ti WIR ... WIR ddim eisiau gwybod,' meddai Cai.

Ar ôl hynny, penderfynodd Dôn ei fod yn waeth peidio â gwybod. Wedi'r cwbl, allai beth oedd yn ei dychymyg ddim bod yn waeth na'r hyn oedd y tu ôl i ddrws y gell, felly penderfynodd edrych.

Agorodd Cai'r drws nesaf a'i gau'n syth. 'Yyyyyyych-a-fi!!!'

'Beth oedd yna??' llefodd Dôn.

'Pennau,' meddai Cai.

'O, dwi wedi cael llond bol,' meddai Dôn, a'i wthio i'r naill ochr. 'Does bosib mai pennau sydd yna! Trio gwneud i mi feddwl bod Mam yn berson gwael wyt ti ...'

A gwthiodd hi Cai o'r ffordd a chamu mewn i'r ystafell. Yn wir, roedd y gell yn llawn pentwr mawr o bennau.

'YYYYCH-A-FI!!!' ebychodd Dôn.

Caeodd Dôn y drws eto, yn gyflym iawn, iawn.

'Dwi'n siŵr bod yna eglurhad hollol resymol,' meddai. 'Mae gan Mam ddiddordeb mawr yn sut mae'r corff yn gweithio. Falle'i bod hi'n eu hastudio?'

'Wir?' holodd Cai'n amheus.

Roedd yr ystafelloedd nesaf yn cynnwys pethau ychydig yn llai ffiaidd.

Casgliad cyfan o Lyfrau Hudol, er enghraifft. Llyfrgell, a phopeth yn drefnus mewn rhesi, ac wedi'u labeli, am fod Tarianrhod yn berson trefnus iawn.

Ystafell yn llawn poteli meddyginiaeth Hud a lledrith.

Pentyrrau o Hudlathau a gwrthrychau Hudol eraill oedd wedi'u gwahardd.

Ond doedd dim sôn am Llŷr.

Yn y cyfamser, i lawr yng nghell rhif 445, roedd llaw oer anobaith wedi cydio yng nghalon Llŷr a dechrau'i gwasgu. Gwyddai fod oriau maith wedi mynd heibio a doedd dim arwydd y byddai unrhyw un yn ei achub. Roedd yn dechrau meddwl y byddai yno am byth.

Wrth gwrs, bwriad daeargell Tarianrhod oedd gwneud i'r carcharorion anobeithio. Dyna oedd PWYNT daeargell, wedi'r cyfan. Os mai'r bwriad oedd codi calon ei charcharorion, byddai wedi adeiladu'r carchar ymysg brigau'r coed fel bod modd iddyn nhw fwynau awyr iach a golygfeydd godidog, a byddai wedi cynnwys gwelyau cynnes, seddi cyfforddus a lle tân hyfryd yr un iddyn nhw.

Roedd Tarianrhod eisoes wedi ymweld â Llŷr yn ystod y dydd, er mwyn gofyn a oedd wedi newid ei feddwl. A oedd yn edifarhau, nawr ei fod wedi treulio oriau mewn lle mor aflan a digalon? A oedd am gyfaddef lle roedd y cleddyf? Cafodd Llŷr a'r ellyllon y cyfle i weiddi pethau cas am ei thrwyn, ac roedd hynny wedi codi eu calonnau nhw ychydig. Ond yna roedd hi wedi gadael, ac roedd diflastod tywyll, lleithder ac oerfel y gell wedi suddo i fêr eu hesgyrn eto, a byddai 'Cân yr Hud Coll' yn eu digalonni hyd yn oed ymhellach wrth eu hatgoffa o'u ffawd erchyll.

'Ddooooon nhw ddim, y Doooôooon yna, a Caaaaai ...' hisiodd Saethwenyn, a'i golau wedi pylu bron yn ddim. 'Rhyfelwyr gwirion – dim fod credu nhw.'

'Cymerodd hi'r cleddyf ... rhybuddio fi am y dogn

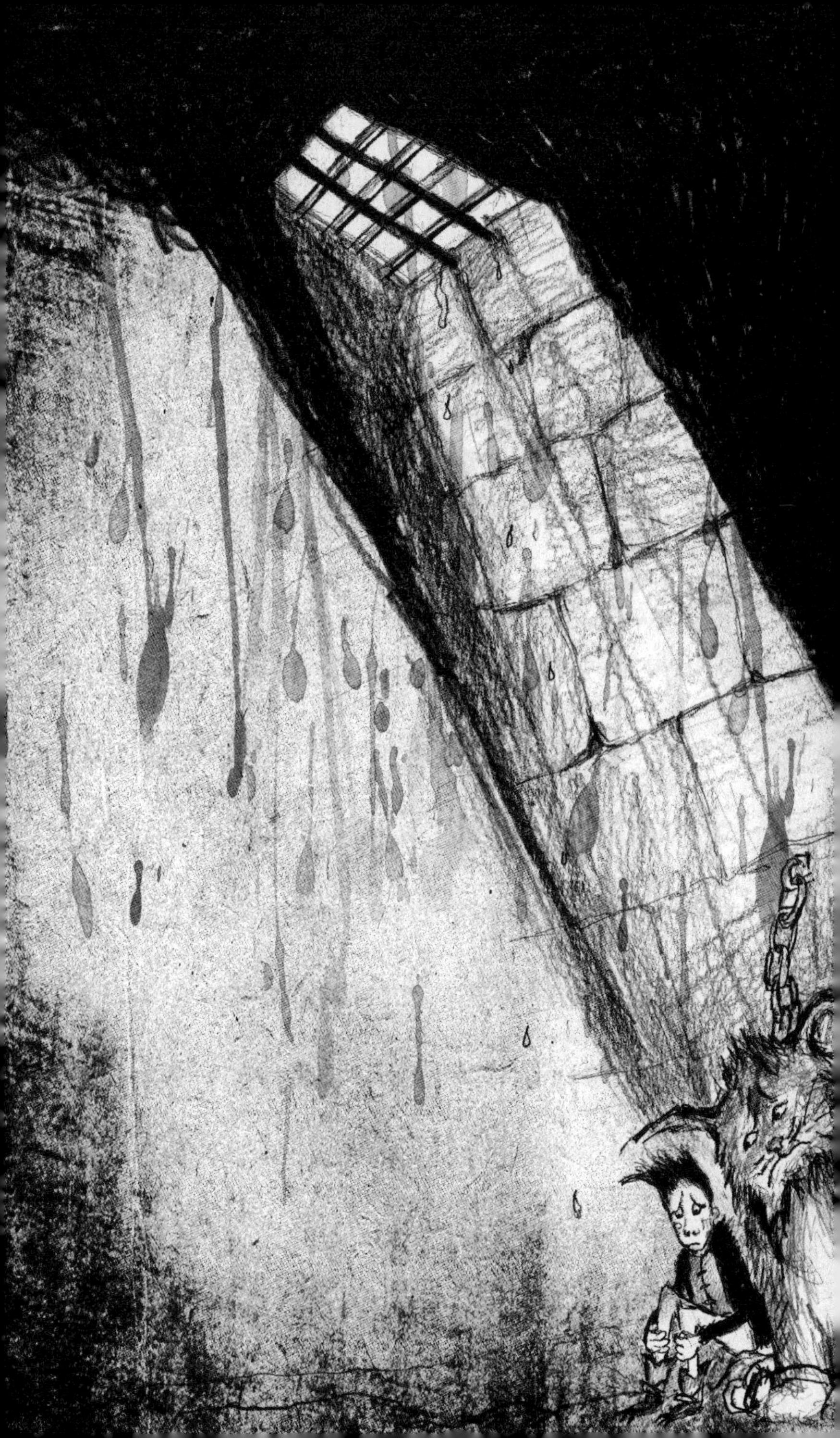

'Swyn Cariad-at-Wirionedd ...' meddai Llŷr yn flin.

'Rhy dwp i ddilyn llwch ellyll ... yn ormod o gachgwn i ddod i lawr fan hyn ... Mae'r rhyfelwyr yn dy gasáu di ... fyddan nhw fyth yn datgloi'r drws ...'

Parhaodd yr ellyllon i bigo Llŷr a'u sylwadau digalon, am eu bod nhw mor anobeithiol o anhapus.

'Ti ciiiipio nhw, ti dwwwwwyn cleddyf nhw, ti twwwwyllo nhw,' cwynodd Afallach. 'Pam nhw achub ti naaaawr, ti geeeelyn, y maaalws meeelys blas smwwwtiog?'

'Dwi'n credu bod Afallach yn llygad ei le,' meddai Crawchog yn ddigalon.

Ystyriodd Llŷr hyn. A oedd wedi bod yn wirion i roi ei fywyd yn nwylo'r ddau elyn o blith y Rhyfelwyr?

'Roedden nhw'n hoffi Pry-pi,' meddai Llŷr yn ystyfnig. 'Dwi'n gwybod eu bod nhw.'

Edrychodd i lawr ar Pry-pi, druan. Roedd ei olau wedi pylu i'r fath raddau nes ei fod bron yn ddu, a gallai Llŷr weld nad oedd ei galon bron â bod yn curo o gwbl.

Roedd y Gwaed Gwrach wedi'i wenwyno, ac roedd yn cael ei arteithio gan adegau lle roedd yn crynu drwyddo, mor anystwyth â haearn, neu wedi drysu'n llwyr, ond roedd wedi dod ato'i hun am funud.

'Beth digwydd i fi?' sibrydodd, a gallai Llŷr weld yr ofn yn ei lygaid. 'Fi mynd i ochr dywyll?'

'Wrth gwrs nad wyt ti,' meddai Llŷr.

Wrth i Pry-pi suddo'n ôl i drwmgwsg, sibrydodd mor dawel fel na allai Llŷr braidd ei glywed: 'Llŷr achub i ...' a gosododd ei law fechan ar frest Llŷr.

Penderfynodd Llŷr. Doedd dim dewis ganddo ond rhoi i Tarianrhod yr hyn roedd hi ei eisiau ...

O leiaf byddai Pry-pi yn cael byw ...

Ond yna byddai ei dad mewn perygl ...

Doedd Llŷr ddim yn berson a oedd yn anobeithio'n hawdd. Ond wrth i'r gronynnau olaf o obaith syrthio ohono fel tywod drwy'i fysedd, clywodd olion traed a sibrwd yn y coridor.

'Allet ti edrych yn yr un yma, Cai?' meddai llais Dôn. 'Alla i ddim goddef gwneud ar ôl yr un diwethaf yna.'

Roedd yna sŵn clic clic clac a GWIIICH, ac yna hedfanodd drws cell rhif 445 ar agor gan daflu chwa o awyr iach i wyneb Llŷr.

'Maen nhw yma!' canodd Cai. Ymddangosodd amlinell ei wyneb gwelw o'u blaenau, ei lygaid yn sgleinio â chyffro yn y gwyll.

Feddyliodd Llŷr fyth y byddai mor ddiolchgar i weld dau Ryfelwr, un ohonyn nhw'n dal ac yn denau a'r llall yn cerdded yn gam. Roedd hyd yn oed yr ellyllon yn edrych wrth eu boddau, a rhyw ffordd wedi darganfod yr egni i suo'n gyffrous, er nad oedd ganddyn nhw'r cryfder i hedfan erbyn hyn, gan fynd yn is ac yn is yn yr awyr, fel pe bai plwm yn eu hesgidiau.

'Chi 'di dod!' bloeddiodd Llŷr, wedi cyffroi cymaint fe roddodd gwtsh anferth iddyn nhw – pwy feddyliai erioed y byddai Llŷr yn rhoi cwtsh i Ryfelwr?

'Wrth gwrs ein bod ni wedi dod,' meddai Dôn. 'Fel y

dywedais i. Faswn i fyth yn gadael ffrind mewn twll ...'

Cytunodd Llŷr ei bod hi'n ffrind rhagorol, a oedd yn hynod o anturiaethus, am Ryfelwr.

'Sut lwyddoch chi i dorri i mewn ac agor y drysau?' holodd Llŷr.

'Rhoddodd Cai ddracht cysgu i'r gwyliwr,' meddai Dôn. 'A gollyngodd Mam ei hallwedd i'r daeargelloedd. Sut mae Pry-pi?

Cododd Llŷr ef iddi gael gweld. Gallai ei weld yn crynu drwyddo, ei lygaid bach ynghau.

'Does dim golwg dda iawn arno fe, mae arna i ofn ...' meddai Llŷr, wrth i Dôn ddatod y cathod eira ag allwedd y Frenhines Tarianrhod. 'Rhaid i ni fynd ag o at y maen hir mor fuan â phosib.'

Ond wrth iddyn nhw baratoi i adael, gwibiodd Cachgibwgan fel mellten drwy'r drws mewn panig gwyllt. Roedd hi allan o wynt yn llwyr am ei bod hi wedi hedfan yr holl ffordd o fynedfa'r daeargelloedd lle roedd hi wedi bod yn cadw golwg ar bethau.

'Brenhines Tarianrhod!!!!' gwichiodd.

'Hi doooooooood!!!!'

16. Yr Adeg Waethaf Posib i'r Frenhines Tarianrhod Ymddangos

'Mae'r Frenhines Tarianrhod yn dod!' llefodd Cai, ei lygaid yn troi a'i goesau'n simsanu.

'All hi ddim fy ngweld i fan hyn!!' gwichiodd Dôn, yn llawn ofn.

Un peth oedd penderfynu'n gyfrinachol ei bod hi eisiau bod yn ffrind i Ddewin. Peth arall oedd cael ei darganfod gan ei mam nid yn unig yn cydymdeimlo â'r gelyn, ond yn datgloi eu cell, ac yn eu helpu nhw i ddianc. Byddai ar ben arni.

'Paid â phoeni,' meddai Llŷr. 'Cuddia di, ac fe ddelia i â hi ... Fydda i mor addfwyn ag oen swci'r tro 'ma, dwi'n addo. Rho'r cleddyf i fi a chlo'r drws ar dy ôl ...'

'Paid â galw enwau arni, Llŷr!' rhybuddiodd Dôn, a thaflu'r Cleddyf Hudol i'w ddwylo.

'Dwi'n addo,' gwenodd Llŷr.

Rhedodd Cai a Dôn allan o'r ystafell a chuddio rownd y gornel ar frys mawr, am fod sŵn camau'r Frenhines Tarianrhod yn nesu'n gyflym.

Roedd hi'n dod i gynnig un cyfle olaf i Llŷr weld synnwyr a mynd â'i ellyll at y Maen-Sy'n-Tynnu-Hud mewn da bryd i achub ei fywyd. Doedd bosib y byddai bachgen o Ddewin eisiau gweld ei ellyll yn marw? Ond roedd Llŷr mor benstiff â charreg blwm.

Cynhyrfodd y frenhines o sylweddoli ei bod hi wedi colli'i hallwedd (roedd ganddi ddigon o rai sbâr, diolch byth), ac aeth yn gynddeiriog wedyn o weld bod ei gwyliwr hi'n cysgu'n sownd. Ond cyn gynted ag y camodd i mewn i'r ddaeargell, gallai synhwyro bod rhywbeth mawr o'i le. Roedd rhyw newid yn y gwynt ...

Neu newid yn sŵn y lle, efallai. Roedd y Frenhines Tarianrhod yn hen gyfarwydd â sŵn ei storfa gyfrinachau o dan y ddaear. Roedd pob diferyn o dŵr, pob gwaedd o anobaith gan ellyll, corrach neu gawr, pob llinell o gân, hyd yn oed sisial pob gwreichionyn ar y ffaglau tanllyd a oedd yn ei harwain drwy'r tywyllwch, yn gyfarwydd i'r Frenhines Tarianrhod.

Ond roedd yna rywbeth o'i le y tro yma. Roedd y sŵn ychydig yn wahanol. Yr udo'n llai anobeithiol, efallai – fel petai'r carcharorion yn gwrando.

Yn hytrach na llithro'n dawel i lawr y coridorau fel na allai unrhyw un ei chlywed yn dod, cerddodd yn benderfynol, fel bod sŵn ei chamau'n adleisio i lawr y coridorau.

Pe na bai Cachgibwgan wedi'u rhybuddio, byddai Tarianrhod wedi dal ei merch yn helpu'r gelyn.

Ond roedd Cai a Dôn wedi llwyddo i chwyrlïo rownd y gornel ag eiliadau'n weddill, gan gloi'r drws y tu ôl iddyn nhw.

Felly pan drodd y Frenhines Tarianrhod ei hallwedd yn nrws cell rhif 445 a chamu i mewn yn rhwysgfawr yn ei chlogyn coch, roedd Llŷr yn sefyll yng nghanol yr ystafell, fel pe bai dim byd wedi digwydd, a'r Cleddyf

Hud y tu ôl i'w gefn.

'Beth sy'n digwydd?' holodd y Frenhines Tarianrhod, a'i gwynt yn ei dwrn.

'Digwydd? Dim byd,' meddai Llŷr yn ddiniwed i gyd.

'Hy!' cyfarthodd y Frenhines Tarianrhod mewn anghrediniaeth, a'i llygaid yn fflamio. Doedd hi ddim yn credu'r un gair o'i geg.

'Dyma dy gyfle olaf di, Llŷr, fab Seithwg y Swynwr Di-sut,' bloeddiodd. 'Bydd d'ysbryd di wedi marw cyn y wawr. Ble mae 'nghleddyf?'

'Dim syniad ... o, ai hwn yw e?' gofynnodd Llŷr yn feddylgar, wrth dynnu'r cleddyf o'r tu ôl i'w gefn.

Bu bron i'r Frenhines Tarianrhod syrthio ar ei chefn, gymaint oedd ei sioc.

Ond nid dyna'r sioc fwyaf. Daeth sŵn chwyrnu isel o'r tu ôl iddi, a chripiodd tair cath eira anferth o'r cysgodion, eu dannedd fel cyllyll.

'Sut ... ar y ddaear mae'r rhain wedi dianc o'u cadwyni?' chwyrnodd Tarianrhod, a'i hwyneb cyn wynned â'i ffrog. 'Pwy roddodd f'allwedd i chi? A ble gest ti 'nghleddyf?'

'Peidiwch chi â phoeni. Ond peidiwch â symud, Frenhines Tarianrhod,' meddai Llŷr, 'neu bydd yn rhaid i fi eich lladd chi â'r cleddyf yma!'

Y cythraul bach iddo!

Dylai hi fod wedi dod â'i gwarchodwyr gyda hi ... ond roedd y rheini wedi archwilio'r bachgen yn drylwyr, felly roedd hi'n meddwl y byddai hi'n hollol ddiogel wrth ymweld ag ef heb ddim ond llond llaw o ellyll gwan, a'r rheini wedi'u cloi mewn cell ddiogel.

Cripiodd llaw Tarianrhod tuag at ei gwasg, at ei chleddyf hi ei hun.

'Dim symud, wedes i,' meddai Llŷr, â rhyw wylltineb yn ei lygad a wnaeth i'r Frenhines Tarianrhod sefyll yn stond. Pethau digon heddychlon oedd y Dewiniaid fel arfer – dyna pam roedd hi mor hawdd i'r Rhyfelwyr eu goresgyn – ond doedd Llŷr ddim fel y Dewiniaid arferol roedd y frenhines wedi cwrdd â nhw.

'Felly, Llŷr, fab Seithwg,' poerodd y Frenhines Tarianrhod, yn gynddeiriog am ei fod wedi cael y gorau arni. 'Beth wyt ti'n mynd i'w wneud nawr dy fod ti wedi dwyn fy nghleddyf?'

'Dwi'n mynd i fynd â'r ellyll bach yma at y Maen-Hir-Sy'n-Tynnu-Hud,' meddai Llŷr, 'ac yna dwi'n mynd i ryddhau'r cewri a'r carcharorion Hud eraill ry'ch chi wedi'u cloi yma, a gallwn ni i gyd ddianc o'r hen gaer haearn ddiflas yma a mynd yn ôl adref at ein teuluoedd i wersyll y Dewiniaid, lle ry'n ni i gyd i fod.'

'Ha! Does dim dianc tu hwnt i'r daeargelloedd yma,' meddai'r Frenhines Tarianrhod. 'Mae'r gaer gyfan yn un haid o warchodwyr, ac mae'n eithaf hawdd sylwi ar gewri a chathod eira.'

'Ond ry'ch chi'n frenhines ddrwg ac mae gennych lawer o gyfrinachau,' meddai Llŷr, 'felly mae'n siŵr fod yma ffordd gyfrinachol allan o'r daeargelloedd, a chyfrinair cyfrinachol hefyd.'

'Falle wir,' atebodd y frenhines yn swta, 'ond mae'n bur annhebygol y gwna i ddweud wrthot ti, o dan yr amgylchiadau.'

'Beth pe bawn i'n taro bargen â chi, yn union fel y gwnaethoch chi 'da fi,' meddai Llŷr yn gyfrwys. 'Os wnewch chi ddweud wrtha i sut i gyrraedd yr ystafell dynnu-Hud a'r ffordd at y fynedfa gyfrinachol, a'r cyfrinair cyfrinachol hefyd, fe wna i adael y cleddyf yma i chi.'

Roedd y Frenhines Tarianrhod wrth ei bodd, er na ddangosodd hynny. Roedd hi wir eisiau'r cleddyf yna, yn enwedig nawr bod Gwrachod wedi dychwelyd i'r goedwig. Roedd y bachgen yn meddwl ei fod mor glyfar, ond yn amlwg doedd e ddim yn sylweddoli pwysigrwydd y cleddyf Hud arbennig yna wrth iddo'i gynnig iddi mor barod ...

'Dwi'n derbyn,' meddai'r Frenhines Tarianrhod yn ddi-hid. 'Y ffordd rwyddaf at yr ystafell dynnu-Hud yw —'

'O na ...' torrodd Llŷr ar ei thraws. 'Na, na, na, dwi ddim yn credu hynny, stopiwch fan'na nawr, y Frenhines Tarianrhod, Miss ...'

Estynnodd i'w wasgod a thynnu potel fach allan. 'Mae'n debyg bod breninesau'n gallu dweud celwydd (er mwyn cael y llaw uchaf, wrth gwrs). Felly mae arna i ofn bod yn rhaid i chi roi'r ateb i fi wrth ddal y dogn 'Swyn Cariad-at-Wirionedd', fel 'mod i'n gwybod eich bod chi'n dweud y gwir.'

Syllodd y Frenhines Tarianrhod arno â'r fath atgasedd, byddai wedi gallu troi llaeth yn gaws.

Gosododd Llŷr y dogn 'Cariad-at-Wirionedd' yn ei llaw.

'Y ffordd orau i fynd at yr ystafell dynnu-Hud yw troi i'r dde a mynd lawr y coridor, ac at y seithfed drws. Ac oddi yno fe elli di gyrraedd y fynedfa gyfrinachol trwy droi i'r CHWITH bob yn ail dro, a'r cyfrinair cyfrinachol yw TREFN,' meddai'r Frenhines Tarianrhod.

Gorfododd Llŷr iddi ailadrodd y cyfarwyddiadau, er mwyn gweld a fyddai cynnwys y botel cariad yn newid ei liw.

Ond fe arhosodd yn goch, felly roedd yn rhaid ei bod hi'n dweud y gwir.

Cymerodd y dogn 'Cariad-at-Wirionedd' oddi arni.

'A nawr fe wna i adael y cleddyf gyda chi,' meddai Llŷr, gan ddal y dogn 'Swyn Cariad-at-Wirionedd' i fyny, fel bod y Frenhines Tarianrhod yn gallu'i weld yn glir.

Ac yn syth ar ôl dweud y geiriau yna, trodd yr hylif y tu mewn yn ddu fel y fagddu.

'Wps,' meddai Llŷr yn hapus. 'Diar, o diar! Dyna benbleth! *Fi* oedd yn dweud celwydd wedi'r cwbl!' gwenodd. 'Mae mor anodd dweud y gwir bob tro, ond dyw hi?'

FFŴL!

Roedd y Dewin bach wedi gwneud ffŵl o Tarianrhod ac wedi'i thwyllo hi i roi'r cyfrinair cyfrinachol, ac roedd yn mynd i gadw'r cleddyf beth bynnag!

Does dim byd gwaeth gan rywun twyllodrus fel y Frenhines Tarianrhod na chwrdd â rhywun mwy twyllodrus na hi ei hun.

Felly collodd y Frenhines Tarianrhod ei thymer. Doedd hi byth yn colli'i thymer fel arfer. Ond roedd wedi bod yn ddiwrnod anodd.

'Yr hen fachgen haerllug, twyllodrus, anufudd â thi!' pwdodd.

'Nawr, nawr,' twt-twtiodd Llŷr. 'Byddwch yn gwrtais, Tarianrhod fach. Wneith fy sarhau i ddim lles o gwbl. Alla i gael eich allwedd a'ch clogyn hefyd? Dwi'n credu y byddai o fudd i fi esgus bod yn chi, fel bod eich gwarchodwyr yn ein gadael ni o'r gaer heb ffws. Diolch yn fawr.'

Roedd y Frenhines Tarianrhod yn gandryll wrth dynnu'i hallweddi a'i chlogyn coch.

'Dyma'n union sydd ei angen ar fachgen ffawd fel fi,' meddai Llŷr, wrth roi clogyn godidog y Frenhines Tarianrhod am ei ysgwyddau, 'a chleddyf Hudol haearn hefyd ... Dwi ddim yn synnu eich bod chi mor hoff o'r cleddyf yma, mae'n un arbennig iawn.'

Gwenodd Tarianrhod, ei dannedd yn sgleinio fel pibonwy.

'Mae arna i ofn y bydd yn rhaid i fi eich cloi chi yn eich cell eich hun,' meddai Llŷr. 'Dyw hi ddim cweit yn addas i aelod o'r teulu brenhinol. Ond rydych chi'n frenhines gas iawn sy'n tynnu'r Hud oddi ar fy mhobl, a'n cadw ni fel anifeiliaid yn eich celloedd, ac yn bygwth lladd fy ellyll. Rhaid dysgu gwers i chi, a dyna yw diben carchar.'

'Fi gwneud gwallt hi hyyyyyfryd, Llŷr?' erfyniodd Cachgibwgan. 'Os gwelwch?

Hi mor caaaaas i Pry-pi druan ...'

'O, o'r gorau,' meddai Llŷr. 'Ond yn *ofalus*.'

Hedfanodd Cachgibwgan i ganol gwallt y frenhines, ac mewn dwy glec adain buwch goch gota, tynnodd ei gwallt yn rhubanau uchel uwch ei phen. Safai Tarianrhod yn gwbl lonydd, yn wyn gan gynddaredd.

Suodd Cachgibwgan o amgylch ei phen gan asesu'i champwaith yn llawn boddhad.

Uwchben wyneb surbwch Tarianrhod roedd yr hyn a fu mor dwt, taclus, yr hyn a oedd unwaith yn rhaeadr euraid brydferth, yn saethu i fyny yn llanast fertigol fel pe bai wedi cael sioc drydanol.

'O ... da, daaaaa iawn,' hisiodd Saethwenyn wrth ymhyfrydu'n faleisus, nes bron i'r ellyllon eraill syrthio'n bendramwnwgl o'r awyr am eu bod nhw'n chwerthin gymaint. 'Cymryd wythnos i gribo nawr.'

'A bydd pob cwlwm yn eich gwallt yn eich atgoffa chi,' rhybuddiodd Llŷr, 'i adael llonydd i'r bobl Hudol yn y dyfodol.'

'A dwi'n dy rybuddio di,' poerodd y Frenhines Tarianrhod, gyda phob gair fel saeth o rew, 'i beidio â dod i 'nhiriogaeth i eto, byth. Neu bydd holl nerth arfau'r Rhyfelwyr yn glanio ar dy ben di.'

'Bydd yn rhaid i chi 'nal i gynta,' gwenodd Llŷr. 'Hwyl fawr i chi'r Frenhines fach.' Cynigiodd foesymgrymiad pitw, ac fe wnaeth e a'r cathod eira a'r ellyllon ffoi tuag at y drws, â chlogyn newydd Llŷr yn llusgo ar draws llawr brwnt y gell ar ei ôl.

Ond cyn i Llŷr adael yr ystafell, meddyliodd am rywbeth a throdd i wynebu Tarianrhod.

'Yym ... gyda llaw ... do'n i wir ddim yn meddwl dweud eich bod chi'n feddal,' meddai. 'Ry'ch chi mor galed ag y dylai brenhines y Rhyfelwyr fod.'

Rhedodd allan drwy'r drws, ac fe wnaeth Cai, a oedd yn cuddio y tu ôl i'r drws, ei gloi'n syth, gan adael y Frenhines Tarianrhod ar ei phen ei hun yng nghell rhif 445, yn hogi'r arfau yn ei meddwl.

Roedd ganddi ddigon i feddwl amdano.

'Roeddet ti'n greulon iawn wrth Mam!' dwrdiodd Dôn, unwaith eu bod nhw'n ddigon pell oddi wrthi.

'Ro'n i'n rhy *gwrtais!*' protestiodd Llŷr. 'Wnes i ddweud pethau neis am ba mor llym oedd hi!'

'Ddywedaist ti ei bod hi'n frenhines greulon! Ac mi wnaeth Cachgibwgan lanast llwyr o'i GWALLT hi!' meddai Dôn mewn dychryn. 'Mae'n mynd i fod yn wallgo bost, yn dydy, Cai?'

'Hollol honco,' meddai Cai, yn gryndod i gyd.

'Ro'n i'n drugarog iawn,' meddai Llŷr. 'Pe na bai hi'n fam i ti, buaswn i wedi'i lladd hi. Nawr, beth ddwedodd hi am y ffordd i'r ystafell dynnu-Hud?'

'I lawr y coridor yma, ac yna trwy'r seithfed drws,' meddai Cai, a oedd wedi bod yn cymryd nodiadau.

Roedden nhw ar gefn y cathod eira, yn mynd drwy'r coridorau a oedd yn eu harwain nhw'n ddyfnach ac yn ddyfnach dan ddaear, mor isel fel bod yr aer mor oer nes ei fod yn llawn o lwch iâ.

Roedd Dôn mor oer dyma hi'n gwasgu'i chorff yn erbyn ffwr trwchus Calon Goddeu.

Gallai Llŷr deimlo Pry-pi yn dechrau rhewi unwaith eto. Gwyddai os nad oedden nhw'n cyrraedd y maen cyn bo hir, y byddai eisoes wedi marw.

Agorodd y coridor yn geudwll anferth, wedi'i oleuo â golau'r ffaglau tanllyd oedd ar y waliau.

Suodd Saethwenyn mewn dychryn a chuddio y tu ôl i Llŷr.

'Mae drrrraw fan'na ...' mentrodd.

Roedd yna saith drws yn arwain o'r ceudwll, ac uwchben y seithfed drws roedd yna arwydd yn dweud 'Tynnu Hud'.

Roedd y drws yn hongian ar ei golfachau, ac yn llawer llai nag oedden nhw wedi'i ddisgwyl. Pe bai angen tynnu Hud cawr, byddai angen iddo orwedd i lawr yn y ceudwll ac ymestyn ei fraich drwy'r drws.

Roedd rhyw fath o rym magnetig rhyfedd fel pe bai eisiau tynnu Llŷr tuag at y drws cam, fel gwynt oer, rhewllyd yn chwythu ar ei gefn, ac yna sylweddolodd mai'r cleddyf yn hongian wrth ei ochr oedd o, yn codi fel bys haearn ac yn pwyntio tuag at y drws.

Roedd pob greddf yn esgyrn Llŷr yn dweud wrtho: 'Rhed ... Cer i gwato ... Paid â mynd gam ymhellach ... Aros fan hyn ...'

Roedd cynffonnau Llygaid-y-Nos, Calon Goddeu a Brenhingath yn troi yma a thraw, ac roedden nhw'n chwyrnu ac yn phoeri ac yn udo.

'DimmyndmewnDimmyndmewnDimmyndmewn Dimmyndmewn,' suodd yr ellyllon.

'Ond mae'n rhaid i ni fynd i mewn,' meddai Dôn, wrth gamu o ganol ffwr Calon Goddeu.

'Er mwyn Pry-pi,' mynnodd Llŷr.

Gosododd Dôn yr allwedd yn nhwll y clo, ac agor drws Ystafell dynnu-Hud Tarianrhod.

Rhaid brysio
os ydyn ni am
achub Pry-pi!

17. Ystafell dynnu-Hud Tarianrhod

Roedd gan yr ystafell dynnu-Hud nenfwd uchel iawn ac roedd hi'n berffaith grwn.

Yr unig beth oedd yno oedd un maen hir.

Un maen hir lliw llwyd tywyll.

Un anghredadwy o fawr.

Mor arw â lafa oedd wedi caledu.

'DYNA'R Maen-Hir-Sy'n-Tynnu-Hud?' holodd Llŷr mewn anghrediniaeth, am nad oedd yn ymddangos fel rhywbeth arbennig o ddychrynllyd o gwbl.

Ond roedd yr ellyllon a'r anifeiliaid yn fwy sensitif i'r awyrgylch ryfedd yn yr ystafell, ac roedden nhw'n suo fel cacwn yn eu pryder, a'r cathod eira'n cylchu o amgylch yr ystafell a'u blew yn bigau.

Ymestynnodd Llŷr i'w boced a chydio yn Pry-pi, a oedd mor haearnaidd â gem werdd dywyll, ei anadl yn rhuglo yn ei gorff diffrwyth. Roedd ei olau wedi pylu nes ei fod bron yn ddim, ac roedd wedi crebachu bron yn ddim hefyd.

'Nawr mae'n rhaid i ti ei osod ar y maen,' meddai Dôn.

'Naaaaaaaa, Llŷr,' suodd Afallach. 'Mae drwg yma.' Cododd ei ddwylo tenau'n rhybudd. 'Rhaid ti wrrrrando ar straeon tylwyth teg. Hen, heeeeen ssstraeon – straeon clyfar, straeon gwybod pethau ...'

Gorffennodd Chwilben frawddeg Afallach: '... straeon tylwyth teg dweud: DIM TWTSH MAEN HIR.'

'Dad fy dad fy dad dweud i fi, dim BYTH twtsh y maen hir, Llŷr ...' meddai Saethwenyn.

Ac fe adleisiodd yr ellyllon eraill: *'A dad dad dad fi ... a dad dad dad nhw ...'*

Ac wrth i'w geiriau adleisio oddi ar wyneb y maen hir dyma nhw'n codi'n gôr cymysg o leisiau ellyllon a oedd wedi bod yno a wynebu'r maen dros y canrifoedd: *'A dad dad fi ... a dad dad dad nhw ...'*

'Mae'r ellyllon yn llygad eu lle,' meddai Crawchog yn nerfus. 'Nid ar chwarae bach y mae rhybuddion yn cael eu trosglwyddo o genhedlaeth i genhedlaeth drwy'r canrifoedd. Ond yr hyn sy'n fy mhoeni i yw: BETH yn union yw eu *hystyr*?'

Nawr eu bod nhw yno, o flaen y maen hir, yn syllu ar yr arwyneb garw, roedd Llŷr yn teimlo fel ei fod mewn cyfyng gyngor ofnadwy am beth i'w wneud nesaf.

Roedd llais ysbryd yr hen ellyllon yn canu'n ddisglair fel eos rywle yn y tywyllwch uwch eu pennau – cân o edifeirwch am golli'i Hud, am sut oedd ei adenydd, a oedd unwaith yn gwibio rhwng y sêr ar noson aeafol wyntog, bellach yn ddiffrwyth. Roedd hiraeth poenus y gân yn eu hatgoffa nhw i gyd o erchylldra ofnadwy y dasg oedd o'u blaenau.

Am y tro cyntaf ym mywyd Llŷr ... doedd e ddim yn siŵr beth i'w wneud.

'Beth ddylwn i wneud?' holodd. 'Falle y byddai'n well gan Pry-pi fynd i'r ochr dywyll, yn hytrach na rhoi'r gorau i'w Hud yn gyfan gwbl. Falle y byddai'n well ganddo farw na bod yn ellyll di-Hud!'

'Dyma'r unig gyfle i achub bywyd Pry-pi,' meddai Dôn. 'Beth os wnei di'i roi ar y maen hir am eiliad neu ddwy i gael gwared ar yr Hud Gwaed Gwrach, ond yna ei dynnu oddi arno'n gyflym iawn er mwyn bod ganddo ddigon o Hud ar ôl er mwyn iddo allu hedfan?'

'Wneith hynny weithio?' holodd Llŷr.

'Wel, alla i ddim addo dim byd,' meddai Crawchog. 'Dwi erioed wedi dod ar draws Gwaed Gwrach o'r blaen.'

'Ond mae'n rhaid i ni gael ffydd,' meddai Dôn. 'Allwn ni ddim ei adael i farw. Rhaid i ni obeithio y bydd hyn yn gweithio – y gallwn ni wneud i rywbeth da ddigwydd hyd yn oed yn y lle tywyll yma.'

'Dere i'm helpu i 'te,' meddai Llŷr wrth Dôn. 'Alla i ddim gwneud hyn ar fy mhen fy hun.'

Ffurfiodd y pum ellyll oleugylch disglair ond drwgdybus uwchben Llŷr a Dôn.

Cymerodd Llŷr a Dôn anadl ddofn, penglinio wrth waelod y maen hir, a chodi Pry-pi tuag ato'n ochelgar, a'i ddal yn ofalus fel mai dim ond y staen Gwaed Gwrach ar ei frest oedd yn cyffwrdd ag arwyneb y maen.

Trodd Llŷr ei wyneb i ffwrdd.

Ac yna ...

Ddigwyddodd dim byd.

Ysgydwodd yr ellyll blewog ryw ychydig, ac yna roedd mor llonydd â'r bedd.

'Wyt ti'n meddwl ei bod hi'n rhy hwyr?' sibrydodd Llŷr, am fod golau Pry-pi wedi diffodd yn gyfan gwbl ac am un eiliad roedd fel darn o ddeilen crin yn gorwedd yno ar y maen.

Ac yna, ar ôl i Llŷr feddwl ei fod wedi'i golli am byth, cyneuodd golau gwan iawn ym mrest Pry-pi, a thyfu'n fwy llachar ... a mwy llachar ...

Pylodd y staen gwyrdd yn araf o'i goesau ellyll bach ... o'i freichiau ... ac yn olaf o'i frest, a chyda *wiiii!* sydyn esgynnodd i'r awyr, agorodd ei lygaid, ac yn ei wendid, symudodd ei adenydd ...

'Mae'n fyw ...' anadlodd Dôn, ei rhyddhad yn angerddol, wrth i Pry-pi suo'n araf bach o'i gwmpas.

'Glou, tynna fe bant o'r maen!' meddai Llŷr.

Cododd Dôn a Llŷr Pry-pi i fyny, yn araf ond yn gadarn, ac eisteddodd y dylwythen dwp flewog yng nghledr llaw Llŷr, yn ddryslyd ac yn syn yr olwg, fel pe bai'n deffro o drwmgwsg hir.

'Mae'n fyw!' llefodd Llŷr, gan roi pwniad i'r awyr, wrth i'r ysbryd bach anadlu'n dawel iawn, iawn a sibrwd, 'Fi byw! Fi byw! Fi byw!'

'Mae'n FYW!' gwenodd Llŷr. 'Wyt ti'n meddwl y gall e hedfan o hyd?'

'Mae'n rhy gynnar i wybod hynny eto, Llŷr,' meddai Crawchog. 'Bydd angen amser arno i ddod dros effaith y Gwaed Gwrach.'

Dyw ellyllon ddim fel bodau dynol – mae'r

Coedwigoedd Gwyllt mor beryglus, bydden nhw wedi diflannu flynyddoedd yn ôl pe na baen nhw'n adfer yn sydyn wedi pwl o salwch. Yn ddewr iawn, cododd Pry-pi ei ben, agor ei adenydd crynedig a chodi'n igam-ogam i'r awyr.

'Mae e'n dal i allu hedfan!' gwichiodd Llŷr. 'DWI WEDI GWNEUD YN IAWN AM WNEUD CAWLACH O BETHAU O'R BLAEN! MAE POPETH YN MYND I FOD YN IAWN!'

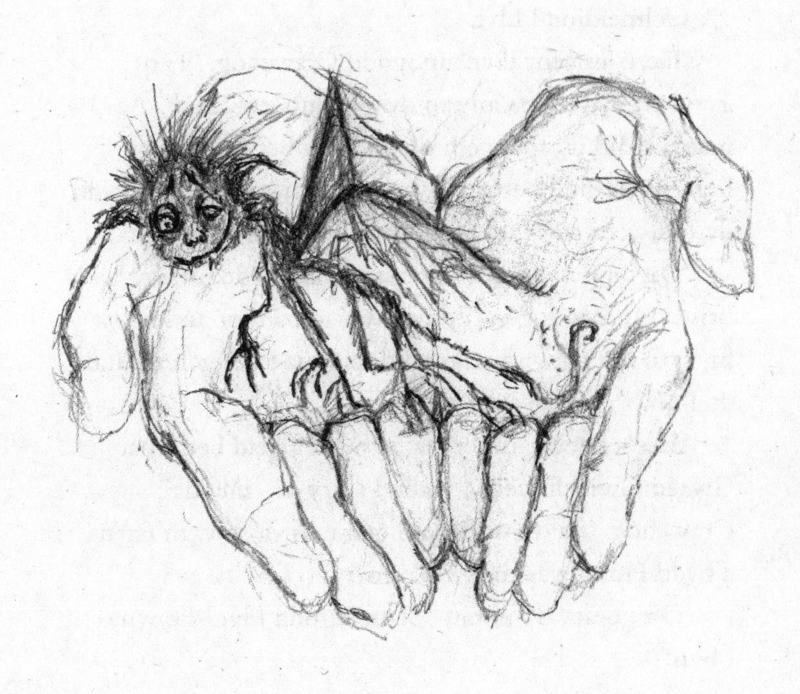

Trodd at Crawchog.

'Ti'n gweld Crawchog, ti'n gweld bai o hyd, ac yn pregethu am yr holl bethau-sy'n-cael-eu-gwneud-sy'n-methu-cael-eu-dad-wneud, ond mae'n union fel y dywedais i, mae *popeth* yn bosib! Ac roedd hynny'n amseru perffaith! Dwi MOR GLYFAR, o mor wych ydw i. Syniad ardderchog oedd gadael digon o Hud iddo fel ei fod yn gallu hedfan ...'

'Brysia, Llŷr!' meddai Cai. 'Rho dy law di ar y maen i gael gwared ar y staen Gwaed Gwrach ... ac yna gallwn ni fynd o'r lle ofnadwy yma.'

Ochneidiodd Llŷr.

'Dere 'mlaen, Llŷr,' anogodd Crawchog. 'Ti'n gwybod mai dyma ail ran dy gynllun gwych di. Ac mae'n rhaid dy fod wedi dysgu rhywbeth o'r noson hon. Mae'r holl bethau gwael wedi digwydd oherwydd dy fod wedi trio cael Hud gwael oddi wrth Wrach ...'

'Dwi'n gwybod, dwi'n gwybod,' meddai Llŷr yn drist. 'Ond does gen ti ddim syniad pa mor anodd yw hi, tyfu lan mewn byd o Hud, pan nad oes gen ti Hud dy hun.'

'*Mae'n* anodd, ond rwyt ti wedi gweld beth mae Gwaed Gwrach wedi'i wneud i Pry-pi,' meddai Crawchog. 'Hud gwael sydd gen ti ar dy law yn fan'na, a bydd Hud gwael bob tro'n mynd o'i le.'

'O'r gorau, o'r gorau,' ochneidiodd Llŷr. 'Fe wna i hyn.'

Ac er bod y stori hon yn llawn Hud a lledrith, yr wyrth fwyaf oedd ei bod yn ymddangos bod

Llŷr wirioneddol wedi dysgu rhyw fath o wers o'r deuddydd blaenorol.

Plygodd Llŷr a rhoi'r llaw â'r staen Gwaed Gwrach ar y maen.

Roedd yn deimlad rhyfedd, ond chymerodd hynny ddim yn hir. Gallai deimlo rhyw drydan yng nghledr ei law, ac fe wnaeth honno lynu wrth y maen fel pe bai'n fagned. Am y funud nesaf, gallai deimlo rhywbeth yn cael ei dynnu allan ohono, ac yna allai e ddim teimlo'r grym rhagor, a phan gododd ei law, doedd yna ddim staen gwyrdd i'w weld mwyach.

Ochneidiodd wrth edrych ar ei law. Am funud roedd wedi bod yn rhywun arbennig, hyd yn oed os oedd e'n fath anghywir o arbennig. Nawr roedd e 'nôl fel y Llŷr cyffredin unwaith eto, yn dal yn anobeithiol am nad oedd ganddo Hud.

Glaniodd Crawchog ar ei ysgwydd gan ddweud yn llawn cydymdeimlad, 'Fe wnest ti'r peth iawn. Dwi'n falch ohonot ti. Roedd hynny'n beth aeddfed a chall iawn i'w wneud. Dwi'n gwybod bod y sefyllfa'n anodd ond mae'n rhaid i ti aros yn amyneddgar i dy Hud dy hun gyrraedd, a pheidio â neidio i mewn yn fyrbwyll a cheisio trwsio pethau'n syth.'

'Ie, dwi'n gwybod, ond mae *mor* anodd gwneud hynny,' meddai Llŷr yn llawn tristwch. 'O leiaf mae Pry-pi'n well,' meddai, gan geisio codi'i galon ei hun.

'FI O LAWER YN GWELL!' sibrydodd Pry-pi, gan sbecian yn gysglyd dros ymyl poced Llŷr. 'Ond fi ofn nawr, pam ni mewn twll yn ddaear?'

'Pwynt da,' meddai Llŷr. 'Mas o 'ma, glou!'

Ond roedd Dôn yn dal i benglinio wrth y maen hir, yn ceisio peidio â mynd i banig.

'Dôn? Brysia, ddwedes i!'

Atebodd Dôn mohono'n syth. Llyncodd.

'*Mae 'nwylo i'n sownd yn y maen.*'

18. O diar ... Mae'r Stori'n Troi i Gyfeiriad Annisgwyl

Distawrwydd llethol.

'Beth ti'n feddwl, dwyt ti ddim yn gallu tynnu dy ddwylo oddi ar y maen?' holodd Llŷr.

'Maen nhw'n sownd, dyna dwi'n ei feddwl ... Mae 'nwylo i'n sownd yn y maen ...'

'*Sut mae hynny'n bosib???!*' ebychodd Cai'n llawn arswyd.

Dyma ddigwyddodd.

Roedd Dôn wedi bod yn penglinio, yn helpu Llŷr i ddal Pry-pi yn erbyn y maen. Ac wrth iddi geisio sefyll ar ei thraed, baglodd yn lletchwith, fel y byddai'n gwneud yn aml. Estynnodd ei dwy law allan a'i chledrau'n wastad, yn erbyn y maen, er mwyn ceisio sefydlogi ei hun.

A nawr, doedd hi ddim yn gallu eu tynnu nhw o'r maen.

Y mwyaf roedd hi'n tynnu, y mwyaf sownd roedden nhw.

Nawr roedd hi'n penglinio eto, ei dwylo ar y maen, ei thalcen yn pwyso yn erbyn yr arwyneb oer, llwyd. Roedd ei dwylo wedi'u gludo'n sownd yn y maen. Ceisiodd symud ei bys bach, ond wnaeth hwnnw ddim symud modfedd. Roedd rhyw deimlad poeth, ychydig yn annymunol yn ei dwylo hi erbyn hyn, ac roedd hi'n dechrau teimlo'n sâl. Roedd ganddi'r teimlad mwyaf rhyfedd – roedd fel pe bai yna rhyw bŵer yn cael ei orfodi o'r tu mewn i'r maen a oedd yn llusgo'i pherfedd allan – fel petai hi'n botel o laeth a bod rhywun wedi gorfodi gwelltyn i mewn iddi a sugno'r cyfan allan ohoni.

'Beth sy'n digwydd?' mynnodd Cai. 'Pam bod ei dwylo hi'n sownd yn y maen? Oes yna rywbeth wedi mynd o'i le? Beth yw ystyr hyn?'

'Mae hyn yn rhyfedd ... yn rhyfedd iawn...' meddai Crawchog, gan grafu'i ben pluog.

Ceisiodd Llŷr a Cai helpu Dôn i dynnu'i dwylo i ffwrdd, ond yn ofer.

Y cyfan wnaeth yr holl dynnu a phlycio oedd gwneud i'w bysedd waedu, felly sgrechiodd arnyn nhw i stopio. Allai'r ellyllon ddim defnyddio'r swyngyfaredd yn naeargelloedd haearn Tarianrhod, wrth gwrs. Felly fe wnaethon nhw suo o gwmpas yr ystafell yn wylofain. 'Straeon yn iaaaawn ... straeon tylwyth teg gwybooood ... dim twtsh y garrrreg ...'

Doedd hyn ddim yn helpu a bod yn onest, oherwydd roedd Dôn EISOES wedi cyffwrdd â'r maen, felly roedd hi'n rhy hwyr i'w rhybuddio hi i beidio â gwneud.

'O diar, o diar, o diar ... beth wnawn ni?' meddai Cai. 'Mae yna rywbeth rhyfedd yn digwydd. Dwi'n gwybod bod yna ... Pam ddaethon ni yma? Wyt ti'n iawn, Dôn? Dwyt ti ddim mewn poen?'

'Na,' meddai Dôn, 'dydy o ddim yn brifo. Dwi'n teimlo'n sâl, ond dydy o ddim yn brifo.'

Roedd Dôn yn teimlo'n gyfoglyd, yn ddryslyd, ac yn ofnus.

Roedd bod yn gaeth mewn ceudwll afiach mewn daeargell rhyw ganllath dan ddaear, a'ch dwylo'n sownd wrth faen llwyd enfawr yn deimlad anghysurus iawn. Dechreuodd dychymyg Dôn chwarae triciau arni.

Beth petai hi'n gaeth fan hyn am byth? Dyma'r broblem gyda gwrthrychau Hudol, a dyna hefyd pam fod angen bod mor ofalus wrth gyffwrdd â nhw. Does neb byth yn siŵr o'r rheolau.

Beth os mai *dyna* oedd moeswers y chwedlau tylwyth teg – os wyt ti'n rhoi dy ddwylo ar y maen, a thithau'n berson gwahanol, fel Rhyfelwr, yn hytrach na pherson Hudol – *alli di fyth 'mo'u tynnu oddi yno.*

Aeth *saith* munud heibio.

Aeth *wyth* munud heibio

'Beth sy'n digwydd?' holodd Dôn drosodd a thro.

'Naw munud ... deg munud ... Beth sy'n digwydd?' holodd Crawchog, wedi drysu'n lân.

Roedd rhyw wres yn codi o'r maen. Roedd hi mor gynnes yn yr ystafell, nes bod y chwys yn rhedeg fel afon i lawr wyneb Llŷr a'i grys yn wlyb stecs.

Yn rhyfeddach fyth, roedd hi'n ymddangos fel bod y gwres yn effeithio ar y Llwy Hudol. Gwyrodd dros ysgwydd y dywysoges, a cheisio'i chysuro. Bu bron i'r llwy, druan, blygu drosodd yn ei dyblau fel pe bai'n cydymdeimlo â'i sefyllfa anodd, a bywyd yn cael ei sugno allan ohoni hithau hefyd.

Synhwyrodd y cathod eira a'r ellyllon y perygl, gan ffurfio cylch amddiffynnol o amgylch Llŷr. Daliodd yr ellyllon eu breichiau i fyny wrth geisio – a methu – gwneud swyngyfaredd gyda'r fath ddwyster nes bod yr awyr yn llawn gwreichion.

Roedd Dôn yn hercian o goes i goes erbyn hyn, ac roedd hi'n dechrau cynhyrfu gan banig. 'Dwi'm yn mynd i fod yn sownd fan hyn am byth, ydw i, Crawchog?'

'Nag wyt, nag wyt,' meddai Crawchog, wrth geisio'i chysuro, 'na, na, dim *am byth* ... Mae *am byth* yn amser hir ... Dwi'n siŵr mai camgymeriad bach yw hwn, rhyw gamddealltwriaeth, ac unrhyw funud nawr bydd y maen yn hapus i ti dynnu dy ddwylo'n rhydd ...'

Roedd talcen Dôn yn agos iawn at y maen.

Ai dychmygu roedd hi, neu a oedd y maen o'i blaen hi'n mynd yn ysgafnach? Yn ysgafnach ac yn ysgafnach, a rywsut, yn fwy tryloyw – fel pe bai arwyneb y maen yn ddim mwy na phapur, a hithau'n gallu gweld reit i mewn i'w ganol?

Wel, myn uchelwydd i a derw a phopeth melys a gwenwynig.

Wrth i Dôn edrych, wedi'i Hudo, roedd hi'n meddwl ei bod hi wedi gweld llygad yn agor rhywle yng nghrombil y maen ...

... a sibrydodd llais bach afiach: 'Sssshwmai ... Dwi wedi bod yn edrych ymlaen at gwrdd â ti ...'

Syllodd Llŷr yn gegagored. 'Mae'r maen yn ... siarad ...'

'Dim y maen sy'n siarad!' ochneidiodd Dôn. 'Mae yna rhywbeth i mewn ynddo ...'

Daeth fflach o olau a'r cyfan allai Dôn weld am ychydig oedd sêr. Ond wrth i'w llygaid addasu gallai weld ... ei bod hi'n edrych yn syth i lygad Gwrach enfawr, wedi cyrlio y tu mewn i'r maen, ei choesau wedi'u plygu oddi tani fel sioncyn y gwair tywyll, enfawr.

19. Gall Hud Byth Cael Ei Waredu, Dim Ond Cael Ei Guddio

Roedd gan Seithwg y Swynwr ddywediad a fyddai wedi bod o ddefnydd mawr i Tarianrhod: 'Mae'n amhosib gwaredu Hud, dim ond ei guddio.'

Roedd y dywediad yna mor wir.

Dyma oedd cyfrinach y Maen-Hir-Sy'n-Tynnu-Hud.

Roedd yn llyncu Hud am *reswm*.

'Beth ... yw ... *hwnna?*' sibrydodd Dôn, mewn arswyd llwyr.

'Fi,' meddai'r llais afiach, arswydus, 'yw'r Frenhinwrach ...'

'O, llygad madfall ddŵr a bys bawd broga brawychus!' dwrdiodd Crawchog mewn braw. 'Mae ffawd wedi gwneud ffyliaid ohonom ni i gyd! Dy'n ni'n ddim mwy na pheli bowlio deg i'r bydysawd heddiw! Mae ffawd YN CAEL DIWRNOD GWAEL IAWN, WIR!'

Y Frenhinwrach oedd yno.

Ac roedd hi'n ymddangos bod ffawd wedi bod yn chwarae gêm ddrygionus iawn â nhw.

Yn anffodus, roedd gan yr hen Feirdd-

Dderwyddon draddodiad o beidio ag ysgrifennu na chofnodi dim.

Y problem gyda *hynny* yw, pan fydd neges yn cael ei phasio o geg i glust dros nifer fawr o ganrifoedd, a'r odlau'n cael eu hanghofio a'u hail greu, caiff y gwirionedd ei hagru a'i ddarnio ar hyd y ffordd.

Roedd y tylwyth teg wedi cofio'r neges graidd: DIM TWTSH Â'R MAEN HIR.

Ond roedd hyd yn oed y tylwyth teg wedi anghofio pam.

Fel y dywedai Crawchog, y drafferth gyda straeon yw: *rhaid i chi wybod beth maen nhw'n ei olygu.*

Oherwydd o'r diwedd, roedden nhw wedi darganfod gwir gyfrinach y maen.

Dyma'r gwirionedd.

Ganrifoedd maith yn ôl, roedd y Frenhinwrach wedi'i threchu yn Rhyfel y Gwarchod, a'i chaethiwo yn y maen hwn. Am gannoedd o flynyddoedd roedd wedi bod yn amsugno'r Hud o'r tu mewn, gan aros, ac aros, nes bod ganddi'r nerth i dorri'n rhydd drachefn.

Roedd y Frenhines Tarianrhod wedi meddwl ei bod hi'n aberthu Hud i'r maen o'i phen a'i phastwn ei hun. Sut allai hi wybod ei bod hi'n ymateb i ewyllys y Wrach-yn-y-Maen? Wrth galon y gaer haearn, lle roedd Hud wedi'i wahardd, yn dawel bach y tu mewn i'r maen llwyd, roedd yna galon arall, ewyllys arall, a oedd yn crafangu, yn cynllwynio, yn dyheu ac yn dymuno â'r fath bŵer anweledig ofnadwy, fel pry copyn yng nghanol gwe lwyd, enfawr.

'GwrachyweGwrachyweGwrachyweGwrachywe Gwrachywe!' gwichiodd yr ellyllon, wrth wibio'n ofnus yma a thraw drwy'r awyr, a rhechen cymylau o fwg du, llawn arswyd.

'*Rho dy Hud i fi ...*' sibrydodd y Frenhinwrach. 'Rho dy Hud i fi ... RHO DY HUD I FI ...'

'Ond ... mae'n gamgymeriad,' plediodd Dôn, a gorfodi ei hun i edrych i fyw'r llygaid arswydus y tu mewn i'r maen. 'Does gen i ddim Hud ... Nid Dewin ydw i, dim ond tywysoges y Rhyfelwyr cyffredin ydw i. Os gwelwch yn dda, dwi eisiau mynd ...'

'O, ond *mae* gen ti Hud,' atebodd y Frenhinwrach. 'Cred ti fi, dwi'n gwybod pa fath o beth yw Hud. Ac mae gen ti Hud anghyffredin. Math arbennig o Hud, math blasus o Hud, a dwi wedi bod yn aros amdano ers sbel, sbel. *Yr Hud-sy'n-gweithio-ar-haearn ...*'

Oooo.

Mam.

Bach.

'TYNNWCH FI ODDI AR Y MAEN YMA!' sgrechiodd Dôn ar dop ei llais.

Bu trafferth mawr yn yr ystafell dynnu-Hud.

Tynnodd Cai a Llŷr ar fysedd Dôn â'u holl nerth, ond symudodd ei dwylo'r un fodfedd.

'All hyn ddim bod yn wir!' wylodd Dôn. 'Rhyfelwr ydw i! All Rhyfelwyr ddim fod yn Hudol – mae'n amhosib!'

Ond does yna ddim y fath beth ag *amhosib*. Dim ond *annhebygol*.

A'r eiliad y dywedodd y Frenhinwrach fod angen Hud Dôn arni, roedd pawb yn yr ystafell honno'n gwybod ei fod yn wir.

Roedd yn egluro popeth.

Roedd yn egluro pam fod Dôn wedi bod yn teimlo ychydig yn wahanol yn ddiweddar. Yn ystod y misoedd diwethaf, roedd llawer iawn o bethau rhyfedd wedi bod yn digwydd iddi. Nodwyddau'n dod yn fyw yn ei dwylo, carpedi'n symud o dan ei thraed neu'n cyrlio ar yr ymylon wrth iddi gamu drostyn nhw.

Byddai pethau roedd hi'n cydio ynddyn nhw'n llithro trwy'i dwylo fel dŵr, neu'n llamu i'w gafael wrth iddi ymestyn ei bysedd tuag atyn nhw ... pethau roedd hi'n meddwl ei bod hi wedi'u rhoi nhw mewn un lle yn ymddangos yn annisgwyl mewn llefydd eraill, ei gwallt yn codi ar ei phen neu'n clymu'i hun yn nyth brain pan oedd hi'n teimlo'n nerfus, dillad yn rhwygo, esgidiau'n llacio, allweddi'n mynd ar goll ...

Roedd hi wedi meddwl mai bod yn anghofus roedd hi, ac yn lletchwith, a'i phen yn y cymylau. Teimlai hyd yn oed yn fwy diwerth nag arfer. Ond ...

Roedd Dôn yn dair ar ddeg oed, a dyna oedd yr adeg pan oedd Hud person yn dechrau dod i'r amlwg.

'Y llwy ...' sibrydodd Cai.

Y Rhyfelwr Hudol!

Annhebygol.

Oedd y llwy haearn wedi dod yn fyw oherwydd bod Hud-sy'n-gweithio-ar-haearn Dôn yn ei hudo?

Nawr bod Cai'n meddwl am y peth, roedd yr hen lwy yn debyg iawn i Dôn.

Caredig a ffyddlon.

Ychydig yn ddi-hid.

Ychydig yn rhyfedd.

Sut allai Dôn hudo rhywbeth heb wybod ei bod hi'n gwneud hynny?

Oherwydd bod Hud yn anodd ei reoli, yn enwedig os nad ydych chi'n gwybod bod gennych chi Hud yn y lle cyntaf.

Wrth gwrs, doedd hi ddim yn ddigon i Dôn fod yn Hudol. Roedd hi mor lletchwith fel bod yn rhaid iddi gael Hud gwahanol i bawb arall!

'O diar, o diar, o diar ...' meddai Crawchog. 'Ro'n i'n gwybod nad o'n ni'n holi'r cwestiynau iawn! Y cwestiynau y dylwn ni fod wedi eu holi oedd: pam bod y Gwrachod yn deffro NAWR? Pam fan hyn? Pam ni? A'r ateb yw, maen nhw'n deffro oherwydd bod Hud Dôn newydd ymddangos – ac maen nhw ei eisiau ...'

Roedd Crawchog yn iawn. Doedd yna ddim cyd-ddigwyddiadau. Am ganrifoedd, roedd y Gwrachod yna wedi bod yn gaeafgysgu. Ond roedden nhw, yn wir, wedi dewis yr eiliad benodol hon i ddeffro o'u trwmgwsg am eu bod nhw'n synhwyro bod Dôn wedi cael ei Hud a'i fod yn rhywbeth yr oedden nhw ei angen.

'Dere â'r Hud i fi ...' llafarganodd y Frenhinwrach y tu mewn i'r maen yn yr un llais afiach, arswydus. 'Dere draw â'r Hud-sy'n-gweithio-ar-haearn ...'

'Pam ei bod hi EISIAU'R Hud?' wylodd Dôn, gan wybod ei fod yn gwestiwn nad oedd hi eisiau clywed yr ateb iddo.

Daeth Crawchog o hyd i'r ateb.

'*Mae hi eisiau digon o Hud i dorri allan o'r maen!!!*' sgrechiodd Crawchog. '*Mae'n RHAID i ni ryddhau Dôn o'r maen!*'

'TYNNWCH FI ODDI AR Y MAEN AR UNWAITH!!' sgrechiodd Dôn eto.

'Saethwenyn, ceisia wneud rhyw swyn er mwyn ei chael hi'n rhydd o'r maen!' plediodd Llŷr. 'Fe wna i drio'i thynnu hi'n rhydd eto.'

Suodd Saethwenyn yn ffyrnig, a phoeri'n llawn cynddaredd a phoen. 'SSSSSSssss!!!! Merch ddynol ddrewllyd ddwl!! Ti mynd honco bost, Meistr! Angen mynd o 'ma nawr!!!!! Pethau troi'n gas ...'

'Rhaid i ti wneud beth ydw i'n ei ddweud,' meddai Llŷr yn swta.

Aeth yr ellyllon i chwilota yn eu bagiau Hud. Roedd yna swynion cariad, melltithion, hylif anweledig, pethau defnyddiol iawn ar gyfer bywyd bob dydd, ond ddim ar gyfer wynebu drygioni tywyll mawr fel Gwrach. Dyma ysgwyd pob Hudlath ... ond wrth gwrs allai eu Hud ddim gweithio mewn carchar yn llawn haearn.

Cododd llais afiach, arswydus y Frenhinwrach yn uwch ac yn uwch, gan lenwi'r ystafell fel tarth myglyd.

'RHO DY HUD I MI RHO DY HUD I MI RHO DY HUD I MI ...' llafarganodd y Wrach, a'r mwyaf uchel aeth y llafarganu, y mwyaf o banig a ddaeth dros Dôn. 'RHO DY HUD I MI RHO DY HUD I MI RHO DY HUD I MI ...'

'Sut ydw i'n defnyddio Hud i ddianc?' gofynodd Dôn. 'Rhaid i ti fod EISIAU rhywbeth yn fawr iawn iawn ... DYMUNA amdano fe! GWNA HUD!...' anogodd Llŷr, 'ac yna PWYNTIA'R HUD allan gyda dy ddwylo!'

'Alla i ddim!' meddai Dôn yn drist. Roedd hi'n teimlo mor sâl nes ei bod hi'n teimlo fel rhoi'r ffidil yn y to, a marw yn y fan a'r lle. 'Mae 'nwylo i'n sownd wrth y maen! Pam na alla i eu tynnu? Roedd tynnu Pry-pi wedi bod mor hawdd!'

'Byddai'r Wrach wedi *gadael* i ti fynd â Pry-pi!' meddai Crawchog, a oedd yn gwibio'n llawn ofn uwchben y maen. 'Wneith hi ddim dy ryddhau di o gwbl ...'

A'i dwylo'n sownd yn y maen, allai hi ddim perfformio Hud, hyd yn oed pe bai hi'n gwybod sut i greu Hud yn y lle cyntaf. Roedd unrhyw syniadau Hudol yn cael eu sugno ohoni drwy'i dwylo. Ac yn waeth na hynny, yn waeth na dwyn popeth oedd ganddi, roedd rhywfaint o'r Wrach yn treiddio i mewn iddi hi hefyd, yn dweud wrthi y byddai popeth yn iawn dim ond iddi ildio'n llwyr i ddymuniadau'r Wrach.

Wedi'r cyfan, mae'r Rhyfelwyr wedi datgan eu bod am ddinistrio Hud, felly mae'n berffaith rhesymol i'r Gwrachod ymladd yn ôl, meddyliodd Dôn, er nad oedd hi'n siŵr ai hi oedd yn meddwl hynny, neu'r Wrach.

'RHO DY HUD I MI RHO DY HUD I MI RHO DY HUD I MI ...'

Gallai Dôn weld yn syth i mewn i gorff y Frenhinwrach lle roedd dwy galon ddu'n curo, ac roedd ei gwythiennau'n disgleirio'n wyrdd fel afonydd llawn llysnafedd. Ond roedd yna siapiau eraill hefyd: ffyrdd cris-croes igam-ogam yr Hud a oedd yn cael ei sugno allan o gorff Dôn ac i mewn i gorff y Wrach, fel llwybrau bychan drwy goedwig.

Roedd cledrau'r Frenhinwrach yn pwyso yn erbyn y maen, ar y tu mewn, yn union gyferbyn â lle roedd dwylo Dôn ar y tu allan. Gallai deimlo'r Hud yn llifo o'i bysedd i mewn i ddwylo'r Frenhinwrach mewn curiad rhythmig cyson, yn union yr un amser â churiad ei chalon.

'*Dwi'n dymuno Dwi'n dymuno ... Dwi'n dymuno ... Dwi'n dymuno ...*' meddyliodd Dôn.

Cynyddodd yr anhrefn yn yr ystafell dynnu-Hud wrth i lafarganu hypnotig y Wrach droi'n fyddarol.

Gollyngodd yr ellyllon eu swyngyfareddio wrth i'r cathod eira udo a rhuo.

'CWFFIA!' gwaeddodd Crawchog. 'DEFNYDDIA BOPETH SYDD GEN TI I DORRI'N RHYDD! BYDD YN ANUFUDD! Meddylia am Llŷr yn herio'i dad! Paid ag ildio dy Hud am dy fod yn meddwl mai dyna ddylai Rhyfelwr ei wneud! Paid â dilyn gorchmynion!'

Cofiodd Dôn am Llŷr yn y gwersyll yn gweiddi ar ei dad, ac wrth iddi wneud hynny, gallai weld y llif o Hud a oedd yn cael ei sugno allan ohoni hi i mewn i'r Wrach yn arafu.

'Mae'n rhy hwyr ...' meddai Cai. 'Mae'r maen yn symud ...'

Dechreuodd y maen siglo, yn araf i ddechrau, ac yna'n gynt, yn fwy gwyllt, yn gynt, yn fwy gwyllt.

O barfau Gwrachod murmur uchelwydd ac ewinedd bysedd traed melyn y bwystfil mwyaf bondigrybwyll yng ngwlad y blobigrybwyll, meddyliodd Cai.

Efallai bod y Wrach, o'r diwedd, wedi amsugno digon o Hud i ddodd yn rhydd o'r maen!

'Mynd nawr! Mynd nawr! Mynd nawr!' gwichiodd yr ellyllon, a oedd mor llachar â sêr gwib.

Ond doedden nhw ddim yn mynd i allu gadael Dôn yna ar ei phen ei hun. Dim Cai, dim Llŷr, dim Crawchog, dim cathod eira, dim hyd yn oed yr ellyllon.

Mae gan yr ellyllon enw gwael, hyd yn oed

ymysg Dewiniaid. Mae pobl yn dweud eu bod nhw'n greaduriaid bradwrus, gwamal, sydd ddim yn gwybod beth yw ystyr cariad na ffyddlondeb.

Ond y cyfan alla i ddweud yw: fe wnaeth yr ellyll *yma*, er gwaethaf eu harswyd wrth ochr y maen, a'u hofn o'r Wrach a oedd ar fin dod allan ohono, aros gyda'u Meistr. Roedden nhw'n hisian a thasgu fel tân gwyllt, ond er hynny, aros wnaethon nhw.

Heb feddwl, cydiodd Llŷr yn y Cleddyf Hud.

Tywynnodd y golau ar y llafn.

Un tro roedd yna Wrachod...

... ond wnes i eu lladd nhw.

Daliodd y cleddyf i fyny uwch ei ben. Rhoddodd floedd anhygoel o uchel, a'i blymio'n syth i mewn i'r maen â'i holl nerth.

Wrth gwrs, dylai hynny fod yn amhosib. Cleddyf wedi'i wneud o haearn, yn torri trwy faen?

Ond trywanodd y cleddyf Hud y maen hyd at y carn, fel pe bai Llŷr yn ei blymio i mewn i'r ddaear feddal.

SBLWWWWWWTSSSHHH!

Cododd pob blewyn o wallt ar ben Dôn i fyny a disgleirio fel tân. Llenwyd yr ystafell ag oglau mwg. Ffrwydrodd drws yr ystafell ar agor a thasgu oddi ar ei golfachau, gan daro'r wal gyferbyn. Saethodd mellt oddi ar wyneb y maen, a hyrddiwyd Dôn oddi arno. Hedfanodd am yn ôl drwy'r awyr, a glanio gydag ergyd boenus ym mhen draw'r ystafell.

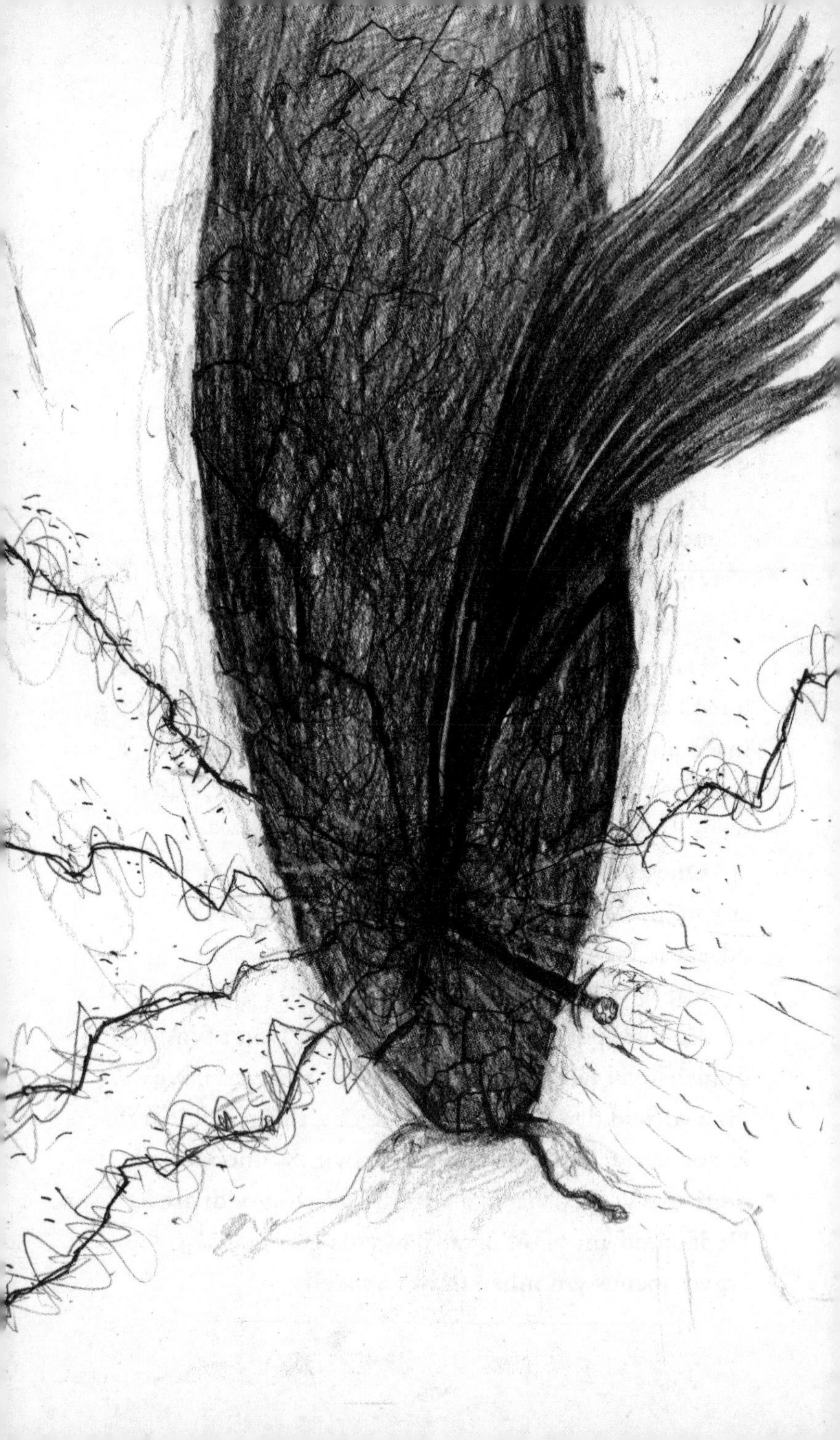

Ymddangosodd llinellau bychain ar draws wyneb y maen, fel llinellau sy'n ymddangos ar wy cyn i gyw bach gael ei eni.

'Maen yn hollti!' sgrechiodd Saethwenyn. 'Maaaen yn hooolllti!'

Chwalodd y maen o un ochr i'r llall. Saethodd hollt igam-ogam enfawr rhyw fodfedd o led ar draws wyneb y maen a'r cleddyf yn sownd yn ei ganol.

Ac allan o'r hollt, ymlusgodd *rhywbeth*.

20. Tro arall yn y stori

Llifodd y peth allan o'r hollt fel melynwy allan o wy oedd wedi torri, ond roedd yn ddu fel olew.

Nid dyna'r Frenhinwrach, siawns – sut allai'r creadur erchyll yna a welon nhw'r tu mewn oroesi'r fath ymosodiad â chleddyf, heb sôn am lifo drwy'r hollt oedd yn ddim mwy na modfedd o led?

Efallai mai Gwaed Gwrach oedd yn llifo allan, wedi i'r cleddyf hyrddio i mewn i'r creadur yn y maen?

Ac yna, caledodd y pwll o hylif du, a thrawsnewid o flaen eu llygaid yn rhywbeth o gig a gwaed a oedd yn symud – yn gorff byw go iawn.

Rhyw fath o ysgerbwd o blu, a'r plu hynny'n socian.

Weithiau mae pobl yn hoffi cysuro'u hunain na all Gwrachod fod mor erchyll â'r hyn roedd y straeon tylwyth teg yn ei honni. Ond byddai un cip ar y Frenhinwrach yn cadarnhau eu bod hyd yn oed yn fwy erchyll na hynny.

Gall hyd yn oed *edrych* ar Wrach fod yn ddigon brawychus i fferru calon person a'i roi yn ei fedd. Gall Gwrachod newid eu siâp, wrth gwrs, ac weithiau mae ambell un yn dewis ymddangos yn reit ddymunol. Ond mae'r mwyafrif yn ymfalchïo'n fileinig eu bod nhw'n erchyll ac arswydus.

Roedd gan y *Peth* yma drwyn fel cyllell, a oedd yn ddigon miniog i dorri llysiau. Doedd ganddo ddim llygaid ond yn hytrach dyllau du fel pyllau dwfn, a rhywbeth fel arian byw yn fflachio ar eu gwaelod. Roedd y geg yn diferu poer du ac yn datgelu dannedd oedd mor gam â rhes o hen feddau. Gallai'r ên agor yn anferth gan lyncu carw mewn un gegaid. Roedd fel rhyw fath o gorff dynol, pluog, yn awchus a chyfrwys fel panther.

Ar y cyfan, felly, doedd y Frenhinwrach ddim yn greadur arbennig o dlws, a dweud y lleiaf.

Agorodd y creadur drewllyd, llithrig ei adenydd du, gwlyb yn araf, araf i'w llawn maint. Wrth ysgwyd ei hun, syrthiodd pryfed a chig wedi pydru oddi arno. Yna, cododd ei big ac edrych yn syth tuag at Llŷr a Cai.

Ac yna diflannodd.

'Ble aeth e ... ble aeth e?' holodd Llŷr gan droelli o'i gwmpas.

Udodd yr anifeiliaid mewn arswyd. Agorodd yr ellyllon eu cegau a gwichian yn llawn ofn, am nad oes llawer o bethau'n codi mwy o fraw ar rywun na gelyn anweledig.

Cododd Dôn ar ei thraed yn simsan.

'Peidiwch â chynhyrfu ...' meddai Crawchog mewn panig llwyr. 'Ble mae e? All rhywun ei weld e?'

Chwyrlïodd y tri ohonyn nhw o gwmpas yr ystafell, yn y gobaith o weld rhyw arwydd o'r Wrach anweledig.

Ond doedd dim byd yno.

'Mae'n mynd i ymosod ar Dôn!' meddai Llŷr. Roedd yn gwybod hynny, ond doedd e ddim yn gwybod pam.

Ac yn wir, roedd yr awyr uwchben Dôn wedi tywyllu, fel petai yna storm yn ffurfio.

Yn ddewr iawn, trodd y Llwy Hudol, a oedd yn sefyll ar ben Dôn, i wynebu'r tywyllwch.

A Llwy Hudol yw'r math o beth, efallai, y byddet ti eisiau wrth dy ochr wrth wneud *pwdin*, nid rhywbeth a fyddai o ddefnydd mawr wrth herio un o'r creaduriaid mwyaf arswydus ar wyneb y ddaear.

Ceisiodd Llŷr lusgo'r cleddyf allan o'r maen, ond roedd yn hollol sownd, fel pe bai wedi bod yno erioed. Tynnodd nerth ei esgyrn, ond doedd dim yn tycio.

Felly gydag un sgrech angerddol, a heb arf o gwbl, llamodd Llŷr, y bachgen nad oedd yn poeni'r un iot am neb arall heblaw fe ei hun, at y Wrach.

Roedd y Wrach hefyd bellach yn sgrechian, wrth blymio tuag at Dôn. Ac wrth blymio, daeth yn weladwy unwaith eto, a dyw troi dy hun yn weladwy ddim mor hawdd a di-boen â goleuo cannwyll. Edrychai'n wir fel pe bai'r awyr ei hun wedi cael ei rhwygo fel llen. Y pen ymddangosodd yn gyntaf, yn sgrechian ac yn mudlosgi. Yna, mewn ffrwydrad o wreichion du a mwg ac arogl ofnadwy plu'n llosgi, daeth crafangau'r Wrach i'r golwg.

Taflodd Dôn ei hun i'r llawr heb feddwl ddwywaith.

Roedd y Wrach wedi bod yn anelu'n syth at ei phen, gan fwriadu'i rwygo i ffwrdd. (Am greaduriaid bach annwyl yw'r Gwrachod yma!)

Ond llamodd Llŷr a'r cathod eira yn uchel i'r awyr, gan ddal y wrach gerfydd ei chynffon.

Felly dim ond crafu ar draws wyneb Dôn wnaeth crafangau'r Wrach, gan rwygo'r patshyn oddi ar ei llygad. Sgrechiodd Dôn a rhoi'i dwylo dros ei hwyneb.

Â sgrech aflafar, ysgydwodd y wrach Llŷr a'r cathod eira o'i chorff, troelli o gwmpas yr ystafell yn filain, a throi i ymosod ar y bachgen dynol di-nod a blin a blymiodd y cleddyf i grombil y maen.

Gwenodd y Wrach, ac o, myn uchelwydd i a phopeth melys a sudd gwenwynig, mae gwên Gwrach yn beth erchyll. Agorodd y geg fawr yn barod i lyncu Llŷr mewn un gegaid.

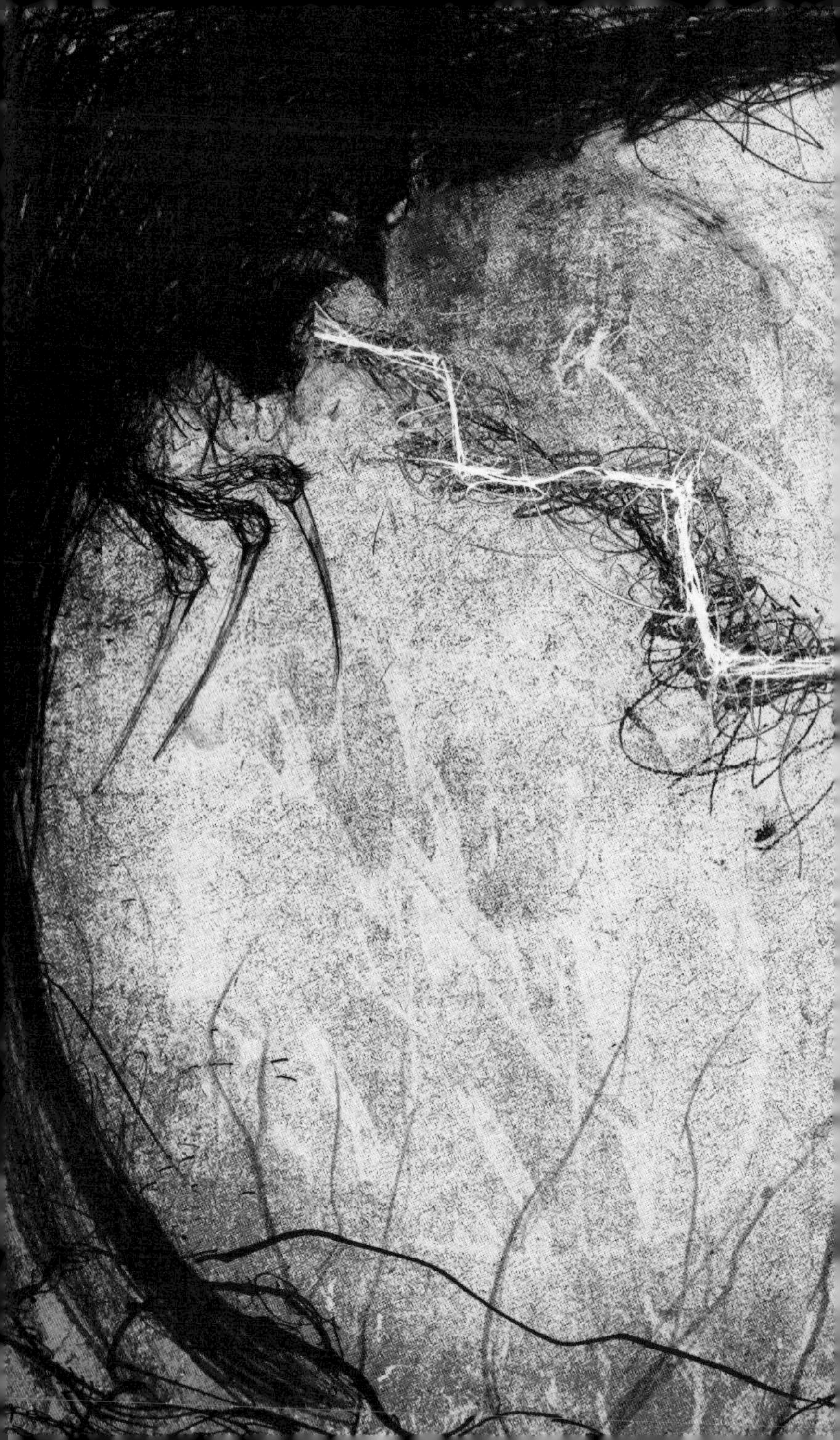

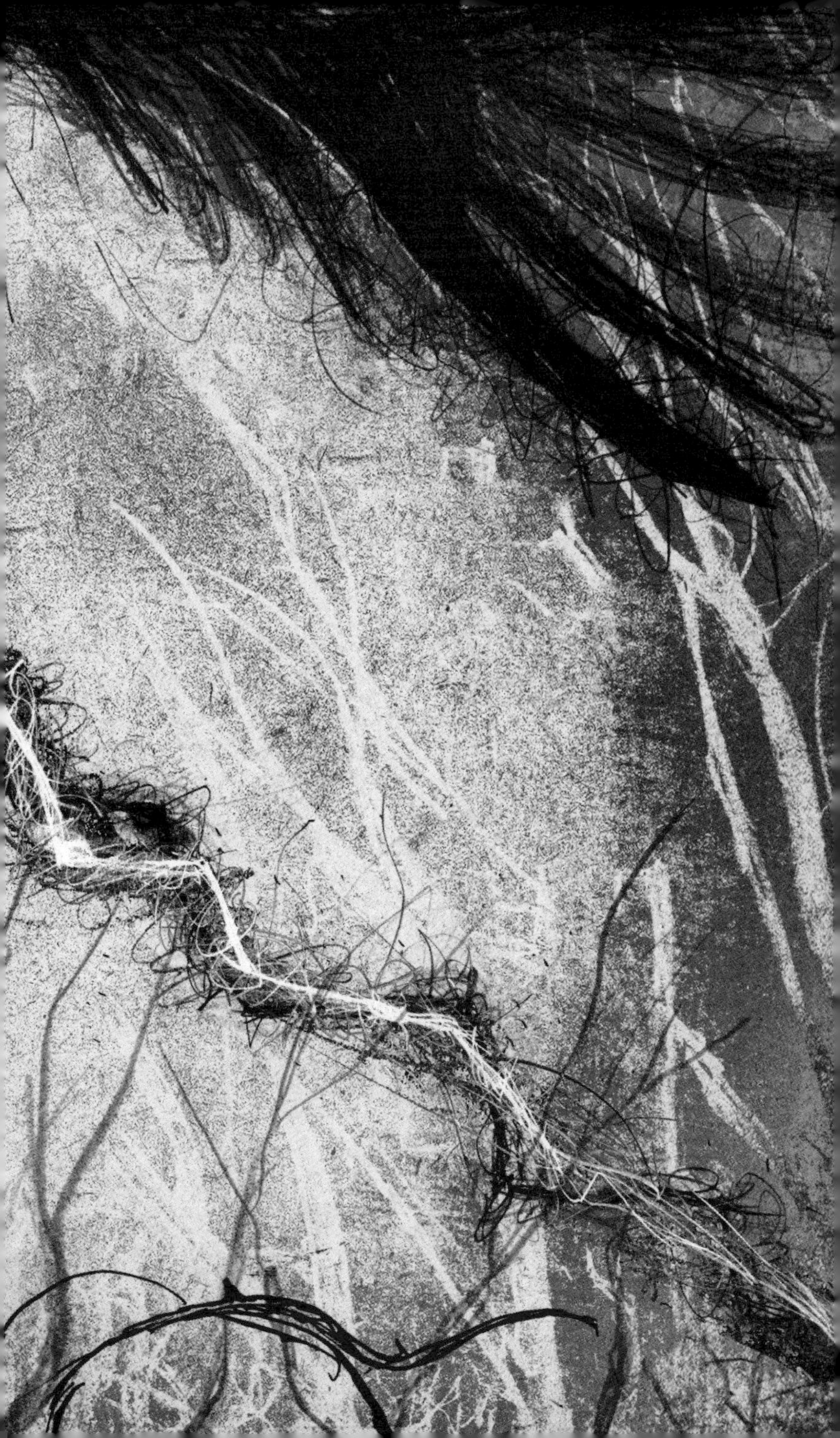

Roedd drewdod poeth anadl y Wrach mor ofnadwy o ffiaidd, yn arogli fel wyau wedi prydu a marwolaeth, gan beri i Llŷr bron iawn â llewygu.

O leiaf y bydda i'n marw'n arwr, meddyliodd Llŷr yn ei arswyd, *yn hytrach nag mewn ffordd hollol ddibwys. Fi fydd y person cyntaf i gael ei ladd gan Wrach mewn cannoedd a channoedd o flynyddoedd ...*

Dim ond Llŷr fyddai'n meddwl am enwogrwydd ac ysblander pan oedd mor agos at wely angau.

Plymiodd y creadur gorffwyll tuag ato. Y tro hwn, doedd e ddim yn mynd i fethu.

21. Dymuno

'Na!' gwichiodd Cai.

Ac yng nghornel bella'r ystafell, tynnodd Dôn ei dwylo oddi ar ei hwyneb.

Cododd ei phen, a bloeddiodd hithau hefyd, 'NA!!'

Roedd patshyn llygad Dôn, wedi i'r Wrach ei rwygo oddi ar ei hwyneb, wedi disgyn i'r llawr.

Roedd llygad Dôn, a oedd fel arfer wedi'i chuddio dan y patshyn, ar gau ac roedd yna graith ddofn drosti. Roedd hi ychydig bach yn fwy na'r llygad arall, ac o amgylch yr ymyl roedd yna glais dulas, fel pe bai'r croen dynol, druan, wedi chwyddo tuag allan oherwydd bod rhyw rym ffyrnig oddi mewn yn ceisio dianc.

Wrth i Dôn floeddio, holltodd y graith ar ei llygad ryw ychydig, ac roedd lliw'r llygad oddi tano'n rhyfedd iawn – lliw nad oedd neb wedi'i weld erioed o'r blaen. Alla i 'mo'i ddisgrifio, heblaw ei gymharu â phethau eraill. Roedd yn lliw a oedd yn gynnes ac yn oeraidd yr un pryd, lliw a oedd yn dy atgoffa o losgfynyddoedd, o stormydd, o drydan, o NERTH.

Gallai Dôn deimlo'r nerth oddi mewn iddi, ac roedd yna gynddaredd, terfysg, storm wirioneddol ddychrynllyd yn ei phen, mor dreisgar nes peri iddi gael cur pen fel pe bai coblynnod yn taro'i phenglog â morthwylion o'r tu mewn. Cododd pob blewyn ar ei phen fel pe bai rhyw drydan yn llifo drwyddi.

Chwythodd gwynt mawr drwy'r ystafell, gan daflu'r ellyllon a'r pridd a'r llwch drwy'r awyr, a chododd a gostyngodd y llawr fel pe bai'n fôr tymhestlog.

Yn nyfnderoedd y llygad honno ffurfiodd rhywbeth, rhyw chwyrligwgan tanllyd neu drobwll ffyrnig, a chyda sŵn boff ...

... hyrddiodd yr Hud o lygad Dôn yn enfys o liw nerthol, fel seren uwchnofa'n ffrwydro, gan daro'r Wrach eiliad wedi i'r creadur bwyntio bys a saethu ffrwydrad treiddiol o Hud gwynias yn ôl at Dôn.

... Ac yna ...

FFLATSH!!!!!

Ffrwydrodd y Wrach yn gwmwl o siarcol llosg a phlu crasboeth.

Ysgubwyd Cai a Llŷr a'r cathod eira oddi ar eu traed.

Syrthiodd llwch a phlu'r Wrach o'r awyr yn araf bach fel eira du.

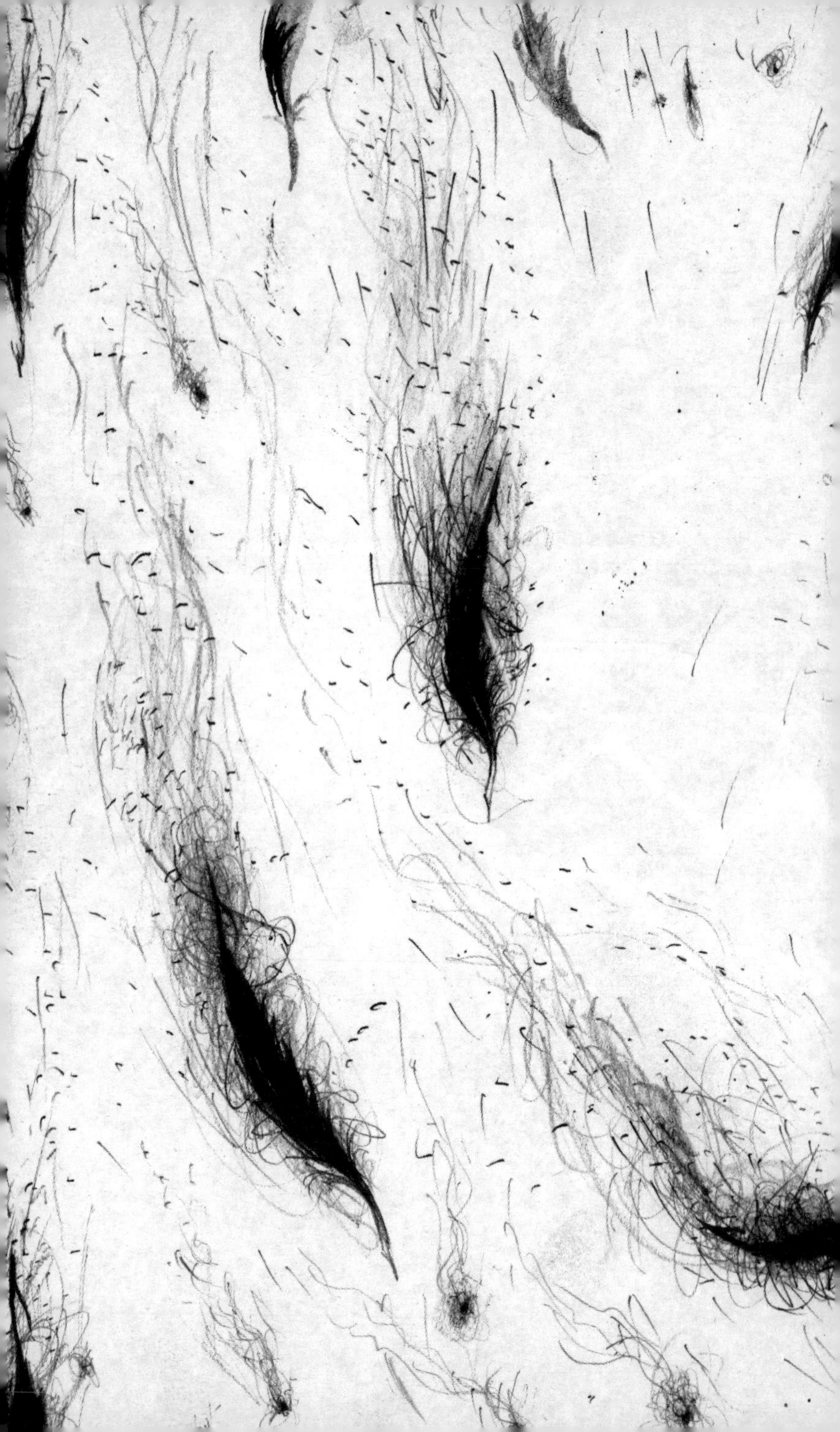

22. Gwneud yn Iawn a Thalu'r Pris

Rhoddodd y llawr a'r waliau y gorau i grynu, gyda'r fath ergyd ffyrnig nes i'r cerrig mawr o gwmpas y drws syrthio.

'O mam bach ... Alla i ddim credu'r peth ... *Fe lwyddais i!*' ebychodd Llŷr mewn syndod, wrth godi'i hun â'i benelin, gan besychu a baglu wrth geisio codi ar ei draed yng nghanol y cymylau o lwch, a cheisio dal y plu oedd yn syrthio o'r awyr. 'Dwi wedi lladd y Wrach!'

Prociodd gorff Cai â'i droed. Roedd wedi llewygu unwaith eto gan sioc.

'Dihuna, Warchodwr Cynorthwyol, dihuna!' meddai Llŷr. 'DWI WEDI LLADD Y WRACH! FE LWYDDAIS I!'

'Mae'r Wrach weeedi maaaaarw! Mae'r Wrach weeedi maaaaarw!' canodd yr ellyllon yn orfoleddus gan ddawnsio gwerin yn yr awyr.

Dihunodd Cai, a chrafu'i foch. 'Beth ddigwyddodd?'

'Fe wnaeth hi FFRWYDRO!' meddai Llŷr yn llawn cyffro, am ei fod wrth ei fodd â ffrwydradau. 'Fe wnaeth hi FFRWYDRO! Roedd y peth yn wych! Y ffrwydrad mwyaf i mi ei glywed erioed! Dwi'n methu credu dy fod ti wedi gallu cysgu drwy'r cwbl!'

Ymestynnodd Llŷr law i helpu Cai i'w draed.

'Ffrwydro?' gofynnodd Cai, a'i feddwl ymhell, wrth estyn ei law i ddal un o'r plu a oedd yn dal i ddisgyn o'r awyr.

'Edrych!' meddai Llŷr, gan bwyntio at y carped o blu du o'u cwmpas. 'Dyna'r oll sy'n weddill o'r Wrach ... Fe wnaeth Hud Dôn ei chwalu hi'n rhacs ... ond fy hyrddiad i â'r cleddyf a dynnodd y nerth o'r Hud er mwyn i'r ffrwydrad weithio.' Cododd ddwrn i'r awyr. 'FI YW BACHGEN FFAWD, YR UN GAFODD EI DDEWIS!!'

'O, Nora wen, *fe lwyddon ni!*' bloeddiodd. 'Ry'n ni wedi lladd y Frenhinwrach! Y Dewiniaid a'r Rhyfelwyr yn gweithio gyda'i gilydd!'

Cafodd Llŷr a Cai gwtsh mawr wrth i'r cathod eira brancio'n llawen o'u cwmpas nhw, yn edrych mor hapus ag y gallai cathod edrych.

'Mae'n rhaid i fi gyfaddef, Dôn, roeddet ti wedi helpu ychydig gyda'r peth rhyfedd yna wnest ti â dy lygad. Beth OEDD hynny?'

Trodd Llŷr i longyfarch Dôn ...

... ond doedd Dôn ddim yno.

Dim ond bryd hynny y sylweddolon nhw mor dawel oedd hi.

Doedd y waliau ddim yn crynu, ac roedd y llawr yn hollol lonydd. Roedd hi fel y bedd.

Ac nid plu yn unig oedd yn syrthio'n dawel o'u cwmpas.

Roedd yna lwch amryliw hefyd.

Roedd pobman yn dawel, heb sŵn ar wahân i gwymp tawel y plu du, a'r llwch amryliw.

'Ond ble MAE Dôn?' holodd Cai'n ddryslyd, gan edrych o gwmpas yr ystafell yn wyllt, ac i gyfeiriad y twll lle bu'r düwch ynghynt. 'Welodd unrhyw un i ble'r aeth hi?'

'Edrych! Mae'r drws wedi'i rwygo oddi ar ei golfachau!' meddai Llŷr. 'Falle'i bod hi wedi mynd i chwilio am gymorth neu rywbeth ...'

Ac yna fe sylwodd ar y llwy, yn gorwedd yn llonydd yng nghanol yr ystafell.

Plygodd Llŷr a chodi'r llwy.

Roedd yn galed ac yn oer erbyn hyn. Roedd yr holl Hud wedi'i gadael.

Yn ofalus, gosododd Llŷr hi i orwedd ar y llawr unwaith eto.

Bu tawelwch llethol yn yr ystafell dynnu-Hud.

Symud, lwy, SYMUD!

Hedfanodd Crawchog i lawr a glanio ar ysgwydd Llŷr. Gorffwysodd yno a'i ben yn ei blu.

'Mae'n ddrwg gen i, Llŷr ...' meddai Crawchog. 'Ond yng nghanol y dryswch dwi ddim yn credu i ti sylwi ar ail ffrwydrad bron yr un pryd â'r cyntaf. Cafodd Dôn gymaint o syndod ... llwyddodd y Frenhinwrach i saethu Hud eiliad cyn ffrwydro, a'i tharo hi ...'

'Ffrwydrodd Dôn hefyd?' holodd Llŷr, yn methu credu'r peth.

Amhosib.

Anghredadwy.

Dere 'nôl, Dôn! meddyliodd Llŷr ...

DERE 'NÔL!

'DWI'N MOYN! DWI'N MOYN! DWI'N MOYN I TI DDOD 'NÔL!'

Ond doedd dim ar ôl ond y llwch amryliw ar lawr.

'ANADLA! DERE 'NÔL YN FYW! BYDD YN GYFAN ETO!'

Ond roedd y llwch lliw rhyfedd lle bu Dôn yn gorwedd yn oer ac yn llonydd, a doedd dim ond anadl Llŷr yn peri iddyn nhw symud eto. Allai hyd yn oed gonsuriwr gorau'r byd ddim dod â rhywun yn ôl yn fyw o'r llwch.

Mae gan weithredoedd ganlyniadau. Rhaid talu'r pris wrth wneud yn iawn, a does dim modd dad-wneud rhai pethau.

Llefodd Llŷr.

Penglinodd yntau a Cai i lawr ar lawr yr ystafell, a llefodd y ddau gyda'i gilydd, a'u pennau'n isel, wrth i'r plu du a'r llwch lliw rhyfedd ffurfio cylch o'u cwmpas, yn dawel a llonydd ar lawr.

Roedd hyd yn oed yr ellyllon yn crio, a dydyn nhw byth yn crio.

Dydyn nhw byth bythoedd yn crio.

Ond syrthiodd eu dagrau yn un afon ar y plu a'r llwch amryliw.

Ac yna ...

Ac yna ...

Ac yna trwy lygaid llaith, meddyliodd Llŷr iddo weld ymyl y llwy yn symud.

Doedd bosib?

Efallai mai dychmygu roedd e.

Ond na, gwelodd yr un peth eto. Symudodd y llwy'r mymryn lleiaf.

'Beth sy'n digwydd?' holodd Cai, a'i lygaid fel soseri.

'Beeee sssy'n digwyyyydd ...' sibrydodd yr ellyllon, wrth gydio'n sownd yn eu Hudlathau'n ddrwgdybus.

Cododd gwallt eu pennau fel pe baen nhw wedi cael sioc drydanol. Roedd yna Hud yn yr ystafell unwaith eto.

Cododd y llwch amryliw oddi ar y llawr, gan ganu fel haid o adar wrth luwchio o amgylch yr ystafell, a dod at ei gilydd fel jig-so hynod o gymhleth gan ailffurfio siâp corff dynol.

Chwyrlïodd y darnau bychain bach – miliynau ohonyn nhw – yn gorwynt, nes ffurfio trwyn, llygaid, clustiau, ceg, a choesau Dôn, fel pe bai cerflun yn cael ei ffrwydro am yn ôl, a chreu BYWYD o flaen llygaid Llŷr a Cai.

Am eiliad, roedd y cerflun yn llonydd, yn farw, yn berffaith ond yn ddifywyd, yn amlinelliad robotaidd o rywbeth fu unwaith yn Dôn.

Ond uwch eu pennau roedd y darn olaf o Dôn yn prysur ffurfio – calon ddynol, i fyny fry yn yr awyr.

'Edrych!' anadlodd Saethwenyn, a phwyntio uwch eu pennau. Daliodd Llŷr ei anadl.

Mae hynny'n amhosib ... meddyliodd Llŷr. *Alla i ddim credu 'mod i'n gweld hyn ... calon yn hedfan ...*

Syrthiodd y galon tua'r llawr yn reit sydyn, a phlymio i frest Dôn, a oedd bellach yn gorwedd ar y llawr ...

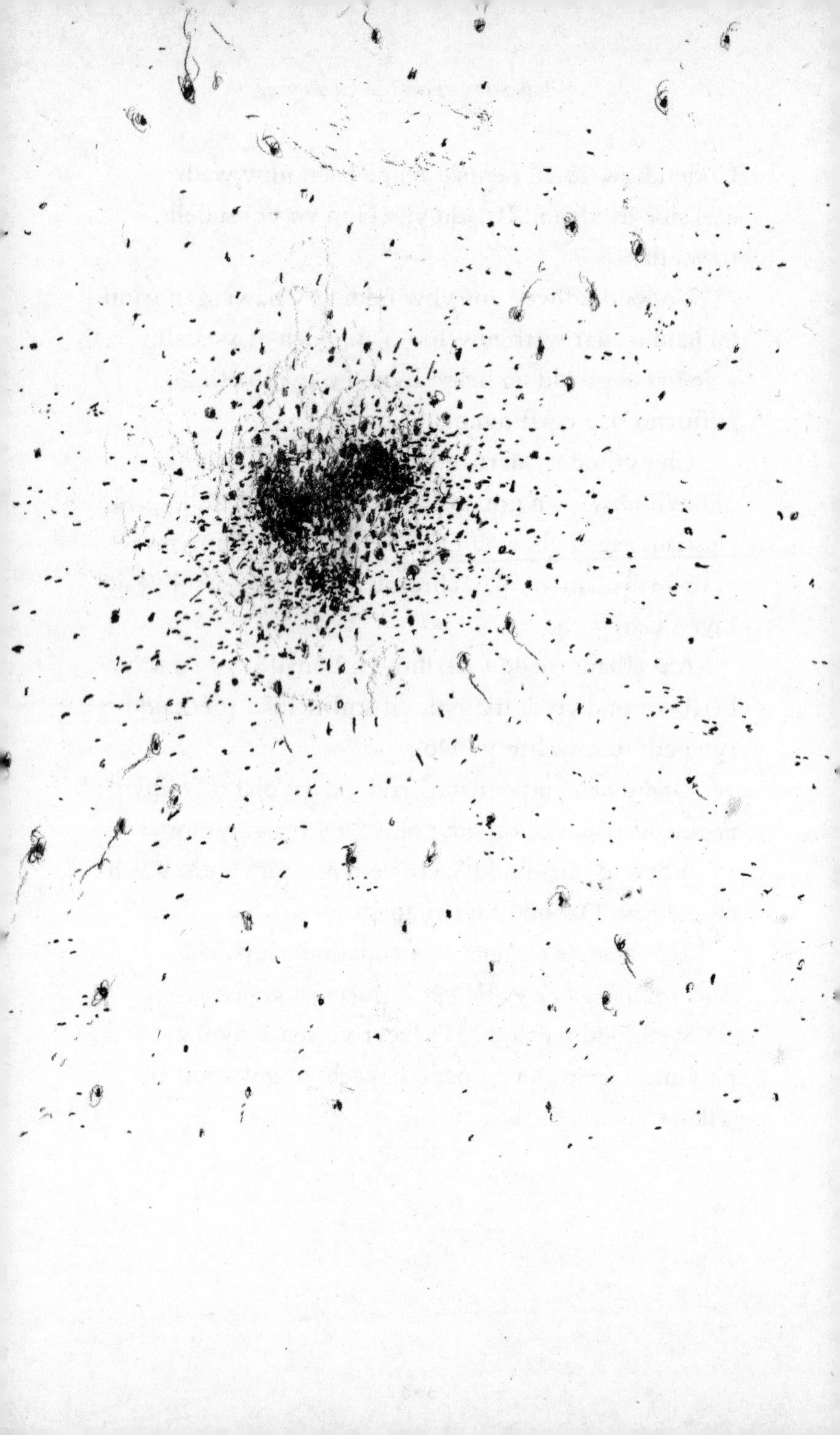

A dyma Dôn yn eistedd i fyny fel pyped ac yn cymryd anadl ddofn, a llyncu'r aer yn awchus fel pe bai'n yfed bywyd ei hun. Daeth o farw'n fyw mewn chwinciad.

'Beth ... Beth ddigwyddodd?'

'MAE HI'N FYW!!!'

23. Diwedd Antur a Dechrau Problemau

'MAE HI'N FYW! MAE HI'N FYW!'
O gwmpas yr ystafell, dawnsiai pawb â mwy o orfoledd nag erioed o'r blaen. Roedd hyd yn oed y Llwy Hudol yn gwneud cylchoedd pirwét.

'O, fy mhlu a 'mhig a 'nghynffon ...' anadlodd Crawchog. 'Diolch byth am hynny. Am un eiliad ofnadwy ro'n i'n meddwl y byddai pethau wedi mynd o chwith go iawn, a ffawd a'r bydysawd wedi creu'r diwrnod mwyaf erchyll erioed i ni, ond mae hi'n fyw!'

Baglodd Dôn i'w thraed i ganol y cymylau llwch.

'Dwi'n iawn,' meddai hi'n grynedig. 'Dwi'n iawn ...'

A'i gwallt yn hedfan i bob cyfeiriad, edrychai fel môr-leidr blêr.

'Brysia! Gwisga dy batshyn llygad!' meddai Cai, a phlygu i godi'r patshyn o'r llawr llychlyd a'i roi iddi ar frys, rhag ofn i'w llygad Hud wneud i'r waliau siglo unwaith eto.

Cyn gynted ag y gwisgodd Dôn y patshyn llygad, tawelodd y cryndod yn y llawr a sythodd y waliau.

'Beth ... ddigwyddodd?' holodd Dôn, a oedd yn ei chael hi'n anodd sefyll yn syth.

'Roedd y cyfan yn anhygoel!' bloeddiodd Llŷr.

Anghredadwy.

Amhosib.

Annealladwy.

'Mae'r hyn ry'n ni wedi'i weld,' meddai Crawchog mewn llais trawiadol, 'yn un o'r golygfeydd mwyaf anhygoel yn y bydysawd: adfywiad y Swynwr Mawr ei hun.'

'Am beth ar y ddaear wyt ti'n siarad?' blinciodd Dôn.

'Rwyt ti'n fyw,' bloeddiodd Cai. 'Fe wnest ti farw, ond ti yw'r Swynwr Mawr felly mae gen ti fwy nag un bywyd ...'

'Dyna'r peth mwya dwl dwi wedi'i glywed erioed,' meddai Dôn. 'Do'n i *ddim* yn FARW... Wnes i syrthio ar lawr a chodi'n ôl ar fy nhraed.'

'Roeddet ti'n RHACS JIBIDÊRS!' llefodd Llŷr. 'Yn ddarnau bach ar draws y stafell i gyd ... ac yna wnest ti ddod 'nôl yn gyfan unwaith eto! Dyna'r peth mwyaf anhygoel i mi ei weld erioooed!'

'Twt lol,' wfftiodd Dôn, ond heb ryw lawer o argyhoeddiad oherwydd rhwng popeth, roedd hi'n teimlo ar goll, fel y byddet ti o gael dy dynnu'n ddarnau ac yna dy roi yn ôl yn gyfan unwaith eto. 'Mae'n amhosib ... beth ydych chi'n ei ddweud? Chi'n dweud 'mod i'n gallu marw yna dod 'nôl yn fyw eto?' holodd Dôn.

'Ydyn, ond mae yna bris i'w dalu,' aeth Crawchog yn ei flaen. 'Mae hyd yn oed y Swynwr Mawr wedi'i wneud o gig a gwaed, ac mae hynny'n treulio ar ôl ychydig. Felly mae'n rhaid i ti fod yn ofalus dros ben, Dôn, oherwydd dwyt ti ddim yn gwybod sawl bywyd sydd gen ti.'

'Iawn ...' atebodd Dôn, a theimlo bod hyn yn ormod i'w lyncu ar unwaith. 'A beth am fy llygad?'

'Mae'n rhaid mai Llygaid Hud yw hi,' meddai Crawchog. 'Hynod o brin. Pwerus iawn. Dwi ond wedi gweld dwy Lygad Hud cyn hyn – ar ddau ben gwahanol, wrth gwrs. A byth y lliw yna. Rhaid mai dyna yw lliw Hud-sy'n-gweithio-ar-haearn.'

'Dal sownd am funud,' meddai Llŷr yn flin. 'Y person sydd â Hud-sy'n-gweithio-ar-haearn yw

y Swyniadur

Y Llygad Hud

Anaml iawn, iawn y bydd Dewin yn cael ei eni â Llygad Hud. Mae'n Hud pwerus iawn, ond yn anodd ei reoli. Mae'n tueddu cael ei gysylltu â swynwyr sydd â mwy nag un bywyd.

bachgen ffawd. All *Dôn* fyth â bod yn fachgen ffawd! *Merch* yw hi!'

'Does neb yn dweud bod rhaid i Unigolyn Ffawd fod yn fachgen, Llŷr,' esboniodd Crawchog. 'Nid yr Oesoedd Tywyll yw'r rhain, ti'n gwybod ...' (Wel, ie, mewn gwirionedd, ond does neb byth yn meddwl eu bod nhw'n byw yn yr Oesoedd Tywyll.)

'Ond dwi ddim yn deall,' meddai Dôn. 'Dwi wedi tynnu'r patshyn llygad i ffwrdd sawl gwaith, a chredwch chi fi, does dim byd fel yna wedi digwydd o'r blaen.'

'Ie, wel, rwyt ti newydd droi'n dair ar ddeg, felly newydd gyrraedd fyddai'r Hud!' eglurodd Crawchog.

'Felly nid yn unig mae gen i Hud,' meddai Dôn, yn drist iawn, iawn, 'ond mae'n fath rhyfedd o Hud, a fy mai i ydy bod yr holl Wrachod yma'n dihuno, felly?'

'Wel, nid dy fai di, yn union,' atebodd Crawchog. 'Ond os gallai'r Gwrachod gael gafael ar yr Hud-sy'n-gweithio-ar-haearn, falle y gallen nhw godi unwaith eto. Maen nhw'n gwybod mai dyna eu hunig obaith o drechu haearn y Rhyfelwyr. Dyma maen nhw wedi bod yn aros amdano yr holl flynyddoedd yma.'

NORA WEN!

Roedd hyn yn wael, yn wael iawn.

Dydy meddwl bod y creaduriaid mwyaf dychrynllyd ar y ddaear ar dy ôl di'n benodol ddim yn brofiad pleserus iawn.

Wyddai Dôn ddim beth i'w feddwl.

Ar un llaw, roedd yn drychineb i Ryfelwr ddarganfod yn sydyn fod ganddi Hud.

Ond ar y llaw arall ...

Yn y gorffennol roedd hi wastad wedi bod yn *Dôn*, gair a oedd yn cael ei yngan ag ochenaid o siom; seithfed merch gyffredin Tarianrhod, ychydig yn lletchwith ac ychydig yn ddall, a oedd yn ceisio – ac yn methu – bod yn Rhyfelwr fel ei chwiorydd. Ond nawr, roedd hi wedi darganfod mai ***DÔN*** oedd hi, ac roedd y ***DÔN*** newydd yma'n unigolyn neilltuol o anhygoel. Er ei bod yn edrych yn ddigon cyffredin o'r tu allan, roedd ganddi gyfrinach ogoneddus (er ychydig yn beryglus) y tu mewn.

'Allwn ni drafod popeth nes ymlaen. Yn y cyfamser, mae'r cyfan wedi gorffen yn y ffordd fwyaf penigamp posib!' meddai Llŷr yn hwyliog. 'Ry'n ni wedi achub Pry-pi! Mae Dôn yn fyw! Ry'n ni wedi lladd y Frenhinwrach! Dwi wedi torri'r maen ofnadwy yna a gwneud yn iawn am bethau! Mae popeth wedi dod i ben yn dwt ac yn hapus! Ro'n i'n gwybod y byddai popeth yn iawn yn y diwedd.' Trodd yn orfoleddus tuag at Crawchog. 'Ti'n gweld? Doedd hynna ddim mor anodd â hynny, yn nag oedd?'

'O Llŷr ...' meddai Crawchog, a siglo'i ben. 'Rwyt ti'n ddigon amdana i, wir. Mae dy anturiaethau di'n niweidiol iawn, iawn, iawn i 'nghalon i.'

Syllodd Cai'n syn arnyn nhw i gyd. Dros y pum munud diwethaf roedd wedi mynd o arswyd pur i ddigalondid diwaelod ac i orfoledd pur. Teimlai fel pe bai Brân Wrgan y cawr wedi bod yn ei ysgwyd mewn bwced.

'Dal dy ddŵr,' sibrydodd. 'Wyt ti'n trio dweud wrtha i fod pethau fel hyn yn digwydd i ti'n *aml*?'

'O hyd ac o hyd,' ochneidiodd Crawchog. 'Ond dwi'n cyfaddef, roedd hwn yn waeth na'r arfer ...'

Edrychodd Cai o'i amgylch ar y difrod yn yr ystafell.

Roedd ystafell werthfawr tynnu-Hud Tarianrhod yn rhacs – y llawr yn llawn llanast a llwch, y maen wedi chwalu, y drws wedi'i chwythu oddi ar ei golfachau, a chrafiadau crafangau'r Wrach ar hyd ffrâm y drws.

Roedd perygl erchyll yr hen Wrachod, a fu'n farw ers canrifoedd, wedi dihuno a dod allan i'r byd unwaith eto ...

'Am beth oeddet ti'n mwydro, Llŷr, fod popeth yn iawn yn y diwedd?' holodd Cai. 'Dyw popeth ddim yn iawn! Mae'r lle yma'n llawn llanast! Llanast llwyr! Ac mae 'na Wrachod *allan yno*,' meddai Cai. 'A'n bai ni ydy hynny i gyd! Ddylwn i fyth fod wedi gadael i'r dywysoges fynd o'r gaer ... Ddylwn ni fod wedi dweud wrth yr oedolion ...'

Mwythodd Dôn ei ysgwydd. 'Nid dy fai di ydy hyn, Cai. Roedd y Gwrachod yna beth bynnag ... Roedden nhw yna drwy'r amser, ond ein bod ni'n methu eu gweld nhw. Rhaid i ni edrych ar yr ochr orau. Ac edrych ar faint ry'n ni wedi'i ddysgu o'r antur yma! Brwydrodd y Rhyfelwyr a'r Dewiniaid y Frenhinwrach gyda'i gilydd, a'i threchu! Rhaid bod hynny'n arwydd da i'r dyfodol.'

Gadawon nhw'r cleddyf yn y maen am nad oedd yn fodlon symud, hyd yn oed i Dôn.

Mae'n ymddangos nad oedd ffawd yn meddwl bod yr un ohonyn nhw'n barod i drafod y cleddyf yna eto.

'Dwi ddim yn deall,' meddai Llŷr, mewn penbleth. 'Mae angen y cleddyf arnon ni'n fwy nag erioed, nawr bod y Gwrachod wedi dychwelyd i'r goedwig.'

'Ond mae'r cleddyf ychydig yn ... *gyndyn,* yn dyw e?' meddai Crawchog. 'A dy'n ni ddim wir yn deall ei gyfrinachau eto. Felly falle mai dyma'r lle gorau iddo ar hyn o bryd.'

Efallai bod Crawchog yn iawn. Pwy a ŵyr ble y gallwch chi guddio Cleddyf Hudol sydd â'i meddwl ei hun, ac a oedd yn benderfynol o ladd Gwrachod, ac sy'n gallu datod cloeon a hollti trwy loriau a nenfydau? Hyd yn oed petai'r Frenhines Tarianrhod, sy'n *arbenigwraig* ar garcharu a chreu daeargelloedd, yn gallu dyfeisio ffordd i reoli'r cleddyf, efallai mai yn sownd yn y maen hir oedd y lle gorau iddo wedi'r cyfan.

Fe benderfynon nhw adael nodyn i Tarianrhod, wrth ymyl y cleddyf yn y maen. Dôn a'i hysgrifennodd felly roedd y sillafu ychydig yn afreolaidd. Ceisiodd ei gorau i ddynwared Llŷr.

Shwdi Brenines Tarianrhwd,
Fi di dychwelid ych Gleddif.
Pidwch â twtsh â'r llafn, os chi'n galli
tynni fe mas. Falle bod na bach o
Gwaid Gwrach arno. Ddrwg 'da fi.
Dyna fe 'te,

Llŷr, Fab Seithwg
Dewin Mawr Fydd 'Ma Am Byth

Doedd dod o hyd i'r bobl ddi-Hud roedd Tarianrhod wedi'u carcharu ddim yn anodd. Dim ond dilyn y sŵn oedd rhaid gwneud, ac wrth iddyn nhw fynd i mewn i'w daeargelloedd, roedd y canu'n tawelu, a'r bobl ddi-Hud yn syllu'n syn arnyn nhw, ac yn rhwbio eu llygaid, yn methu credu eu bod nhw yno.

Cododd Dolur, y cawr mawr, ei ben blewog.

'Llŷr!' bloeddiodd. 'Rwyt ti wedi dod i'm rhyddhau i! Ac ar y fath frys – prin wedi cael amser i eistedd i lawr oeddwn i!'

'Wrth gwrs 'mod i!' meddai Llŷr, gan anghofio

na fyddai hyd yn oed wedi sylweddoli bod Dolur ar goll pe na bai Dôn wedi dweud wrtho. 'Am mai arweinydd ydw i a dyna mae arweinydd yn ei wneud!'

Wrth edrych ar wyneb caredig, diniwed y cawr yn gwenu wrth i Llŷr roi cwtsh mawr i'w bigwrn, teimlai Dôn fod yr antur gyfan wedi bod yn werth chweil.

Roedd carcharu'r bobl Hud yn anghywir, gallai weld ei fod yn anghywir.

Roedd ei mam wedi gwneud camgymeriad.

Doedd ei mam ddim yn berson *drwg* fel roedd Llŷr yn ei ddweud. Roedd hi'n ceisio gwneud *daioni*, ond wedi gwneud camgymeriad.

'Dewch mas o 'ma!' rhuodd Llŷr, a phwnio'r awyr.

Ond er mawr syndod iddo, doedd y di-Hud ddim mor awyddus i ddianc â'r disgwyl. Roedden nhw'n sefyll yno – hyd yn oed y rhai mwyaf uchel eu cloch – yn dawel braidd ac yn isel, fel pe bai'r aer wedi gollwng o falŵn, ac fe sgathrodd yr ellyllon, druain, a oedd mor siomedig ar ôl colli eu gallu i hedfan, i ffwrdd fel llygod ar draws llawr y carchar.

'Mae ganddyn nhw gywilydd, Llŷr,' eglurodd Crawchog, 'oherwydd beth yw cawr heb ei daldra? Beth yw ellyll heb ei adenydd?'

Roedden nhw fel Rhyfelwyr yn dychwelyd o frwydr, wedi'u hanafu'n ofnadwy, a ddim yn teimlo bellach na allen nhw wynebu eu teuluoedd Hudol.

Ond wnaeth Llŷr eu hysbrydoli nhw.

Neidiodd ar ben craig yng nghanol yr ystafell.

'Peidiwch â theimlo cywilydd, bawb!' bloeddiodd. 'Llŷr ydw i, bachgen ffawd. Ac am ryw reswm, oherwydd rhyw gamddealltwriaeth yng ngweinyddiaeth y bydysawd sy'n siŵr o ddatrys ei hun ymhen amser, does gen i hyd yn oed ddim Hud eto! Dwi wedi dod i'ch hachub chi, a mynd â chi 'nôl at Seithwg – Dad – y Swynwr Mawr mwyaf nerthol i gerdded y ddaear yma, a dwi'n siŵr y gall adfer eich Hud.'

'Dwi ddim yn credu y dylet ti fod yn addo hynny iddyn nhw, Llŷr,' meddai Crawchog. 'Dwi ddim yn siŵr a ydy hynny'n bosib ...'

Ond roedd yr addewid yn cynnig gobaith i'r criw i gyd. Roedd meddwl am yr Hud yn dychwelyd yn gwneud i'r llygaid mwyaf llwm a diflas ddisgleirio.

Cydiodd Dolur yn yr ellyllon bach nad oedd yn gallu hedfan bellach, a gadael iddyn nhw eistedd fel llau pen yn ei wallt. Wedyn, dechreuodd pawb a oedd yno frasgamu a charlamu a rhedeg drwy'r coridorau, yn ôl i'r ystafell dynnu-Hud, oherwydd dyna lle roedd y llwybr at yr allanfa gyfrinachol.

Yn yr ystafell dynnu-Hud, daeth y criw i stop.

'Rhaid i ni ddweud hwyl fawr,' meddai Cai.

'Dere gyda ni, Dôn,' meddai Llŷr. 'Dere 'nôl i'n gwersyll ni, gei di fod yn Hudol yn fan'na ...'

Dim ond ers pedair awr ar hugain roedd llwybrau Llŷr a Dôn wedi croesi dan y sêr yn y goedwig.

Yma, mewn cell yn ddwfn dan ddaear, roedden

nhw ar groesffordd, ac roedd yn rhaid i Dôn benderfynu i ba gyfeiriad y dylai fynd.

O fynd un ffordd, roedd y llwybr llawn llwch wedi'i oleuo gan ellyllon yn arwain yn ôl trwy ddrysfa'r ddaeargell ac i fyny at gaer Tarianrhod.

O fynd y ffordd arall, roedd coridor hir a thywyll yn arwain ymlaen at allanfa gyfrinachol ac i'r goedwig, a dyna lle roedd Llŷr a'r creaduriaid Hudol yn mynd.

Roedd rhan ohoni eisiau dilyn y llwybr hwnnw, am ei fod yn ymddangos yn llwybr o gyffro a gwylltineb a Hud a chathod eira.

Ond ...

'Alla i ddim gadael fy nghartref,' meddai Dôn. 'Dim ond tair ar ddeg oed ydw i. *Dyma* 'nghartref i ... a dwi'n caru Mam.'

'Mae dy fam yn wraig beryglus dros ben!' meddai Llŷr.

Er bod Cai eisiau i Dôn ddod yn ôl i'r gaer gydag e, roedd yn rhaid iddo gytuno â Llŷr. 'Cofia am y pennau yna yn y stafell, y tŵr o'r Swyniaduron yna yn y celloedd ... Mae Tarianrhod yn ceisio bod yn ddewines, Dôn.'

'Myn uchelwydd i, wyt ti'n meddwl bod hynny'n wir?' ebychodd Dôn. 'Ond sut all hi wneud hynny? Hi yw'r un sydd wastad yn dweud pa mor wael mae Hud, a sut y dylen ni frwydro yn ei erbyn?'

Yn bendant, roedd gan Tarianrhod ddigon o gyfrinachau, ac roedd Dôn wedi dysgu mwy am ei mam na'r hyn roedd hi'n dymuno ei wybod.

'Ond mae hi'n trio gwneud y peth iawn, dwi'n gwybod ei bod hi, ac mae Mam yn haeddu ail gyfle,' mynnodd Dôn yn styfnig. 'Mae pawb yn haeddu ail gyfle, yn dydyn nhw?'

'Mae Dôn yn iawn. Fan hyn mae'i lle hi,' meddai Crawchog, heb feddwl rhyw lawer am roi ail gyfle i Tarianrhod. Meddwl yr oedd e am y llu o bobl ddrwg, yn Ddewiniaid a gwaeth, a hoffai gael gafael ar yr Hud-sy'n-gweithio-ar-haearn. 'Mae Hud Dôn mor bwerus, byddai'n well ei gadw o fewn caer haearn y Rhyfelwyr. Mewn gwirionedd, o feddwl mwy am y peth, dylai Dôn gadw *Swyniadur* Llŷr, er mwyn iddi allu dysgu sut i reoli ei swynion.'

'Rwyt ti'n garedig, Crawchog,' meddai Dôn. 'Ond fydda i 'mo'i angen.' Crynodd ychydig. 'Dwi ddim yn mynd i wneud rhagor o Hud am y tro, tan fy mod yn medru perswadio pawb yn llwyth y Rhyfelwyr nad yw Hud mor wael ag y maen nhw'n tybio.'

'Na,' sibrydodd Cai ar frys, er ei fod yn hiraethu ac yn ysu am edrych eto ar y lluniau, y straeon, y ryseitiau, y swyngyfareddion, a'r holl fyd rhyfeddol Hudol yn y llyfr hwnnw. 'Na, ddylai Dôn ddim meddu ar bethau Hudol mwyach ... Edrychwch ar yr holl drafferth a greodd y llwy yna a'r Cleddyf Hud! Tywysoges y Rhyfelwyr yw Dôn, ac mae angen iddi

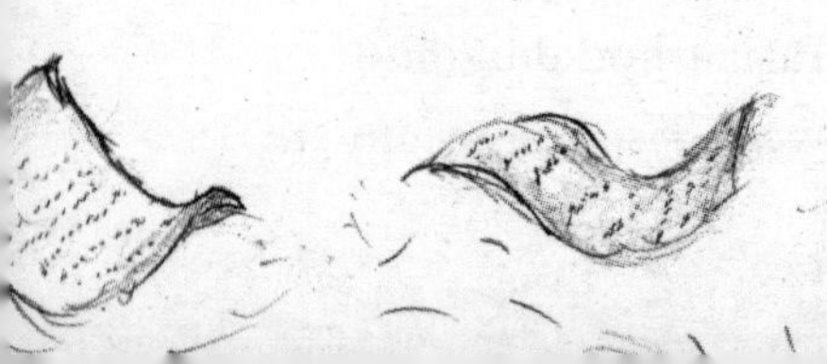

roi'r gorau i'r stwff Hudol yma ...'

Edrychodd Crawchog arno'n annwyl. 'Aaa ... gall Hud gael ei gelu ... gall Hud gael ei guddio, ond *rhoi'r gorau i Hud* ... mae hynny wir yn anodd dros ben. Edrych beth sydd newydd ddigwydd fan hyn yn y gaer yma! Ond, mae'r math o Hud sydd gan Dôn,' aeth Crawchog yn ei flaen, 'mor beryglus ac mor arbennig, mae'n rhaid i chi'i gelu. Ddylai neb gael gwybod am hyn, neu bydd Dôn mewn ffwdan hyd at ei chlustiau. Mae yna lawer i'w ddweud am fywyd braf, tawel a chyffredin tywysoges y Rhyfelwyr. Mae hi'n lwcus iawn o dy gael *di*, Cai, fel angel gwarchodol.'

Gwridodd Cai. 'Does gen i ddim syniad am beth wyt ti'n sôn. Beth yw angel? Rhywbeth fel ellyll?'

'Rhyw fath o ellyll,' meddai Crawchog. 'Cofia, alla i ddim pwysleisio hyn ddigon – *all neb gael gwybod am hyn.* Dyna pam bod angen i ti gael y llyfr yma, Dôn. Mae yna nifer fawr, fawr o benodau defnyddiol ynddo am gelu a chuddio eich Hud rhag eraill ... ac os, trwy anlwc lwyr, y bydd pobl beryglus yn dod ar dy ôl, pobl â chalonnau drwg a swynion Hud dwfn a chryf eu hunain, fe wneith y llyfr hwn achub dy fywyd.'

Cymerodd Dôn y llyfr. Roedd mewn cyflwr ofnadwy, wedi'i losgi ac yn llawn staeniau, a thudalennau'n disgyn ohono fel conffeti.

'Gelli di ysgrifennu ynddo hefyd,' meddai Crawchog. 'Ysgrifennu dy stori dy hun. Gall hynny helpu os wyt ti'n ceisio cadw cyfrinachau. Cymer bluen oddi ar fy nghefn – mae un ar fin disgyn allan – a'i chadw gyda ti drwy'r amser.'

Tynnodd Dôn y bluen oedd ar fin disgyn oddi ar gefn Crawchog, a'i gosod yn ofalus y tu mewn i'r *Swyniadur.*

'Hwyl fawr, Pry-pi ,' meddai Dôn, wrth i'r ellyll hofran o'i blaen hi. 'Gobeithio y byddi di'n well yn fuan ... ac y byddi di'n hedfan gystal ag erioed.'

'Fi dim gwybod pam ti ddim dod 'nôl gartre gyda ni ...' pwdodd. 'Ond dwiiii ddim yn becssso ...'

Tynnodd Pry-pi ar ei gwallt a phinsio'i thrwyn, a rhoi brathiadau pigiad danadl poethion iddi. 'Ti gwyneb hwch ... a drewi fel dom da ...'

'O, rwyt ti'n fy melltithio i. Mae hynny'n fendigedig, Pry-pi! Rhaid dy fod yn teimlo'n well!' meddai Dôn yn falch.

Edrychai Pry-pi yn ddigalon. 'Ond pam aros? *Dere* ... ti gwneud fi TRIST ...'

'Mae'n ddrwg gen i, Pry-pi ...'

'Shim otsh,' hisiodd Afallach, a'i llygaid yn rhegi. 'Ni'n gweld eisiau ti, ond ni byw, ie Chwilben? Nhw aros fan hyn yn caer mawr llwyd AM BYTH.'

Chwifiodd Afallach ei breichiau pigog a phoeri ambell air a oedd yn swnio fel 'ECSPCTELRBURTIBUT' a 'CHCHRFFMLLBCHTHTH'. Doedden nhw ddim yn swnio'n eiriau cyfeillgar.

'Hwyl fawr, Llŷr,' meddai Dôn.

'Hwyl fawr,' meddai Llŷr gan chwibanu'n hwyliog, a'i ddwylo yn ei bocedi, am nad oedd e eisiau i neb weld ei fod yn ddiflas.

A dyma nhw'n gwahanu.

Dechreuodd Llŷr a'i greaduriaid Hudol redeg a hedfan i lawr y coridor, a'r ellyllon yn creu llwybrau o olau a oedd yn sillafu 'hwyl fawr' a 'wela i di' a 'cadw draw' a 'twll dy din di'. Gwyliodd Dôn a Cai nes iddyn nhw ddiflannu i'r tywyllwch, a'u caneuon yn rhy bell i'w clywed.

Ac yna, yn anffodus, aeth Dôn a Cai i'r cyfeiriad arall, i fyny tua'r lle roedd y gwarchodwr yn dal i fod yn cysgu ym mynedfa'r ddaeargell, ac yna, yn ôl drwy'r gaer ar flaenau eu traed, gan osgoi cael eu gweld gan wylwyr y nos.

Yn y cyfamser, ymlwybrodd Llŷr a'i griw di-Hud ar hyd y coridorau nes dod o hyd i allanfa gyfrinachol Tarianrhod – drws anferthol a oedd wedi'i adeiladu'n sydyn gan ddwylo corachod, mae'n siŵr.

Roedd yn rhyfeddod, mewn ffordd, ei fod yn gyfrinach, am fod y drws yn fawr – yn ddigon i gawr fynd drwyddo, dim ond iddo blygu ei ben ychydig.

Unwaith iddyn nhw gyrraedd, roedd hi'n llawer

haws torri allan o'r gaer na thorri i *fewn*.

Ceisiodd Llŷr wneud ei ddynwarediad gorau o'r Frenhines Tarianrhod, a gweiddi, 'AGOR AR UNWAITH, TYN DY FYS MA—ALLAN! Y cyfrinair yw RHEOLI!'

Ac yna GWIIIIIIIICHCHCHCH!

Agorodd gwarchodwr yr ochr arall y drws, a oedd yn bren ar yr ochr fewn ac yn dywarchen o borfa'r ochr allanol, ac allan â nhw. Roedd Llŷr yn gwisgo'r clogyn coch, felly tybiai'r gwarchodwr mai'r Frenhines Tarianrhod oedd yno'n mynd allan i hela.

Feiddiodd y gwarchodwr ddim holi Tarianrhod pam ei bod hi'n gadael y gaer yng nghwmni cawr a chriw mawr o bobl ddi-Hud. Y cyfan a wnaeth oedd codi ei law i'r awyr ar y gwylwyr yn y bylchfuriau, er mwyn dweud wrthyn nhw am beidio â saethu.

'Neb i redeg ...' sibrydodd Llŷr, am ei fod yn gallu teimlo'r cathod eira'n crynu wrth ei ochr. 'Rhaid i ni beidio ag edrych fel ein bod ni wedi dychryn – os gwnawn ni edrych yn ofidus a dechrau rhedeg i ffwrdd, yna byddan nhw'n meddwl bod rhywbeth o'i le.'

Y cyfan allai'r gwylwyr ei weld oedd rhywun yn gwisgo clogyn coch Tarianrhod yng nghanol y criw, wrth i olion traed y cathod eira dorri llwybr drwy'r rhew, a'r ellyllon yn suo fel canhwyllau wrth arwain y ffordd o'u blaenau.

Dim ond wrth i Llŷr a'r cathod eira gyrraedd diogelwch y coed y dechreuodd ymlacio rhyw fymryn. Edrychodd yn ôl at y gaer. Roedd y drws ar gau, a byddai neb byth wedi dyfalu bod drws yno, oni bai eu bod nhw'n gwybod hynny'n barod.

A doedd y gwylwyr, a oedd bellach fel ffigyrau maint morgrug ar y bylchfuriau, ddim yn edrych fel eu bod nhw'n llawn panig nac wedi cynhyrfu.

Dechreuodd ddrwgdybio fod y Frenhines Tarianrhod yn mynd i mewn ac allan yn llechwraidd drwy'r allanfa gyfrinachol gyda phob math o greaduriaid Hudol yn gyson, heb fod y rhan fwyaf o ddinasyddion y gaer yn gwybod dim.

Roedd hynny er gwaetha'r ffaith bod Hud wedi'i wahardd yn llwyr, dan ei gorchymyn ei hun.

Aaaa, dynes ddiddorol oedd y Frenhines Tarianrhod yna.

Ond cymhleth.

Hynod gymhleth.

24. Beth Welson Nhw Ddim

Nid Llŷr a'i greaduriaid Hudol yn unig a ddihangodd i dywyllwch y goedwig.

Cyn gynted ag y gadawodd Llŷr, Dôn a Cai yr ystafell dynnu-Hud, roedd tawelwch am ychydig.

Ac yna chwyrlïodd rhyw wynt aflan o amgylch yr ystafell, er mor amhosib yw hi i wynt chwythu o dan y ddaear.

Dechreuodd y plu du a'r darnau bach llychlyd o'r Frenhinwrach a oedd yn gorwedd ar lawr godi i'r awyr a ffurfio'n gwmwl du.

Does dim golau heb dywyllwch, a does dim tywyllwch heb olau.

Does dim dydd heb nos na nos heb ddydd.

Atgyfododd Dôn ar ôl marw, yn do?

Wedi'r cyfan, roedd hi'n un o'r Swynwr Mawr, ac mae gan Swynwr Mawr fwy nag un bywyd.

Ond roedd yna fwy nag un Swynwr Mawr *yn yr ystafell.*

Os allai Dôn ddod o farw'n fyw ...

Gallai'r Frenhinwrach wneud hynny hefyd.

Yn araf, araf, araf, cododd plu'r Frenhinwrach i'r awyr, gan wneud sŵn suo rhyfedd, fel haid o gacwn piwis. Troellodd y darnau bychain ar gyflymder mawr, yn cymysgu a dadgymysgu ymysg ei gilydd, fel pe bai ganddyn nhw gof mewnol o ble yn union ro'n nhw i fod – yn union fel y digwyddodd i Dôn.

Ac fe lenwodd yr ystafell â sŵn canu rhyfedd, cras.

Sawl gwaith ym mywyd Gwrach ...?

Sawl gwaith sy'n rhaid iddi farw ...?

Sawl bywyd sydd ar ôl ...?

Naw wfft ...

Naw wfft ...

Naw wfft ...

Dyw hyd yn oed y Swynwyr Mawr ddim yn gwybod yn union faint o fywydau sydd ganddyn nhw, felly mae marw'n gallu bod yn beth peryglus.

Ond roedd gan y Frenhinwrach un bywyd ar ôl, o leiaf.

I fyny, i fyny, i fyny fry aeth y plu a'r darnau bach, cyn uno gyda'i gilydd eto i ffurfio un Frenhinwrach dywyll a pheryglus.

Roedd un o'i hadenydd wedi rhwygo, ac yn hongian oddi arni, ond roedd hi'n fyw.

'... uaihtiew diahr i it illog rdywrb re nywm llinne y lefyhr ...' crawciodd y Frenhinwrach.

Mae iaith Gwrachod fel iaith pobol, wrth gwrs, ond â'r geiriau am yn ôl.

Gollyngodd y Wrach floedd annealladwy, ac yna diflannu mewn pwff o fwg. Roedd yn rhydd.

Hedfanodd trwy'r drws.

Roedd yn wan, mor wan ar ôl yr ymladd ac ar ôl bod yn gaeth yn y maen am ganrifoedd, ac yn glwyfau i gyd, diolch i'r cleddyf lladd-Gwrachod. Roedd angen i'r creadur ddianc, fel ystlum anweledig yn hedfan uwchben pawb arall wrth i Llŷr a'i greaduriaid Hudol redeg ar hyn y coridorau. Pan wnaethon nhw ddianc trwy ddrws cyfrinachol Tarianrhod, dihangodd y Wrach anweledig hefyd.

Ac allan i'r byd yr hedfanodd y Frenhinwrach, gan araf droi'n weladwy wrth gyrraedd y coed.

25. Mam a Merch

Gwahanodd Cai a Dôn ar ôl cyrraedd drws tŷ Dôn, yng nghanol y gaer. (Roedd Dôn yn byw mewn tŷ ar ei phen ei hun; am fod tywysogesau mor fawreddog a chrand roedd ganddyn nhw eu tai eu hunain, a oedd yn dangos eu statws ond eto yn eu gwneud i deimlo braidd yn unig.)

Teimlai Cai'n syndod o drist nawr fod popeth drosodd. Doedd e ddim yn arwr bellach, dim ond Gwarchodwr Cynorthwyol cyffredin. Roedd wedi bod yn ddiwrnod i'w gofio, yn bedair awr ar hugain hollol wych. Roedd wedi cael brwydro ochr yn ochr â thywysoges, fel pe bai'n gyfartal â hi, yn Rhyfelwr go iawn.

'Rŵan,' meddai Cai wrth Dôn, gan geisio swnio'n fwy siriol nag yr oedd, 'gallwn ni fynd 'nôl i fyw ein

bywydau arferol, dywysoges. Rho dy lwy i mi ac fe af i â hi i'r gegin, lle y gall hi ddychwelyd i fod yn llwy fach gyffredin ... mae'n bryd rhoi'r gorau i bethau Hud, fel gwnest ti addo i mi ...'

'I-eeeee,' meddai Dôn yn feddylgar. 'Ond wedyn mae GEN i'r *Swyniadur* o hyd, does? Falle wna i ollwng gafael ar y llwy *fory* ...'

'O'r gorau 'te,' cytunodd Cai. 'Ti'n addo y gwnei di fory?'

'Dwi'n addo,' atebodd Dôn.

'Nos da, Dôn,' meddai Cai. 'Nos da, lwy.'

'Nos da,' meddai Dôn, wrth siglo llaw Cai.

'Yyym, dywysoges,' meddai Cai, am fod rhywbeth wedi bod yn gwasgu arno, 'y llewygu yna ddigwyddodd heno ... dwyt ti ddim yn meddwl y gwneith o effeithio ar fy nyfodol fel gwarchodwr, nag wyt?'

'Hoffet ti wneud rhyw waith arall?' gofynnodd Dôn.

'Wel, fel mae'n digwydd, dwi wastad wedi bod eisiau bod yn Ffŵl, a dwi'n reit dda am ddweud straeon, a – *nid dyna'r pwynt!*' meddai Cai. 'Y pwynt ydy, mae 'nheulu i i gyd wedi bod yn Warchodwyr, felly mae'n rhaid i mi fod yn un hefyd. Ond dwi ddim yn gwybod a ydw i'n mynd i fod un da, o ystyried y broblem llewygu yma!'

'Dwi'n siŵr y gwnei di dyfu allan ohono,' meddai Dôn, '*fory* falle ... ond yn y cyfamser, canolbwyntia ar yr holl warchod gwych wnest ti! Rwyt ti'n arwr, ac yn ffrind da iawn.'

'Dwi ddim yn arwr. Gwarchodwr Cynorthwyol ydw i,' ochneidiodd Cai, 'a dyna yw gwaith Gwarchodwr Cynorthwyol. Cynorthwyo.'

Ond doedd dim modd iddo wadu nad oedd hefyd yn ffrind da iawn i'r dywysoges.

Ac yna fe aeth y ddau i'r gwely.

Y dywysoges i'w gwely brenhinol o blu gwyddau.

A'r Gwarchodwr Cynorthwyol i'w wely o wair o dan fwrdd y gegin.

Cysgodd y ddau'n sownd, ar ôl noson mor flinedig.

Ond all pethau ddim bod yr un peth am byth, wrth gwrs.

Unwaith i Warchodwr Cynorthwyol fod ar antur fel yna, mae ei fywyd wedi newid am byth.

Fel y Llwy Hudol, roedd wedi cael ei losgi o amgylch ei ymylon gan fflamau'r wrach, a'i ruddo gan anadl yr ellyllon. Roedd wedi gweld gwersyll y Dewiniaid, wedi clywed lleisiau'r cigfrain, ond yn fwy na dim, roedd wedi gweld y byd o safbwynt gwahanol.

Efallai 'mod i wedi dweud hyn o'r blaen, ond ...

Dyna'r broblem gydag anturiaethau, a dyna pam roedd tad Cai gymaint yn eu herbyn nhw.

Yn y cyfamser, cafodd Tarianrhod noson hir, hir, ar ei phen ei hun fach yn y tywyllwch, ac roedd ganddi ddigon o amser i feddwl.

Pwy a ŵyr? Efallai wir ei bod hi wedi dysgu gwers neu ddwy.

Dyna, wedi'r cyfan, oedd *diben* cell.

A phan ddeffrodd y gwarchodwyr, o'r diwedd, a datgloi'r gell lle roedd hi'n gaeth, rhedodd y Frenhines Tarianrhod allan drwy'r drws ac yn syth at yr ystafell dynnu-Hud. Roedd hi wedi clywed holl hwrli-bwrli'r noson cynt, ac wedi bod yn dychmygu pob math o bosibiliadau erchyll o'r hyn allai fod yn digwydd.

Gwelodd y maen hir a'r cleddyf, a darllenodd y nodyn. Oerodd ei gwaed.

Doedd y Frenhines Tarianrhod ddim yn dwp. Roedd y nodyn yn dweud ei fod oddi wrth Llŷr, ond roedd y llawysgrifen – y sillafu – wedi peri i'r Frenhines feddwl yn syth am Dôn.

Rhedodd tuag at y fynedfa a chafodd ei chodi at yr wyneb, trwy strydoedd y gaer, gan basio heibio ei dinasyddion, ei gwallt hyfryd euraid yn flêr fel nyth aderyn. Byddai'n cymryd wythnos iddi'i gribo (a byddai hi'n lwcus i allu gwneud hynny oherwydd weithiau mae ellyllon yn gallu gwneud cymaint o lanast gyda Hud dyrys, yr unig opsiwn o dro i dro yw torri pob blewyn ohono).

Rhedodd yn syth i'r tŷ lle roedd Dôn yn byw. Pur anaml roedd y Frenhines Tarianrhod yn mynd yno, am fod breninesau'n brysur dros ben a does ganddyn nhw ddim digon o amser i ymweld â'u plant, fel pobl gyffredin.

Wrth ruthro i mewn i ystafell Dôn, gwelodd Tarianrhod ei merch yn cysgu'n sownd ac yn chwyrnu ar y gwely. Gollyngodd y frenhines ochenaid o ryddhad.

Fel sy'n digwydd yn aml, trodd y rhyddhad hwnnw'n ddicter yn sydyn iawn.

Ysgydwodd ei merch yn dyner er mwyn ei dihuno.

Agorodd Dôn un llygad gysglyd, ac ar unwaith, deffrodd hi'n sydyn wrth weld ei mam yn sefyll drosti fel mynydd iâ oedd ar fin troi'n fynydd tân.

O diar.

'Bore da, Mam,' llowciodd Dôn yn ofnus.

'Mae'r bachgen yna o Ddewin wedi mynd,' meddai'r Frenhines Tarianrhod, yn llawn cynddaredd oeraidd wrth edrych ar y sgrathiadau ar wyneb Dôn, a'i gwallt gwyllt, a oedd, fel gwallt y Frenhines Tarianrhod ei hun, yn dal i edrych fel nyth ellyll. 'Wedi dianc gyda'r creaduriaid Hud eraill. Tryblith! Anhrefn! Anarchiaeth! Mae'r Maen-Hir-Sy'n-Tynnu-Hud wedi torri! A dwi wedi colli defnydd o'r cleddyf hefyd!' rhuodd. 'Mae'n sownd yn y maen, ar yr union adeg pan mae'i angen fwyaf, pan mae Gwrachod wedi dychwelyd i'r goedwig. Trychineb llwyr. Mae'n rhaid bod rhywun wedi dwyn fy allwedd ... Mae'n rhaid bod *rhywun* wedi helpu'r bachgen yna o Ddewin i ddianc ... Mae'n rhaid bod rhywun wedi mynd â'r cleddyf ato – mae'r *Rhywun* sydd wedi gwneud hyn wedi BRADYCHU ei mam, ei theulu, a holl dylwyth y Rhyfelwyr ...'

Edrychodd Dôn i'r cyfeiriad arall er mwyn osgoi'r

olwg flin ar wyneb ei mam.

'Dwi newydd gael y freuddwyd ryfeddaf erioed,' meddai Dôn. 'Wnes i freuddwydio bod yna Wrach y tu mewn i'r Maen-Hir-Sy'n-Tynnu-Hud, a'i bod hi'n galw'i hun yn Frenhinwrach.'

Syllodd Tarianrhod yn syn.

Diflannodd ei dicter a throi'n banig anesmwyth.

'Brenhinwrach y *tu mewn i'r maen?*' ebychodd y frenhines. 'Rwtsh! Amhosib ... all hynny fyth fod yn wir ...'

Ond ...

Os nad oedd Gwrachod wedi mynd o'r byd, byddai hynny'n golygu bod y chwedlau am y Frenhinwrach yn wir hefyd. Yn ôl straeon y tylwyth teg, y Frenhinwrach oedd arweinydd y Gwrachod, y pennaeth a oedd yn rheoli pob un ohonyn nhw.

'Yn fy mreuddwyd, roedd y Frenhinwrach wedi bod y tu mewn i'r maen am amser hir iawn. Pwy a ŵyr? Falle bod rhywun wedi'i charcharu hi yno oesoedd lawer yn ôl, er mwyn gwneud y byd yn lle saffach,' meddai Dôn. 'Mae'r straeon tylwyth teg am y maen yn dweud i beidio â chyffwrdd ynddo, yn dydyn nhw? Ond does neb yn gwybod pam. Am ganrifoedd a chanrifoedd, rhaid bod y Frenhinwrach wedi gadael i bobl fynd at y maen, fel bod y creadur yn cael tynnu eu Hud oddi arnyn nhw, a thorri allan o'r maen. A byddai wedi bod yn rhoi ei melltith arnat ti hefyd, Mam, ac arna i, a Llŷr, ac arnon ni i gyd. Ac yn fy mreuddwyd i, fe dorrodd y Frenhinwrach o'r maen.'

'Naaaa ...' sibrydodd Tarianrhod, a'i llygaid yn filain.

Ond roedd hi'n meddwl yn galed.

Gallai Dôn synhwyro bod ei mam yn gwanhau, felly daliodd ati i siarad yn feddylgar a diniwed, gan edrych yn freuddwydiol i'r pellter.

'Peth rhyfedd arall am y freuddwyd,' aeth Dôn yn ei blaen, 'yw – yn y daeargelloedd oddi tanon ni roedd yna stafell yn llawn *pennau.* Ond nid dim ond unrhyw hen bennau. Roedden nhw'n bennau ro'n i'n eu hadnabod – pobl a ddaeth i'r llys, a dadlau ar dy ran di, Mam, neu ddweud pethau neis amdanat ti pan oeddet ti oddi cartre. Dwi ddim yn meddwl y byddet ti eisiau i ddinasyddion Caer y Rhyfelwyr wybod am y pennau yna, Mam,' meddai Dôn.

'Mae breuddwydion yn bethau rhyfedd iawn,' meddai Tarianrhod, wrth syllu'n graff fel hebog ar ei merch.

Edrychodd y fam a'r ferch ar ei gilydd, a'i hwynebau'n unfath.

Ac roedd y ddwy yn meddwl: *Beth wyt ti'n ei wybod?*

Am y tro cyntaf erioed roedden nhw'n edrych yn rhyfedd o debyg: eu gwalltiau'n saethu fel rhaeadr am i fyny, golwg feddylgar ar eu hwynebau, a llygaid gwyliadwrus.

'Mae'n gymhleth,' meddai'r Frenhines Tarianrhod o'r diwedd.

'Ydy wir,' cytunodd Dôn.

Am y tro cyntaf,
edrychai'r fam a'r ferch
yn debyg iawn i'w gilydd.

Estynnodd law gynnes a chydio yn llaw oer Tarianrhod. 'Mae'n rhaid ei bod hi'n anodd iawn i fod yn frenhines,' meddai Dôn.

Gwasgodd y Frenhines Tarianrhod law ei merch hefyd.

'Ydy, ti'n iawn,' meddai. 'Beth ddigwyddodd i'r Wrach-yn-y-Maen? Ble mae hi nawr?'

'Wnaethon ni ei lladd hi â'r cleddyf,' nododd Dôn. 'Yn y freuddwyd, wrth gwrs.'

'Hmmmmmmmmmmmmmmmmmmmmm,' meddai'r Frenhines Tarianrhod. 'Rwyt ti'n lwcus dy fod ti wedi goroesi.'

Cyffyrddod ag wyneb llawn sgathriadau ei merch.

Edrychodd y Frenhines Tarianrhod i lawr at Dôn, ac am un eiliad wan, slipiodd ei mwgwd hi. Doedd dim siom yn ei llygaid, ond yn hytrach rhywfaint o barch, yn ogsytal â drwgdybiaeth ac ofn.

Fyddai'r Frenhines Tarianrhod byth yn trin ei merch mor amharchus eto.

Toddodd ei hwyneb oeraidd yn wên garedig, fel haul yn disgleirio drwy rewlif.

'Da iawn, Dôn,' meddai'r Frenhines Tarianrhod. 'Rhaid bod y fath freuddwyd wedi dy ddychryn di. Hunllef oedd hi a dweud y gwir, ac mae'n swnio i mi fel dy fod wedi delio â'r cwbl mewn modd hynod o ... Ryfelwr-aidd.'

Roedd Dôn mor falch nes pelydru gwên yn syth 'nôl ati. *Gwenodd Mam arna i!*

Diflannodd gwên ei mam, ac roedd y Frenhines

Tarianrhod yn sefyll yno o'i blaen unwaith eto. Symudodd batshyn llygad Dôn, a oedd wedi gwyro ychydig.

'Falle 'mod i wedi gwneud camgymeriad am y maen yna,' cyfaddefodd y frenhines. 'Mae hyd yn oed breninesau'n gwneud camgymeriadau weithiau. Felly, o dan yr amgylchiadau *hynod arbennig* yma, dwi'n barod i anwybyddu'r hyn ddigwyddodd dros nos.'

Trodd llais y Frenhines Tarianrhod yn siarp fel cyllell. 'Ond yn y dyfodol, rhaid i ti wneud fel rwy'n dweud wrthot ti. Dwi ddim am i ti gael unrhyw gysylltiad o gwbl ag unrhyw beth Hudol – dim Dewiniaid, dim creaduriaid Hudol, dim hyd yn oed yr ellyll lleiaf, wyt ti'n deall, Dôn?'

'Ydw, Mam,' atebodd ei merch.

'Ac os gweli di'r gwalch a'r twyllwr yna – Llŷr fab Seithwg,' meddai'r frenhines, 'rhaid i ti ddweud wrtha i ar unwaith, wyt ti'n clywed?'

'Iawn, Mam,' meddai Dôn eto.

Ond o dan y dillad gwely, mae arna i ofn dweud, 'mod i'n digwydd gwybod bod Dôn yn croesi ei bysedd.

'O hyn ymlaen, Dôn, rhaid i ti weithio'n galed i fod yn dywysoges gyffredin. Gelli di ddechrau trwy wisgo'r patshyn llygad yna'n dwt ac yn daclus bob amser. Cofia,' meddai ei mam yn llym wrth iddi godi, 'Rhyfelwyr ydyn ni.' Pwyntiodd fys ati. 'A dylai Rhyfelwr fod ar ei orau bob amser. Pob blewyn yn ei le. Pob arf wedi'i hogi. Pob gewyn bys yn disgleirio.

Cofia di hynny.'

Ac yna fe aeth trwy ddrws ystafell Dôn, lle roedd yna dorf wedi ymgynnull, yn gwylio Tarianrhod mewn tawelwch – gyda'i gwn nos gwyn, bratiog, a'i gwallt dychrynllyd – yn sgubo drwy'r buarth, gyda chymaint o urddas a phe bai hi'n ddiwrnod ei choroni. Rhuthrodd y gwarchodwyr ati i gynnig eu clogynnau iddi, ond gydag un ystum, fe'i chwifiodd nhw o'r neilltu.

Edrychai fel brenhines, bob modfedd.

Dechreuodd rhywun guro dwylo. Heb wybod pam, ymunodd y Rhyfelwyr eraill. Beth oedd wedi digwydd? Pwy oedd wedi meiddio ymosod arni?

Beth ar y ddaear, myn cacen i, oedd wedi digwydd i'w gwallt hi?

Ac yna trodd Tarianrhod tuag at fynedfa ei chartref ei hun.

Tawelodd y dorf.

Plygon nhw ymlaen i glywed beth fyddai hi'n ei ddweud, gan ddisgwyl iddi ddweud holl hanes yr hyn a ddigwyddodd yn y daeargelloedd wrthyn nhw.

'Dwi ddim,' meddai'r Frenhines Tarianrhod, yn ei llais tawel, addfwyn, 'eisiau i neb sôn am hyn BYTH ETO.'

A dyna ddiwedd arni.

26. Tad a Mab

Yn y cyfamser, roedd Seithwg y Swynwr yn cerdded yn ôl ac ymlaen yn y neuadd fawr, a'i galon fel plwm, oherwydd er iddo anfon criw allan i geisio chwilio am Llŷr, doedd neb wedi dod o hyd i'r bachgen eto.

Y diwrnod cynt, pan oedd Seithwg y Swynwr a'i Ddewiniaid wedi rhuthro i mewn i ystafell wely Llŷr, roedd hi'n wag, a thwll enfawr yng nghanol y llawr.

Ac fe blygodd Seithwg wrth ymyl y twll, a gweld y Wrach farw'n gorwedd ar y gwaelod.

'Beth ydw i wedi'i wneud?' holodd y Swynwr, gan ddychmygu, am un eiliad ofnadwy, bod y Wrach wedi lladd ei fab, cyn sylweddoli, er mawr ryddhad, mai'r ffordd arall rownd oedd hi mewn gwirionedd.

Sbeciodd Rhaib dros ysgwydd ei dad, a throi'n welw. 'Beth yw hwnna, Dad?'

'Gwrach,' meddai Seithwg yn sarrug, 'oedd honna.'

Myn uchelwydd i a locsyn sinsir Ysbaddaden Bencawr, brenin yr ysbaddennod!

Doedd Gwrachod ddim wedi mynd o'r byd wedi'r cyfan!

Ac roedd y prawf yno, reit yng nghanol ystafell wely Llŷr.

'Chi'n gweld!' meddai Brygawth yn fuddugoliaethus, oherwydd roedd yn proffwydo o hyd y byddai pethau ofnadwy'n digwydd, ac roedd wrth ei fodd pan oedd yn gywir. 'Wedes i y byddai'r bachgen yna'n gwneud rhywbeth hollol erchyll ymhen amser! Ac ro'n i'n iawn! Dyw'r Gwrachod ddim wedi diflannu wedi'r cyfan, ac ar ôl cannoedd o flynyddoedd o heddwch, mae Llŷr wedi dod â Gwrach yma, i ganol gwersyll y Dewiniaid.'

Doedd neb yn synnu rywsut mai Llŷr oedd yr un a oedd wedi tynnu Gwrach ar eu pennau.

'Ond sut allai fod wedi lladd y Wrach yma?' holodd y Swynwr, â rhyw fath o edmygedd anfodlon. 'Mae'n hollol amhosib lladd Gwrachod ...'

'Wel,' cyfaddefodd Rhaib, yn araf, 'fe wnaeth e dwyllo yn y Gystadleuaeth Hud drwy ddod â pheth haearn anferth, yr un oedd e wedi'i ddwyn o gaer y Rhyfelwyr ...'

'Ai cleddyf nerthol oedd e?' ebychodd y Swynwr.

'Roedd e'n edrych yn reit hen,' meddai Rhaib. 'Ac fe wnaeth e sôn rhywbeth ei fod e'n gleddyf lladd Gwrachod ... ond ti'n gwybod sut un yw Llŷr – mae'n gelwyddgi o'i gorun i'w sawdl.'

'Pam na ddwedest ti ddim wrtha i?' chwyrnodd y Swynwr, wrth i'r cwmwl du uwch ei ben saethu mellt i bob cornel o ystafell wely ei fab ifancaf.

Felly nawr, bedair awr ar hugain yn ddiweddarach, roedd y Swynwr yn cerdded mewn cylchoedd, yn ôl ac ymlaen, yn ôl ac ymlaen, yn gobeithio'n groes i bob gobaith y byddai rhywun yn dod o hyd i Llŷr.

Doedd Rhaib ddim wir yn mwynhau gweld

pawb yn canmol Llŷr, nawr ei fod ar goll. Roedd hyd yn oed Brygawth yn dweud pethau fel: 'Roedd e'n fachgen da yn y bôn ... bywiog, wrth gwrs, a drygionus ... ond roedd ei galon yn y lle iawn ...'

'Bai Llŷr yw hyn i gyd,' pwdodd Rhaib. 'Fe ddaeth â'r Wrach yma. Mae'n haeddu bob cosb!'

Ond roedd y Swynwr yn gweld bai arno ef ei hun.

Beth ddywedodd e wrtha i, cyn i fi ei hel e i'w ystafell wely? meddyliodd Seithwg.

'Dwyt ti ddim yn poeni amdana i ... rwyt ti eisiau mab sy'n HUDOL ...'

Y cyfan roedd Seithwg ei eisiau oedd y cyfle i ddweud wrth ei fab nad oedd hynny'n wir.

Ond roedd yn rhy hwyr.

Doedd ei fab ddim yno.

Roedd Seithwg wedi bod ar ei draed drwy'r nos, yn hedfan yn isel dros y coed fel hebog, filltir ar ôl milltir, yn chwilio am ei fab. Ond roedd Llŷr yn arbenigwr pan oedd hi'n dod at guddio ôl ei draed, felly roedd hyd yn oed yn anodd iawn i hebog craff ddod o hyd iddo.

Roedd Seithwg wedi gadael i'w lygaid grwydro o'i ben a chwilio'r tir, ond roedd Llŷr wedi'i guddio mewn caer wedi'i chreu o haearn. Felly, er gwaetha'r holl syllu yma a thraw, doedd dim gobaith i'r Swynwr ddarganfod ei fab.

Roedd fel pe bai wedi diflannu oddi ar wyneb y ddaear.

Ac yna dechreuodd y Swynwr feddwl yn ddwys.

Doedd fawr neb yn gwybod am y Gwrachod.

Beth os oedd y Wrach, cyn marw, wedi gwneud i Llŷr ddiflannu oddi ar wyneb y ddaear?

Roedd y Swynwr wedi gyrru Llŷr i'w wely er mwyn dysgu gwers iddo.

Ond fel sy'n digwydd yn aml iawn, y Swynwr *ei hun* oedd yn dysgu'r wers.

Dwi'n DIFARU 'mod i wedi gweiddi ar y crwt! Dwi'n DIFARU peidio â gwrando arno, yn hytrach na bygwth ei wahardd! Dwi'n DIFARU efallai ei fod wedi marw heb wybod 'mod i'n ei garu! meddyliodd Seithwg y Swynwr.

Ond doedd y Swynwr Mawr ddim hyd yn oed yn gallu troi'r cloc yn ôl.

Roedd yna floedd wrth y drws.

Trodd y Swynwr yn sydyn.

Dacw fe! Llŷr!

Dyna lle roedd e, ar gefn Llygaid-y-Nos, ei gath eira, yn edrych yn euog, braidd yn ansicr, ond yn dal i fod ychydig yn haerllug ac mor hyderus ag erioed.

Efallai'n fwy felly na'r arfer, hyd yn oed.

Yn y bôn, mae pob Swynwr pwerus yn rhiant cyffredin fel y gweddill ohonom.

Rhedodd Seithwg y Swynwr Mawr at ei fab a'i goesau mor wan â dau flewyn, a chydag awch a rhyddhad cydiodd yn Llŷr a rhoi cwtsh anferth iddo.

'LLŶR! TI'N FYW! AC RWYT TI WEDI DOD ADRE!' llefodd Seithwg.

Mae hyd yn oed Swynwyr gorau'r byd yn rhieni, fel pawb arall ...

'Ydw,' meddai Llŷr, a gwenu o glust i glust. Wedi'r cwbl, roedd wedi disgwyl pregeth ofnadwy, cael ei ddiarddel, neu orfod wynebu llu o gwestiynau lletchwith, pa bynnag un oedd waethaf. 'Ymmm ... sorri am y Wrach farw, Dad ... ac am f'ystafell wely ... a dwi wedi colli fy *Swyniadur* eto ... ond edrych!'

Amneidiodd Llŷr ar y cewri, y Dewiniaid, y corachod a'r ellyllon yr oedd wedi'u hachub o ddaeargelloedd Tarianrhod.

Ebychodd y dorf a oedd wedi casglu ynghyd wrth iddyn nhw adnabod aelodau o'u teuluoedd, ffrindiau coll a chyd-weithwyr nad oedden nhw'n meddwl y bydden nhw'n eu gweld byth eto.

Rhuthrodd pawb i gofleidio eu perthnasau a chrio mewn llawenydd.

'Ro'n i eisiau gwneud yn iawn am bethau,' meddai Llŷr yn falch. 'Fe geisiais i gymryd Hud oddi ar Wrach, ac fe wnes i ddwyn y cleddyf ddaeth â'r Wrach atom ni. Felly fe wnes i ddychwelyd y cleddyf i ddaeargelloedd Tarianrhod, a thra 'mod i yno, dyma fi'n sylweddoli ei bod hi'n cadw ein pobl ni'n garcharorion, felly dyma fi'n eu hachub nhw.'

Wel, am gyflawni gweithred hynod wallgo ond dewr fel yna, bydden nhw i gyd yn barod i faddau i Llŷr, hyd yn oed os oedd wedi arwain LLWYTH o Wrachod at y gwersyll. (Cyn belled â'i fod e'n eu lladd nhw i gyd hefyd, wrth gwrs.)

Yn anaml iawn roedd Seithwg yn falch o'i fab.

Ond dyma'i fab, wedi gwneud rhywbeth da am unwaith!

A'r 'peth iawn' mwyaf pwysig sef:

Dod adre yn FYW.

Am y tro cyntaf, ysgydwodd Seithwg y Swynwr law ei fab, fel pe baen nhw'n gyfartal.

Doedd Llŷr erioed wedi bod mor hapus yn ei fyw – gweld ei dad yn edrych arno fe, Llŷr, â'r fath falchder, cymaint o gariad, a chymaint o edmygedd.

Gweld pawb arall yn y gwersyll yn canu clodydd ac yn curo dwylo.

Trodd y Swynwr at y dorf.

'Falle bod angen lle ym myd y Dewiniaid i'r rheini sydd heb Hud!' cyhoeddodd y Swynwr. 'Oherwydd edrychwch! Mae'r Dewiniaid, y cewri a'r ellyllon dewr yma'n dychwelyd aton ni â'u Hud wedi'u tynnu. Rhaid i ni gael lle yn ein cymdeithas ni i'r bobl yma.'

Bloeddiodd y dorf, 'Yn wir, yn wir!'

'Hoffwn longyfarch fy mab, Llŷr!' meddai'r Swynwr. 'Un a wnaeth fentro'n ddewr i ddaeargelloedd Tarianrhod er mwyn dod â'r ffrindiau annwyl yma yn ôl aton ni, er gwaetha'r perygl iddo'i hun, ei ellyllon a'i anifeiliaid.'

'Llŷr! Llŷr! Llŷr!' bloeddiodd y Dewiniaid.

'O, mae Llŷr yn GYMAINT O BOEN!' rhuodd Rhaib, a gwasgu'i law yn ddwrn.

'Mae fy mab wedi dychwelyd ataf i, ac

mae e'n dychwelyd yn berson gwell. Mae Llŷr wedi dysgu gwers,' gwenodd y Swynwr, 'sef bod aros yn amyneddgar i'ch Hud gyrraedd yn llawer, llawer callach na cheisio'i ennill o ryw ffynhonnell dywyll ...'

Trodd at ei fab.

'Ac mae Llŷr wedi dysgu gwers i MINNAU hefyd. Mae'n well o lawer cael mab heb Hud, na dim mab o gwbl ... Croeso adre, Llŷr.'

Cofleidiodd y Swynwr ei fab.

Ac yna trodd unwaith eto i wynebu'r dorf orfoleddus.

'Felly dwi'n datgan fod hwn yn ddiwrnod o ddiolch ac o ddathlu ... Dewch i ni weld, beth allwn ni ei alw?' gofynnodd.

'Beth am ei alw'n ... DDYDD DATHLU NAD YDY LLŶR WEDI CAEL EI HUD ETO! *Gadewch i'r miri ddechrau!'*

Nawr, doedd byth angen esgus ar y Dewiniaid i gael parti.

Aeth y neuadd yn wallgo, a ffidlau'n seinio'n wyrthiol heb neb yn eu chwarae, golau'r ellyllon yn igam-ogamu ar draws y nenfwd, a'r Dewiniaid a'r cathod eira a'r cewri a'r corachod a'r anifeiliaid o bob maint a siâp yn dawnsio a chanu ac yn udo dan awyr dywyll y gaeaf.

'Ni rhydd, nawr, Feistr?' holodd Afallach, wrth hedfan i fyny at y Swynwr, a cheisio siarad â hwnnw tra'i fod mewn hwyliau da. Peth prin iawn. 'Ti aaaaddo i ni, Crawchog a fiii ... ni rhyyyydd pan bachgen tyfu a ddim angen gwarchod fel babi ... Ni rhy ddeeeewr i ofalu am Llŷr ...'

'Dwi ddim wedi anghofio,' cyfarthodd y Swynwr, a'i garedigrwydd yn sydyn ddiflannu, 'ond bydd eich angen ar Llŷr am ychydig eto. Wna i ddim dy ryddhau di a Crawchog nes bod y bachgen yn oedolyn call a meddylgar.'

'Ond falle na ddigwydd hynny fyth!' meddai'r gigfran.

'Os felly, fyddwch chi fyth yn rhydd,' meddai'r Swynwr yn sarrug. 'A chyda llaw – Crawchog?'

'Yyym ... ie, Swynwr?' gofynnodd Crawchog a syllu'n euog.

'Ar ôl y dathlu, bydd angen i mi wybod yn union beth ddigwyddodd dros y pedair awr ar hugain ddiwethaf. Dwi'n disgwyl y gwir, y gwir plaen, heb flewyn ar big, Crawchog.'

Ac i fwrdd â'r Swynwr, a'i glogyn yn sgubo'r llawr, i ymuno yn yr hwyl.

'Byddai'n well 'da fi pe na baet ti'n dweud y gwirionedd I GYD wrtho,' gwenodd Llŷr.

'Ieee-e-e-e,' meddai Crawchog. 'Dwi'n credu y bydd yn rhaid i fi osgoi sôn mai haearn oedd y cleddyf a'i fod wedi cymysgu â Hud. Ac am yr ellyll yn cael ei wenwyno. A'r Wrach-yn-y-Maen. A Dôn y Swynwr Mawr – nawr 'mod i'n meddwl am y peth, does dim llawer o'r stori y medra i ei hadrodd o gwbl, nag oes?'

'Yn bendant paid â dweud HYN wrtho 'te,' meddai Llŷr, a chyda thinc direidus yn ei lygad, agorodd ei law.

Yna, yng nghanol cledr ei law, roedd y marc gwyrdd golau Gwaed Gwrach.

Gwichiodd Crawchog mewn arswyd.

'Gwaed Gwrach! Beth ddigwyddodd? Ro'n i'n meddwl dy fod wedi cael gwared arno!'

'A finne,' gwenodd Llŷr, a chau'i ddwrn o'i gwmpas eto. 'Ond mae'n rhaid 'mod i wedi tynnu fy llaw oddi ar y maen yn rhy sydyn. Wyt ti'n gwybod y peth gorau amdano?' Bellach, gallai Llŷr ddim cuddio'i gyffro. *'Dwi'n meddwl ei fod e'n dechrau gweithio!'*

'Ond ... ond ... ond ... Llŷr!' clebrodd Crawchog druan. 'Mae'n fath drwg o Hud! O ffynhonnell dywyll! Ry'n ni newydd FYND drwy hyn oll ac ro'n i'n meddwl dy fod wedi dysgu gwers, a dychwelyd yn well person, fel mae dy dad wedi dweud! Beth yn union ydy'r foeswers o'r holl antur yma?'

Ond roedd Llŷr eisoes wedi rhuthro i ffwrdd, yn poeni dim ei fod yn mynd i golli peth o'r dathliad Llŷr-Ddim-Wedi-Cael-Ei-Hud-Eto.

Ymunodd yr ellyllon yn frwdfrydig yn yr hwyl, ac roedden nhw'n chwyrlïo o gwmpas yn llawn direidi:

Cafodd Saethwenyn amser gwych yn anelu Hud a lledrith tuag at y bwyd, a phan oedd rhywun yn ei godi ac yn cymryd rhywbeth blasus fel tarten afal, erbyn iddo

Chei di ddim mynd yn
rhydd nes bod Llŷr yn
oedolyn call a gofalus

gyrraedd eu cegau byddai'n troi i fod yn rhywbeth hollol afiach fel gwlithen dew llawn sudd.

Gollyngodd Pry-pi swyn drewllyd (er, yn ôl yr arfer, roedd e wedi cael y cymysgedd yn anghywir, ac yn lle arogli fel wyau wedi pydru, byddai'n drewi'n reit braf, fel lemwn).

Ac roedd Llŷr yn dangos ei hun i'r merched del i gyd heb boeni'r un iot am ddim byd ...

Yn y cyfamser, roedd Crawchog, druan, yn eistedd ar gangen coeden, yn poeni, ac yn ceisio cysuro'i hun.

'Falle nawr fod y Frenhinwrach wedi marw,' meddai'r aderyn, 'y bydd y Gwrachod yn mynd 'nôl i gysgu unwaith eto. Falle os byddan nhw'n dihuno yn ystod ein bywydau ni, fyddan nhw ddim yn dod o hyd i'r ferch, am na fydd hi byth yn ddigon gwirion i ddianc o'r gaer unwaith eto, achos *falle*'i bod hi'n un o'r bodau dynol prin yna sy'n dysgu gwersi. *Falle.*'

Yna, fel sy'n nodweddiadol o bobl sy'n poeni, o wneud iddo deimlo'n well am *un* gofid, dechreuodd Crawchog boeni am rywbeth arall yn syth.

'Fe wnaeth Llŷr ddymuno am Hud, ac fe gafodd hynny, ac mae'n Hud drwg iawn yn wir ... a phe bai ei dad yn dod i wybod am hyn, yna bydd Llŷr mewn mwy o drwbwl nag erioed ...' meddai Crawchog yn ofidus. 'Ac er eu bod nhw'n hapus gydag e NAWR, wneith e ddim cymryd yn hir iddyn nhw gofio crwt mor ddrwg yw e ...'

Trodd yr hen aderyn ei ben i'r ochr arall, er mwyn meddwl am bethau amgen.

'Ond falle y byddai Llŷr yn dysgu *rheoli* ei Hud cyn i'w dad ddod i wybod. Mae yna ddaioni yn Llŷr, ac mae'r antur ddiweddaraf yma wedi dod â hwnnw i'r wyneb. Gallai'r *daioni* ynddo reoli'r *drygioni* yn y gwaed ... Falle ... *Falle.*'

'Crawchog!' bloeddiodd Llŷr oddi tano. 'Stopia eistedd lan yn fan'na a dy ben yn dy blu!'

Edrychodd Llŷr o'i gwmpas i weld a oedd rhywun yn edrych.

Ac yna fe wnaeth e godi'i law a oedd gyda'r staen Gwrach arni i fyny at gangen y goeden.

Rhaid bod Llŷr wedi ceisio gwneud Hud filoedd o weithiau o'r blaen, heb unrhyw lwc.

Ond roedd y tro hwn yn wahanol.

Y tro hwn teimlodd rywbeth yn goglais, rhyw bigau bach yn ei fraich dde. Roedd fel pe bai rhyw fath o gyhyr od nad oedd wedi'i deimlo o'r blaen yn ymestyn allan ac yn lledu.

Ac er mawr foddhad i Llŷr, gallai deimlo'r Hud yn saethu allan o flaen ei fysedd.

BAM!

Ffrwydrodd cangen y goeden lle roedd Crawchog yn swatio, a chyda rhyw wich anfodlon, disgynnodd yr hen aderyn o'r awyr fel pelen lawn plu, a phrotestio pan ddaeth wyneb yn wyneb â Llŷr, wrth iddo geisio fflapio'i adenydd yn ffyrnig.

'FE WEITHIODD E!' bloeddiodd Llŷr gan edrych ar ei law yn falch. 'NID GWASTRAFF OEDD Y CYFAN! FE GES I FY HUD YN Y DIWEDD!'

Ochneidiodd Crawchog yn uchel iawn, iawn.

Roedd moeswers yr antur wedi mynd o'i le rywffordd.

Ac roedd dysgu bod yn dda yn mynd i gymryd *amser* i Llŷr.

Ond yn y cyfamser ...

'Cei di boeni am bopeth fory, yr hen aderyn!' gwenodd Llŷr. 'Heno, rhaid DAWNSIO!'

A chydiodd y bachgen o Ddewin yn adenydd y gigfran, ac anghofiodd yr aderyn am ei bryderon. Daeth yn gyw bach eto wrth i Llŷr ei droelli rownd a rownd, gan ddawnsio gyda'i gilydd o dan sêr y nos.

Epilog

Felly, dyna oedd stori Llŷr a Dôn, a sut groesodd eu llwybrau nhw fin nos oes oesoedd yn ôl yn y gorffennol pell.

Cyn bod Ynysoedd Prydain yn gwybod mai Ynysoedd Prydain oedden nhw eto, a Hud yn byw yn y coedwigoedd tywyll.

Ac fel Crawchog, dwi'n dal i geisio deall beth yw moeswers yr hanes.

Rhaid i chi wrando ar y straeon, oherwydd mae straeon yn golygu rhywbeth.

Ond yr hyn sy'n fy mhoeni i ... yw beth yn hollol MAEN nhw'n ei olygu?

Y stori am sut gafodd Llŷr afael ar Hud, a sut wnaeth Dôn ddarganfod ei bod hi'n arbennig, a sut dihangodd y Frenhinwrach o'r maen hir.

Felly cafodd pawb yr hyn roedden nhw'n ei ddymuno, ond nid yn union yn y ffordd roedden nhw wedi gobeithio.

Oherwydd – a dwi'n meddwl 'mod i wedi sôn am hyn unwaith neu dair gwaith o'r blaen – rhaid bod yn ofalus o'r hyn ry'ch chi'n ei ddymuno, bobl.

Gall ddod yn wir.

Reit ar ddechrau'r stori hon, dywedais ei bod hi'n cael ei hadrodd gan un o'r cymeriadau.

Wnaethoch chi ddyfalu pa un?

Allen i fod yn unrhyw un ohonyn nhw, yn gallwn i?

Llŷr, neu Dôn, neu Cai, y Gwarchodwr Cynorthwyol gyda'r freuddwyd o fod yn arwr, Tarianrhod, neu Seithwg, neu un o'r ellyllon, neu'r hen aderyn llychlyd yna, Crawchog, y gigfran-sydd-wedi-byw-trwy'r-oesoedd.

Allen i fod yn unrhyw un o'r cymeriadau yma, yn dda neu'n ddrwg neu'n gymysgedd o'r ddau.

Dwi ddim yn mynd i ddweud yr ateb wrthoch chi eto.

Bydd rhaid i chi barhau i ddyfalu.

Oherwydd dy'n ni ddim wedi cyrraedd diwedd y stori eto – ry'n ni'n bell ohoni.

Mae'r Frenhinwrach wedi dianc o'r maen hir – y gath allan o'r cwd.

Bydd hi'n chwilio am Dôn, oherwydd ganddi hi mai'r Hud-Sy'n-Gweithio-Ar-Haearn.

Ac mae gan Llŷr Hud sy'n ddrwg, a dydyn ni ddim yn gwybod eto beth fydd yn digwydd i hwnnw.

O dan glustog Dôn mae'r Swyniadur yn cysgu. Ond gallai ddihuno ar unrhyw adeg. Gadewch i ni obeithio bod Crawchog yn iawn, ac y bydd yn helpu Dôn i ymladd yn erbyn pobl â Hud cryf, a chalonnau atgas a fyddai, efallai, eisiau cael gafael ar yr Hud sydd ganddi ...

OHERWYDD LLE MAE YNA UN WRACH, BYDD YNA RAI ERAILL ...

Cadwch y ffydd ...
Cadwch i ddyfalu ...
Cadwch i freuddwydio ...

Arwyddwyd:

Yr Adroddwr Anhysbys.

Unwaith roedd yna Hud...

Ar garlam, ar grwydr
Ar hyd ffyrdd tywyllwch y nos a rhwng tonnau'r môr
Ac yn yr awr ddiamser a aeth heibio
Roedd grym y geiriau gwag yn dal yno
Y drysau'n dal i hedfan a'r adar yn dal i drydar
Gwên y Gwrachod a chamau'r cewri
Roedd gennym ffyn Hud ac adenydd Hud
Ac fe gollon ni ein bywydau i bethau amhosib
Meddyliau anghredadwy! Diwedd disynnwyr!
Am fod posib i Ddewiniaid a Rhyfelwyr i fod yn ffrindiau.

Mewn byd lle mae pethau amhosib yn wir
Dwi ddim yn siŵr sut wnaethon ni anghofio'r swyn
Pryd gollon ni ein ffordd, a'r goedwig yn gwywo,
Ond nawr ein bod ni'n hen, gallwn ddiflannu hefyd.

Ac rwy'n gweld unwaith eto'r llwybr anweladwy
Sy'n ein harwain ni adre ac yn mynd â ni yn ôl ...
Felly cymerwch eich hudlathau a lledu'ch adenydd
Wna i ganu ein cariad am bethau amhosib
Ac yna pan gymerwch chi fy llaw ddiflanedig
Gallwn ni'n dau fynd yn ôl i'r byd Hud
Lle collon ni ein calonnau ...
Sawl bywyd yn ôl ...
Pan oedden ni'n Ddewiniaid
Unwaith.

DIOLCHIADAU:

Tîm cyfan o bobl sydd wedi fy helpu
i ysgrifennu'r llyfr hwn.

Diolch i'r golygydd arbennig, Anne McNeil,
a'm asiant ardderchog, Caroline Walsh.

Diolch o galon i Jennifer Stephenson,
Polly Lyall Grant a Rebecca Logan.

Ac i bawb arall yn Hachette Children's Group,
Hilary Murray Hill, Andrew Sharp,
Valentina Fazio, Lucy Upton, Louise Grieve,
Kelly Llewellyn, Katherine Fox, Alison Padley,
Naomi Greenwood, Rebecca Livingstone.

Diolch i bawb yn Little, Brown,
Megan Tingley, Jackie Engel, Lisa Yoskowitz,
Kristina Pisciotta, Jessica Shoffel.

Ac yn bwysicach fyth, Maisie, Clemmie, Xanny.

A SIMON am ei gyngor ardderchog am bopeth dan haul.

Allen i ddim gwneud hyn hebddoch chi.

I weld rhagor o
lyfrau bendigedig,
ewch i
www.rily.co.uk

@RilyBooks
@rilypublications
Rily Publications

CADWCH LYGAD ALLAN
AM Y NESAF YNG NGHYFRES

Yr Hudlath a'r Haearn

YN DOD
YN FUAN!

#HudlatharHaearn